Ami Lecteur

Aider le Parisien à mieux profiter des ressources de la capitale.

Apporter au touriste à Paris une information fiable et complète pour un séjour et ses repas.

Tel est le double service que vise cette publication extraite du Guide Rouge France, à travers sa sélection d'adresses à tous les prix.

Nouveau *cette année, le* **"Bib Gourmand"** *fait son entrée à Paris, il vous guidera vers des restaurants offrant un excellent rapport qualité-prix.*

En ce printemps 1999, l'application des tarifs commerciaux exprimés en EUROS* tend à se répandre, mais reste néanmoins facultative, chaque client pouvant régler indifféremment sa note en EUROS (par chèque ou carte bancaire) ou en devise nationale.

Toutefois, cette mise en œuvre étant progressive, nous avons choisi d'indiquer dans notre ouvrage les prix dans la monnaie nationale.

Merci de vos appréciations et de vos suggestions.

* 1 Euro = 6.55957 F

Sommaire

PNEU MICHELIN
46, Av. de Breteuil, 75324 PARIS CEDEX 07
Tél. 01 45 66 12 34 - Fax : 01 45 66 11 63
Boutique Michelin :
32, Av. de l'Opéra, 75002 PARIS
Tél. 01 42 68 05 20 - Fax : 01 47 42 10 50

Comprendre

*Pour faciliter votre séjour à Paris,
ce Guide vous propose une sélection d'hôtels
et restaurants, classés selon leur confort
et cités par ordre de préférence
dans chaque catégorie.*

Catégories

🏨	XXXXX	*Grand luxe et tradition*
🏨	XXXX	*Grand confort*
🏨	XXX	*Très confortable*
🏨	XX	*De bon confort*
🏨	X	*Assez confortable*
M		*Dans sa catégorie, hôtel d'équipement moderne*
sans rest.		*L'hôtel n'a pas de restaurant*
	avec ch.	*Le restaurant possède des chambres*

Agrément et tranquillité

*Certains établissements se distinguent dans le guide
par les symboles rouges indiqués ci-après.
Le séjour dans ces hôtels se révèle particulièrement
agréable ou reposant.
Cela peut tenir d'une part au caractère de l'édifice,
au décor original, au site, à l'accueil
et aux services qui sont proposés,
d'autre part à la tranquillité des lieux.*

🏨 à 🏨	*Hôtels agréables*
XXXXX à X	*Restaurants agréables*
« Jardin »	*Élément particulièrement agréable*
	Hôtel très tranquille ou isolé et tranquille
🤚	*Hôtel tranquille*
⋜ Notre-Dame	*Vue exceptionnelle*
⋜	*Vue intéressante ou étendue*

Installation

Les chambres des hôtels que nous recommandons possèdent, en général, des installations sanitaires complètes. Il est toutefois possible que dans les catégories 🏨 et 🏠, certaines chambres en soient dépourvues.

30 ch	Nombre de chambres
🛗	Ascenseur
🗆	Air conditionné (dans tout ou partie de l'établissement)
📺	Télévision dans la chambre
🚭	Chambres réservées aux non-fumeurs
☎	Téléphone dans la chambre, direct avec l'extérieur
📞	Prise Modem-Minitel dans la chambre
♿	Chambres accessibles aux handicapés physiques
🏖	Repas servis au jardin ou en terrasse
🏋	Salle de remise en forme
🏊🏊	Piscine : de plein air ou couverte
🌳	Jardin de repos
🎾	Tennis à l'hôtel
🏛 25 à 150	Salles de conférences : capacité maximum
🚗	Garage dans l'hôtel (généralement payant)
🅿	Parking réservé à la clientèle
🅿	Parking clos réservé à la clientèle
🐕	Accès interdit aux chiens (dans tout ou partie de l'établissement)
Fax	Transmission de documents par télécopie
fermé 3 août-15 sept.	Période de fermeture, communiquée par l'hôtelier En l'absence de mention, l'établissement est ouvert toute l'année.

La table

Les étoiles

*Certains établissements méritent d'être signalés
à votre attention pour la qualité de leur cuisine.
Nous les distinguons par les étoiles de bonne table.
Nous indiquons, pour ces établissements,
trois spécialités culinaires qui pourront orienter
votre choix.*

❀❀❀ Une des meilleures tables, vaut le voyage

*On y mange toujours très bien, parfois merveilleusement.
Grands vins, service impeccable, cadre élégant...
Prix en conséquence.*

❀❀ Table excellente, mérite un détour

*Spécialités et vins de choix...
Attendez-vous à une dépense en rapport.*

❀ Une très bonne table dans sa catégorie

*L'étoile marque une bonne étape
sur votre itinéraire.
Mais ne comparez pas l'étoile d'un établissement
de luxe à prix élevés avec celle d'une petite maison
où à prix raisonnables, on sert également
une cuisine de qualité.*

Le "Bib Gourmand"

Repas soignés à prix modérés

*Vous souhaitez parfois trouver des tables
plus simples, à prix modérés ; c'est pourquoi
nous avons sélectionné des restaurants proposant
un repas soigné, pour un rapport qualité-prix
particulièrement favorable.
Ces restaurants sont signalés par le* **"Bib Gourmand"** 🍤
et Repas.
Ex. Repas 120/160.

Consultez les listes des étoiles de bonne table ❀❀❀,
❀❀, ❀ *et des* **"Bib Gourmand"** 🍤, *page 27.*

Les prix

Les prix que nous indiquons dans ce guide ont été établis en automne 1998. Ils sont susceptibles de modifications, notamment en cas de variations des prix des biens et services.

Ils s'entendent taxes et service compris. Aucune majoration ne doit figurer sur votre note, sauf éventuellement la taxe de séjour.

Les hôtels et restaurants figurent en gros caractères lorsque les hôteliers nous ont donné tous leurs prix et se sont engagés, sous leur propre responsabilité, à les appliquer aux touristes de passage porteurs de notre guide.

En dehors de la saison touristique et des périodes de salons, certains établissements proposent des conditions avantageuses, renseignez-vous lors de votre réservation.

Entrez à l'hôtel le guide à la main, vous montrerez ainsi qu'il vous conduit là en confiance.

Repas

enf. 60	*Prix du menu pour enfants*
⚭	*Établissement proposant un menu simple* *à moins de 85 F*

Repas à prix fixe :

Repas *(52)*	*Prix d'un repas composé d'un plat principal, accompagné d'une entrée ou d'un dessert, généralement servi le midi en semaine*
90 (déj.)	*Menu servi au déjeuner uniquement*
110/150	*Prix du menu : minimum* 110, *maximum* 150
100/150	*Menu à prix fixe minimum* 100 *non servi les fins de semaine et jours fériés*
bc	*Boisson comprise*
🍷	*Vin servi au verre*
🏺	*Vin de table en carafe*

Repas à la carte

Repas carte
140 à 310

Le premier prix correspond à un repas normal comprenant : entrée, plat garni et dessert.
Le 2e prix concerne un repas plus complet (avec spécialité) comprenant : deux plats, fromage et dessert (boisson non comprise)

Chambres

ch 365/620

Prix minimum 365 pour une chambre d'une personne, prix maximum 620 pour une chambre de deux personnes

29 ch 🍵 360/750

Prix des chambres petit déjeuner compris

🍵 40

Prix du petit déjeuner (généralement servi dans la chambre)

appart.

Se renseigner auprès de l'hôtelier

Demi-pension

1/2 P 350/650

Prix minimum et maximum de la demi-pension (chambre, petit déjeuner et un repas) par personne et par jour, en saison.
Il est indispensable de s'entendre par avance avec l'hôtelier pour conclure un arrangement définitif.

Les arrhes

Certains hôteliers demandent le versement d'arrhes. Il s'agit d'un dépôt-garantie qui engage l'hôtelier comme le client. Bien faire préciser les dispositions de cette garantie.

Cartes de crédit

AE ⓪ VISA GB JCB

Cartes de crédit acceptées par l'établissement : American Express – Diners Club – Carte Bancaire (Visa, Eurocard, Mastercard) – Japan Credit Bureau

Dear Reader

With its selection of hotels and restaurants to suit any pocket, the Michelin Red Guide Paris, an extract of the Red Guide France, serves two purposes: to help Parisians find the best of what is on offer in the capital, and to give visitors to Paris comprehensive and reliable information on where to stay and where to eat.

New for 1999, the **"Bib Gourmand"** *makes his first appearance in Paris, highlighting those restaurants offering excellent value for money.*

This Spring, prices in EURO* will become more widely used, although to a large extent they remain optional, so that a customer may settle their bill in EURO (either by cheque or credit card) or in the local currency.

The implementation of the EURO is still under development, and we have therefore decided to continue to include prices in this Guide in local currency.

Thank you for your comments which are always appreciated.

* 1 Euro = 6.55957 F

Contents

How to use this guide

In order to make your stay in Paris easier, this Guide offers a selection of hotels and restaurants which have been categorised by level of comfort and listed in order of preference within each category.

Categories

🏨	XXXXX	Luxury in the traditional style
🏨	XXXX	Top class comfort
🏨	XXX	Very comfortable
🏨	XX	Comfortable
🏠	X	Quite comfortable
M		In its category, hotel with modern amenities
sans rest.		No restaurant in the hotel
	avec ch.	The restaurant also offers accommodation

Peaceful atmosphere and setting

Certain establishments are distinguished
in the guide by the red symbols shown below.

Your stay in such hotels will be particularly
pleasant or restful, owing to the character
of the building, its decor, the setting, the welcome
and services offered, or simply the peace
and quiet to be enjoyed there.

🏨 to 🏠	Pleasant hotels
XXXXX to X	Pleasant restaurants
« Jardin »	Particularly attractive feature
	Very quiet or quiet, secluded hotel
🐾	Quiet hotel
≤ Notre-Dame	Exceptional view
≤	Interesting or extensive view

14

Hotel facilities

In general the hotels we recommend have full bathroom and toilet facilities in each room. However, this may not be the case for certain rooms in categories 🏨 and 🏠.

30 rm	*Number of rooms*
🛗	*Lift (elevator)*
▤	*Air conditioning (in all or part of the hotel)*
📺	*Television in room*
⊱✗	*Rooms reserved for non-smokers*
☎	*Direct-dial phone in room*
✆	*Minitel-modem point in the bedrooms*
♿	*Rooms accessible to the physically handicapped*
☂	*Meals served in garden or on terrace*
∫♪	*Exercise room*
⅀⅀	*Outdoor or indoor swimming pool*
≈	*Garden*
✁	*Hotel tennis court*
🏛 25 à 150	*Equipped conference hall (minimum and maximum capacity)*
⊂⊃	*Hotel garage (additional charge in most cases)*
P.	*Car park for customers only*
P	*Enclosed car park for customers only*
✗	*Dogs are excluded from all or part of the hotel*
Fax	*Telephone document transmission*
fermé 3 août-15 sept.	*Dates when closed, as indicated by the hotelier. Where no date or season is shown, establishments are open all year round*

Cuisine

Stars

*Certain establishments deserve to be brought
to your attention for the particularly fine quality
of their cooking.* **Michelin stars** *are awarded
for the standard of meals served.
For each of these restaurants we indicate three
culinary specialities to assist
you in your choice.*

✿✿✿ Exceptional cuisine, worth a special journey

*One always eats here extremely well, sometimes
superbly. Fine wines, faultless service, elegant
surroundings. One will pay accordingly!*

✿✿ Excellent cooking, worth a detour

*Specialities and wines of first class quality.
This will be reflected in the price.*

✿ A very good restaurant in its category

*The star indicates a good place to stop on your journey.
But beware of comparing the star given
to an expensive «de luxe» establishment
to that of a simple restaurant where you can appreciate
fine cuisine at a reasonable price.*

⍟ The "Bib Gourmand"

Good food at moderate prices

*You may also like to know of other restaurants
with less elaborate, moderately priced menus
that offer good value for money and serve
carefully prepared meals.
In the guide such establishments are marked* ⍟
the **"Bib Gourmand"** *and* Repas *just before
the price of the menu, for example* Repas 120/160.

Please refer to the lists of star-rated restaurants ✿✿✿,
✿✿, ✿ *and the* **"Bib Gourmand"** ⍟, *p 27.*

Prices

Prices quoted are valid for autumn 1998. Changes may arise if goods and service costs are revised.

The rates include tax and service and no extra charge should appear on your bill, with the possible exception of visitor's tax.

Hotels and restaurants in bold type have supplied details of all their rates and have assumed responsibility for maintaining them for all travellers in possession of this guide.

Certain establishments offer special rates apart from during high season and major exhibitions. Ask when booking.

Your recommendation is self-evident if you always walk into a hotel Guide in hand.

Meals

| enf. 60 | *Price of children's menu* |
| ⊜ | *Establishment serving a simple menu for less than 85 F* |

Set meals

Repas *(52)*	*Price for a 2 course meal, generally served weekday lunchtimes*
90 (déj.)	*Set meal served only at lunch time*
110/150	*Lowest 110 and highest 150 prices for set meals*
100/150	*The cheapest set meal 100 is not served on Saturdays, Sundays or public holidays*
bc	*House wine included*
⦶	*Wine served by the glass*
⚱	*Table wine by the carafe*

«A la carte» meals

Repas carte	*The first figure is for a plain meal and includes first*
140 à 310	*course, main dish of the day with vegetables and dessert.*
	The second figure is for a fuller meal (with «spécialité») and includes 2 main courses, cheese, and dessert (drinks, not included)

Rooms

ch 365/620	*Lowest price 365 for a single room and highest price 620 for a double.*
29 ch ⌐ 360/750	*Price includes breakfast*
⌐ 40	*Price of continental breakfast (generally served in the bedroom)*
appart.	*Enquire at hotel for rates*

Half board

1/2 P 350/650	*Lowest and highest prices of half board (room, breakfast and a meal) per person, per day in the season. It is advisable to agree on terms with the hotelier before arriving.*

Deposits

*Some hotels will require a deposit, which confirms the commitment of customer and hotelier alike.
Make sure the terms of the agreement are clear.*

Credit cards

AE ① VISA ⊜ JCB

*Credit cards accepted by the establishment:
American Express – Diners Club – Carte Bancaire (includes Eurocard, MasterCard and Visa) – Japan Credit Bureau*

Glossary of menu terms

This section provides translations and explanations of many terms commonly found on French menus. It will also give visitors some idea of the specialities listed under the "starred" restaurants which we have recommended for fine food. Far be it from us, however, to spoil the fun of making your own inquiries to the waiter, as, indeed, the French do when confronted with a mysterious but intriguing dish!

A

Agneau – *Lamb*
Aiguillette (caneton or **canard)** – *Thin, tender slice of duckling, cut lengthwise*
Ail – *Garlic*
Andouillette – *Sausage made of pork or veal tripe*
Artichaut – *Artichoke*
Avocat – *Avocado pear*

B

Ballotine – *A variety of galantine (white meat moulded in aspic)*
Bar – *Sea bass (see* Loup au Fenouil*)*
Barbue – *Brill*
Baudroie – *Burbot*
Béarnaise – *Sauce made of butter, eggs, tarragon, vinegar served with steaks and some fish dishes*
Belons – *Variety of flat oyster with delicate flavor*
Beurre blanc – *"White butter", a sauce made of butter wellwhipped with vinegar and shallots, served with pike and other fish*
Bœuf bourguignon – *Beef stewed in red wine*
Bordelaise (à la) – *Red wine sauce with shallots and bone marrow*
Boudin grillé – *Grilled pork blood-sausage*
Bouillabaisse – *A soup of fish and, sometimes, shellfish, cooked with garlic, parsley, tomatoes, olive oil, spices, onions and saffron. The fish and the soup are served separately. A Marseilles specialty*
Bourride – *Fish chowder prepared with white fish, garlic, spices, herbs and white wine, served with aïoli*
Brochette (en) – *Skewered*

Caille – *Quail*

Calamar – *Squid*

Canard à la rouennaise – *Roast or fried duck, stuffed with its liver*

Canard à l'orange – *Roast duck with oranges*

Canard aux olives – *Roast duck with olives*

Carré d'agneau – *Rack of lamb (loin chops)*

Cassoulet – *Casserole dish made of white beans, condiments, served (depending on the recipe) with sausage, pork, mutton, goose or duck*

Cèpes – *Variety of mushroom*

Cerfeuil – *Chervil*

Champignons – *Mushrooms*

Charcuterie d'Auvergne – *A region of central France, Auvergne is reputed to produce the best country-prepared pork-meat specialities, served cold as a first course*

Charlotte – *A moulded sponge cake although sometimes made with vegetables*

Chartreuse de perdreau – *Young partridge cooked with cabbage*

Châtaigne – *Chestnuts*

Châteaubriand – *Thick, tender cut of steak from the heart of the fillet or tenderloin*

Chevreuil – *Venison*

Chou farci – *Stuffed cabbage*

Choucroute garnie – *Sauerkraut, an Alsacian speciality, served hot and "garnished" with ham, frankfurters, bacon, smoked pork, sausage and boiled potatoes. A good dish to order in a* brasserie

Ciboulette – *Chives*

Civet de gibier – *Game stew with wine and onions (*civet de lièvre = *jugged hare)*

Colvert – *Wild duck*

Confit de canard or d'oie – *Preserved duck or goose cooked in its own fat sometimes served with* cassoulet

Coq au vin – *Chicken (literally, "rooster") cooked in red wine sauce with onions, mushrooms and bits of bacon*

Coques – *Cockles*

Coquilles St-Jacques – *Scallops*

Cou d'oie farci – *Stuffed goose neck*

Coulis – *Thick sauce*

Couscous – *North African dish of semolina (crushed wheat grain) steamed and served with a broth of chick-peas and other vegetables, a spicy sauce, accompanied by chicken, roast lamb and sausage.*

Crêpes – *Thin, light pancakes*

Crevettes – *Shrimps*

Croustades – *Small moulded pastry (puff pastry)*

Crustacés – *Shellfish*

D - E

Daube (Bœuf en) – *Beef braised with carrots and onions in red wine sauce*

Daurade – *Sea bream*

Écrevisses – *Fresh water crayfish*

Entrecôte marchand de vin – *Rib steak in a red wine sauce with shallots*

Escalope de veau – *(Thin) veal steak, sometimes served* panée, *breaded, as with* Wiener Schnitzel

Escargot – *Snails, usually prepared with butter, garlic and parsley*

Estragon – *Tarragon*

F

Faisan – *Pheasant*

Fenouil – *Fennel*

Feuillantine – *See* feuilleté

Feuilleté – *Flaky puff pastry used for making pies or tarts*

Filet de bœuf – *Fillet (tenderloin) of beef*

Filet mignon – *Small, round, very choice cut of meat*

Flambé(e) – *"Flamed", i.e., bathed in brandy, rum, etc., which is then ignited*

Flan – *Baked custard*

Foie gras au caramel poivré – *Peppered caramelized goose or duck liver*

Foie gras d'oie or de canard – *Liver of fatted geese or ducks, served fresh* (frais) *or in* pâté *(see p 23)*

Foie de veau – *Calf's liver*

Fruits de mer – *Seafood*

G

Gambas – *Prawns*

Gibier – *Game*

Gigot d'agneau – *Roast leg of lamb*

Gingembre – *Ginger*

Goujon or goujonnette de sole – *Small fillets of fried sole*

Gratin (au) – *Dish baked in the oven to produce thin crust on surface*

Gratinée – *See : onion soup under* soupe à l'oignon

Grenadin de veau – *Veal tournedos*

Grenouilles (cuisses de) – *Frogs' legs, often served* à la provençale *(see p 22)*

Grillades – *Grilled meats, mostly steaks*

H - J - L

Homard – *Lobster*

Homard à l'américaine or à l'armoricaine – *Lobster sauted in butter and olive oil, served with a sauce of tomatoes, garlic, spices, white wine and cognac*

Huîtres – *Oysters*

Jambon – *Ham (raw or cooked)*

Jambonnette de barbarie – *Stuffed leg of Barbary duck*
Joue de bœuf – *A very tasty piece of beef, literally the cheek of the beef*
Julienne – *Vegetables, fruit, meat or fish cut up in small sticks*
Lamproie – *Lamprey, often served* à la bordelaise *(see p 19)*
Langoustines – *Large prawns*
Lapereau – *Young rabbit*
Lièvre – *Hare (for* civet de lièvre, *see p 20)*
Lotte – *Burbot*
Loup au fenouil – *In the south of France, sea bass with fennel (same as* bar*)*

M

Magret – *Duck steak*
Marcassin – *Young wild boar*
Mariné – *Marinated*
Marjolaine – *A pastry of different flavors often with a chocolate base*
Marmite dieppoise – *Fish soup from Dieppe*
Matelote d'anguilles or de lotte – *Eel or burbot stew with red wine, onions and herbs*
Méchoui – *A whole roasted lamb*
Merlan – *Whiting*
Millefeuille – *Napoleon, vanilla slice*
Moelle (à la) – *With bone marrow*
Morilles – *Morel mushroom*
Morue fraîche – *Fresh cod*
Mouclade – *Mussels prepared without shells, in white wine and shallots wit cream sauce and spices*
Moules farcies – *Stuffed mussels (usually filled with butter, garlic and parsley)*
Moules marinières – *Mussels steamed in white wine, onions and spices*

N - O

Nage (à la) – *A court-bouillon with vegetables and white wine*
Nantua – *Sauce made with fresh water crayfish tails and served with* quenelles *fish, seafood, etc.*
Navarin – *Lamb stew with small onions, carrots, turnips and potatoes*
Noisettes d'agneau – *Small, round, choice morsels of lamb*
Œufs brouillés – *Scrambled eggs*
Œufs en meurette – *Poached eggs in red wine sauce with bits of bacon*
Œufs sur le plat – *Fried eggs, sunnyside up*
Omble chevalier – *Fish : Char*
Omelette soufflée – *Souffled omelette*
Oseille – *Sorrel*
Oursin – *Sea urchin*

Paëlla – A saffron-flavored rice dish made with a mixture of seafood, sausage, chicken and vegetables

Palourdes – Clams

Panaché de poissons – A selection of different kinds of fish

Pannequet – Stuffed crêpe (see p 20)

Pâté – Also called terrine. A common French hors-d'œuvre, a kind of cold, sliced meat loaf which is made from pork, veal, liver, fowl, rabbit or game and seasoned appropriately with spices. Also served hot in pastry crust (en croûte)

Paupiette – Usually, slice of veal wrapped around pork or sausage meat

Perdreau – Young partridge

Petit salé – Salt pork tenderloin, usually served with lentils or cabbage

Petits-gris – Literally, "small grays"; a variety of snail with brownish, pebbled shell

Pétoncles – Small scallops

Pieds de mouton Poulette – Sheep's feet in cream sauce

Pigeonneau – Young pigeon

Pintade – Guinea fowl

Piperade – A Basque dish of scrambled eggs and cooked tomato, green pepper and Bayonne ham

Plateau de fromages – Tray with a selection of cheeses made from cow's or goat's milk (see cheeses p 25)

Poireaux – Leek

Poivron – Red or green pepper

Pot-au-feu – Beef soup which is served first and followed by a joint of beef cooked in the soup, garnished with vegetables

Potiron – Pumpkin

Poule au pot – Boiled chicken and vegetables served with a hot broth

Poulet à l'estragon – Chicken with tarragon

Poulet au vinaigre – Chicken cooked in vinegar

Poulet aux écrevisses – Chicken with crayfish

Poulet de Bresse – Finest breed of chicken in France, grain-fed

Pré-salé – A particularly fine variety of lamb raised on salt marshes near the sea

Provençale (à la) – With tomato, garlic and parsley

Quenelles de brochet – Fish-balls made of pike; quenelles are also made of veal or chicken farcement

Queue de bœuf – Oxtail

Quiche lorraine – Hot custard pie flavored with chopped bacon and baked in an unsweetened pastry shell

R - S

Ragoût – *Stew*
Raie aux câpres – *Skate fried in butter garnished with capers*
Ris de veau – *Sweetbreads*
Rognons de veau – *Veal kidneys*
Rouget – *Red mullet*
St-Jacques – *Scallops, as* coquilles St-Jacques
St-Pierre – *Fish : John Dory*
Salade niçoise – *A first course made of lettuce, tomatoes, celery, olives, green pepper, cucumber, anchovy and tuna, seasoned to taste. A favorite hors-d'œuvre*
Sandre – *Pike perch*
Saucisson chaud – *Pork sausage, served hot with potato salad, or sometimes in pastry shel* (en croûte)
Saumon fumé – *Smoked salmon*
Scampi fritti – *French-fried shrimp*
Selle d'agneau – *Saddle of lamb*
Soufflé – *A light, fluffy baked dish made of eggs yolks and whites beaten separately and combined with cheese or fish, for example, to make a first course, or with fruit or liqueur as a dessert*
Soupe à l'oignon – *Onion soup with grated cheese and* croûtons (*small crisp pieces of toasted bread*)
Soupe de poissons – *Fish chowder*
Steak au poivre – *Pepper steak, often served flamed*
Suprême – *Usually refers to poultry or fish served with a white sauce*

T - V

Tagine – *A stew with either chicken, lamb, pigeons or vegetables*
Tartare – *Raw meat or fish minced up and then mixed with eggs, herbs and other condiments before being shaped into a patty*
Terrine – *See* pâté *p. 23*
Tête de veau – *Calf's head*
Thon – *Tuna*
Tournedos – *Small, round tenderloin steak*
Tourteaux – *Large crab (from Atlantic)*
Tripe à la mode de Caen – *Beef tripe with white wine and carrots*
Truffe – *Truffle*
Truite – *Trout*
Volaille – *Fowl*
Vol-au-Vent – *Puff pastry shell filled with chicken, meat, fish, fish-balls* (quenelles) *usually in cream sauce with mushrooms*

Desserts

Baba au rhum – *Sponge cake soaked in rum, sometimes served with whipped cream*
Beignets de pommes – *Apple fritters*
Clafoutis – *Dessert of apples (cherries, or other fruit) baked in batter*
Glace – *Ice cream*

Gourmandises – *Selection of desserts*
Nougat glacé – *Iced nougat*
Pâtisseries – *Pastry, cakes*
Profiteroles – *Small round pastry puffs filled with cream or ice cream and covered with chocolate sauce*
St-Honoré – *Cake made of two kinds of pastry and whipped cream, names after the patron saint of pastry cooks*
Sorbet – *Sherbet*
Soufflé – *See p. 24*
Soupe de pêches – *Peaches in syrup or in wine*
Tarte aux pommes – *Open apple tart*
Tarte Tatin – *Apple upside-down tart, caramelized and served warm*
Vacherin – *Meringue with ice-cream and whipped cream*

Fromages

Several famous French cheeses
Cow's milk – *Bleu d'Auvergne, Brie, Camembert, Cantal, Comté, Gruyère, Munster, Pont-l'Évêque, Tomme de Savoie*
Goat's milk – *Chabichou, Crottin de Chavignol, Ste-Maure, Selles-sur-Cher, Valençay*
Sheep's milk – *Roquefort*

Fruits

Airelles – *Cranberries*
Cassis – *Blackcurrant*
Cerises – *Cherries*
Citron – *Lemon*
Fraises – *Strawberries*
Framboises – *Raspberries*

Pamplemousse – *Grapefruit*
Pêches – *Peaches*
Poires – *Pears*
Pomme – *Apple*
Pruneaux – *Prunes*
Raisin – *Grapes*

Listes thématiques

- Les bonnes tables à étoiles
- Le **"Bib Gourmand"**
- Pour souper après le spectacle
- Le plat que vous recherchez
- Spécialités étrangères
- Dans la tradition, bistrots et brasseries
- Restaurants proposant des menus de 100 à 160 F servis midi et soir
- Restaurants de plein air
- Restaurants servant des repas en terrasse
- Restaurants proposant des menus d'affaires au déjeuner
- Restaurants avec salons particuliers
- Restaurants ouverts en juillet-août
- Restaurants ouverts samedi et dimanche
- Hôtels et Restaurants agréables
- Hôtels proposant des chambres doubles à moins de 500 F
- Hôtels avec salles de conférences

Les bonnes tables à étoiles

✿ ✿ ✿

189	✗✗✗✗✗	Alain Ducasse - 16ᵉ
145	✗✗✗✗✗	Lucas Carton *(Senderens)* - 8ᵉ
145	✗✗✗✗✗	Taillevent *(Vrinat)* - 8ᵉ
112	✗✗✗✗✗	Ambroisie (L') *(Pacaud)* - 4ᵉ
132	✗✗✗✗	Arpège *(Passard)* - 7ᵉ
146	✗✗✗✗	Pierre Gagnaire - 8ᵉ

✿ ✿

145	✗✗✗✗✗	Ambassadeurs (Les) - 8ᵉ
101	✗✗✗✗✗	Espadon (L') - 1ᵉʳ
145	✗✗✗✗✗	Lasserre - 8ᵉ
146	✗✗✗✗✗	Laurent - 8ᵉ
145	✗✗✗✗✗	Ledoyen - 8ᵉ
122	✗✗✗✗✗	Tour d'Argent - 5ᵉ
146	✗✗✗✗	Astor (L') - 8ᵉ
101	✗✗✗✗	Carré des Feuillants - 1ᵉʳ
146	✗✗✗✗	Élysées (Les) - 8ᵉ
189	✗✗✗✗	Faugeron - 16ᵉ
101	✗✗✗✗	Gérard Besson - 1ᵉʳ
101	✗✗✗✗	Grand Vefour - 1ᵉʳ
200	✗✗✗✗	Guy Savoy - 17ᵉ
132	✗✗✗✗	Le Divellec
200	✗✗✗✗	Michel Rostang - 17ᵉ
193	✗✗✗✗	Pré Catelan - 16ᵉ
263	✗✗✗✗	Trois Marches (Les) Versailles
190	✗✗✗✗	Vivarois - 16ᵉ
201	✗✗✗	Apicius - 17ᵉ
190	✗✗✗	Jamin - 16ᵉ
190	✗✗✗	Relais d'Auteuil - 16ᵉ
224	✗✗✗	Relais Ste-Jeanne Cergy-Pontoise Ville Nouvelle
133	✗✗✗	Violon d'Ingres - 7ᵉ

✿

146	✗✗✗✗✗	Bristol - 8ᵉ
146	✗✗✗✗✗	Régence - 8ᵉ
177	✗✗✗✗	Célébrités (Les) - 15ᵉ
147	✗✗✗✗	Clovis - 8ᵉ
101	✗✗✗✗	Drouant - 2ᵉ

200	XXXX	Étoile d'Or (L') - 17e
102	XXXX	Goumard - 1er
193	XXXX	Grande Cascade - 16e
132	XXXX	Jules Verne - 7e
189	XXXX	Maison Prunier - 16e
147	XXXX	Marée (La) - 8e
101	XXXX	Meurice (Le) - 1er
178	XXXX	Montparnasse 25 - 14e
158	XXXX	Muses (Les) - 9e
178	XXXX	Relais de Sèvres - 15e
158	XXXX	Rest. Opéra - 9e
201	XXX	Amphyclès - 17e
209	XXX	Beauvilliers - 18e
133	XXX	Cantine des Gourmets - 7e
102	XXX	Céladon - 2e
178	XXX	Chen-Soleil d'Est - 15e
224	XXX	Chiquito Cergy-Pontoise Ville Nouvelle
219	XXX	Comte de Gascogne (Au) Boulogne-Billancourt
147	XXX	Copenhague - 8e
178	XXX	Duc (Le) - 14e
201	XXX	Faucher - 17e
102	XXX	Il Cortile - 1er
122	XXX	Jacques Cagna - 6e
147	XXX	Jardin - 8e
244	XXX	Maxim's Orly (Aéroports de Paris)
122	XXX	Paris - 6e
132	XXX	Paul Minchelli - 7e
190	XXX	Pergolèse - 16e
190	XXX	Port Alma - 16e
167	XXX	Pressoir (Au) - 12e
123	XXX	Relais Louis XIII - 6e
201	XXX	Sormani - 17e
158	XXX	Table d'Anvers - 9e
236	XXX	Tastevin Maisons-Laffitte
201	XXX	Timgad - 17e
228	XX	Auberge du Château ''Table des Blot'' Dampierre-en-Yvelines
202	XX	Béatilles (Les) - 17e
133	XX	Bellecour - 7e
112	XX	Benoît - 4e
202	XX	Braisière - 17e
191	XX	Conti - 16e
148	XX	Luna - 8e
149	XX	Marius et Janette - 8e
201	XX	Petit Colombier - 17e
102	XX	Pierre Au Palais Royal - 1er
133	XX	Récamier - 7e
168	XX	Trou Gascon (Au) - 12e
242	XX	Truffe Noire Neuilly-sur-Seine

Le **"Bib Gourmand"**

Pour souper après le spectacle

(Nous indiquons entre parenthèses l'heure limite d'arrivée)

147	XXXX	Fouquet's - 8e (1 h)
158	XXX	Charlot "Roi des Coquillages" - 9e (1 h)
178	XXX	Dôme - 14e (0 h 30)
190	XXX	Pavillon Noura - 16e (0 h)
102	XXX	Pierre " A la Fontaine Gaillon " - 2e (0 h)
123	XXX	Procope - 6e (1 h)
148	XXX	Yvan - 8e (0 h)
123	XX	Alcazar - 6e (1 h)
150	XX	Alsace (L') - 8e (jour et nuit)
202	XX	Ballon des Ternes - 17e (0 h 30)
179	XX	Bistro 121 - 15e (0 h)
112	XX	Blue Elephant - 11e (0 h)
112	XX	Bofinger - 4e (1 h)
158	XX	Brasserie Café de la Paix - 9e (0 h)
159	XX	Brasserie Flo - 10e (1 h 30)
179	XX	Coupole - 14e (2 h)
135	XX	Françoise (Chez) - 7e (0 h)
158	XX	Grand Café Capucines - 9e (jour et nuit)
103	XX	Gallopin - 2e (0 h 30)
103	XX	Grand Colbert - 2e (1 h)
232	XX	Ile (L') Issy-les-Moulineaux (0 h)
158	XX	Julien - 10e (1 h 30)
150	XX	Persiennes (Les) - 8e (0 h)
159	XX	Petit Riche (Au) - 9e (0 h 15)
150	XX	Pichet (Le) - 8e (0 h)
103	XX	Pied de Cochon (Au) - 1er (jour et nuit)
102	XX	Pierre Au Palais Royal - 1er (0 h)
103	XX	Rôtisserie Monsigny - 2e (0 h)
159	XX	Terminus Nord - 10e (1 h)
103	XX	Vaudeville - 2e (2 h)
149	XX	Village d'Ung et Li Lam - 8e (0 h)
179	XX	Vin et Marée - 14e (0 h)
190	XX	Zébra Square - 16e (1 h)
150	X	Appart' (L') - 8e (0 h)
126	X	Balzar - 5e (0 h 15)

160	✕	Bistro de Gala - 9e (0 h)
160	✕	Bistro des Deux Théâtres - 9e (0 h 30)
192	✕	Bistrot de l'Étoile Lauriston - 16e (0 h)
203	✕	Bistrot de l'Étoile Niel - 17e (0 h)
124	✕	Bookinistes (Les) - 6e (0 h)
124	✕	Bouillon Racine - 6e (0 h)
192	✕	Butte Chaillot - 16e (0 h)
104	✕	Café Marly - 1er (1 h)
150	✕	Cap Vernet - 8e (0 h)
124	✕	Dominique - 6e (1 h)
192	✕	Gare - 16e (0 h)
160	✕	I Golosi - 9e (0 h)
160	✕	Michel (Chez) - 10e (0 h)
169	✕	Paul (Chez) - 13e (0 h)
181	✕	Père Claude - 15e (0 h)
113	✕	Petit Bofinger - 4e (0 h)
243	✕	Petit Bofinger Neuilly-sur-Seine (0 h)
160	✕	Petite Sirène de Copenhague - 9e (0 h)
104	✕	Poule au Pot - 1er (5 h)
182	✕	Régalade - 14e (0 h)
125	✕	Rotonde - 6e (1 h)
135	✕	Thoumieux - 7e (0 h)

Le plat que vous recherchez

Une bouillabaisse

Un cassoulet

Une choucroute

Un confit

Un coq au vin

Des coquillages, crustacés, poissons

De la tête de veau

Des tripes

Des fromages

Cuisine végétarienne

Spécialités étrangères

158	XX	Chateaubriant (Au) - 10^e
191	XX	Conti - 16^e
134	XX	Gildo - 7^e
190	XX	Giulio Rebellato - 16^e
202	XX	Paolo Petrini - 17^e
236	XX	Ribot à Maisons-Laffitte
191	XX	San Francisco - 16^e
149	XX	Stresa - 8^e
191	XX	Vinci - 16^e
125	X	Bauta - 6^e
125	X	Cafetière - 6^e
180	X	Fontana Rosa - 15^e
160	X	I Golosi - 9^e
210	X	Rughetta - 18^e
140		Carpaccio (H.Royal Monceau) - 8^e

Japonaises

123	XX	Inagiku - 5^e
103	XX	Kinugawa - 1er
149	XX	Kinugawa - 8^e
149	XX	Suntory - 8^e
174		Benkay (H. Nikko) - 15^e
198		Yamato (H.Meridien) - 17^e

Libanaises

| 190 | XXX | Pavillon Noura - 16^e |

Nord-Africaines

201	XXX	Timgad - 17^e
191	XX	Al Mounia - 16^e
180	XX	Caroubier - 14^e
148	XX	El Mansour - 8^e
242	XX	Riad à Neuilly-sur-Seine
159	XX	Wally Le Saharien - 9^e
113	X	Mansouria - 11^e
210	X	Oriental (L') - 18^e
215	X	Tour de Marrakech à Antony
210	X	Village Kabyle - 18^e

Portugaises

| 103 | XX | Saudade - 1er |

Russes

| 124 | X | Dominique - 6^e |

Scandinaves

147	XXX	Copenhague - 8^e
160	X	Petite Sirène de Copenhague - 9^e
147		Flora Danica (Copenhague) - 8^e

Dans la tradition, bistrots et brasseries

Les bistrots

Les brasseries

43

44

Restaurants proposant
des menus
de 100 F à 160 F
servis midi et soir

Restaurants de plein air

Restaurants servant des repas en terrasse

Restaurants proposant des menus d'affaires au déjeuner

1er arrondissement

101	XXXXX	Espadon (L')
101	XXXX	Gérard Besson
102	XXXX	Goumard
101	XXXX	Meurice (Le)
102	XXX	Macéo
103	XX	Aristippe
104	X	Willi's Wine Bar

2e arrondissement

101	XXXX	Carré des Feuillants
101	XXXX	Grand Vefour
102	XXX	Céladon
103	XX	Gandhi
103	XX	Saudade

3e arrondissement

112	XX	Alisier (L')
113	X	Clos du Vert Bois

4e arrondissement

112	XX	Benoît
112	XX	Bofinger
112	XX	Excuse (L')
113	X	Grizzli
113	X	Monde des Chimères
113	X	Petit Bofinger

5e arrondissement

122	XXXXX	Tour d'Argent
123	XX	Inagiku
123	XX	Mavrommatis
123	XX	Truffière
126	X	Reminet

61

Restaurants
avec salons particuliers

1er arrondissement

101	XXXX	Carré des Feuillants
102	XXXX	Goumard
101	XXXX	Grand Vefour
102	XXX	Macéo
103	XX	Kinugawa
102	XX	Palais Royal
102	XX	Pauline (Chez)
103	XX	Pied de Cochon (Au)
104	X	la Grille St-Honoré (A)

2e arrondissement

101	XXXXX	Drouant
102	XXX	Céladon
102	XXX	Pierre " A la Fontaine Gaillon "
103	XX	Rôtisserie Monsigny

3e arrondissement

112	XX	Ambassade d'Auvergne

4e arrondissement

112	XX	Benoît
112	XX	Bofinger

5e arrondissement

122	XXXXXX	Tour d'Argent
123	XX	Marty
126	X	Moissonnier

6e arrondissement

123	XXX	Procope
123	XXX	Relais Louis XIII
124	XX	Bastide Odéon
123	XX	Maître Paul (Chez)
124	XX	Rond de Serviette

7e arrondissement

132	XXXX	Arpège
133	XXX	Cantine des Gourmets
135	XX	Champ de Mars
133	XX	Ferme St-Simon
133	XX	Maison de l'Amérique Latine
133	XX	Récamier
135	X	Thoumieux

Restaurants ouverts en juillet-août

1er arrondissement

101	XXXXX	Espadon (L')
101	XXXX	Gérard Besson
101	XXXX	Meurice (Le)
102	XXX	Il Cortile
102	XXX	Macéo
103	XX	Kinugawa
102	XX	Palais Royal
102	XX	Pauline (Chez)
103	XX	Pied de Cochon (Au)
102	XX	Pierre Au Palais Royal
103	XX	Saudade
104	X	Bistrot St-Honoré
104	X	Café Marly
104	X	Poule au Pot
104	X	Souletin
104	X	Willi's Wine Bar

2e arrondissement

102	XX	Café Drouant
103	XX	Gallopin
103	XX	Gandhi
103	XX	Grand Colbert
103	XX	Vaudeville

3e arrondissement

112	XX	Ambassade d'Auvergne

4e arrondissement

112	XX	Bofinger
113	X	Bistrot du Dôme
113	X	Grizzli
113	X	Monde des Chimères
113	X	Petit Bofinger

68

Restaurants ouverts
samedi et dimanche

Hôtels et Restaurants
agréables

Hôtels proposant
des chambres doubles
à moins de 500 F

Hôtels avec
salles de conférences

Paris

Hôtels _____

Restaurants _____

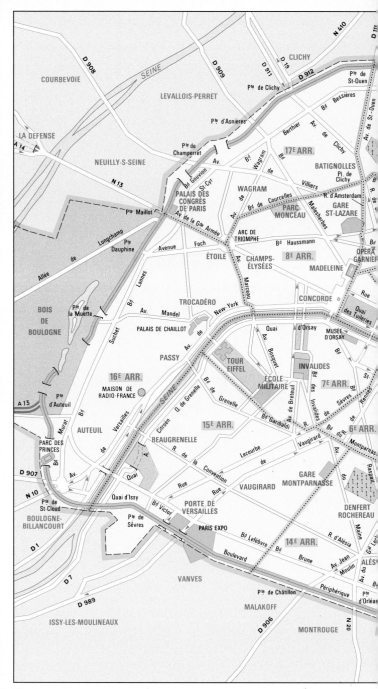

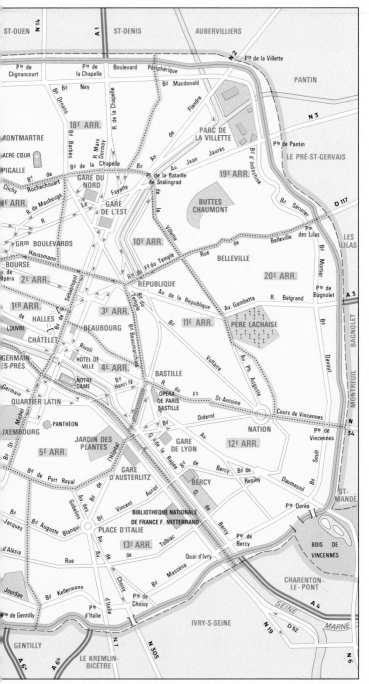

93

Légende

- Hôtel
- Restaurant

AX 1 Repérage des ressources sur les plans

2ᴱ Limite et numéro d'arrondissement

Grande voie de circulation

🅿 Parking

Ⓜ Station de métro ou de RER

Ⓣ Station de Taxi

Bateau mouche : embarcadère

Batobus : embarcadère

Key

- Hotel
- Restaurant

AX 1 Reference letters locating position on town plan

2ᴱ Arrondissement number and boundary

Major through route

🅿 Car park

Ⓜ Metro or RER station

Ⓣ Taxi rank

Bateau mouche : boarding point

Batobus : boarding point

Opéra - Palais-Royal
Halles - Bourse
Châtelet - Tuileries

1er et 2e arrondissements

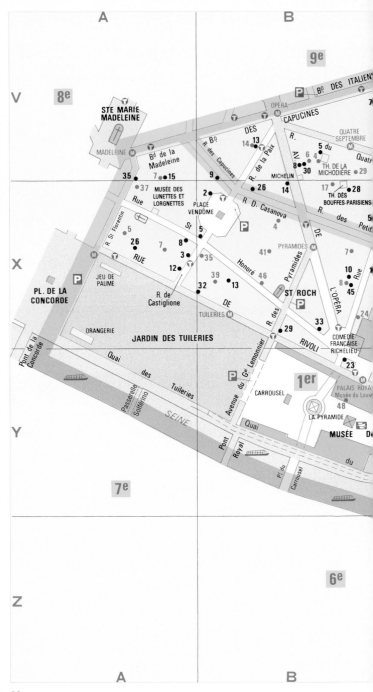

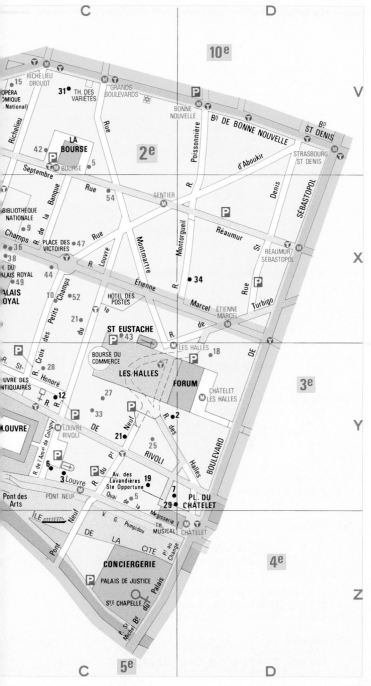

Ritz — BX 2
15 pl. Vendôme (1er) ℰ 01 43 16 30 30, Fax 01 43 16 31 78
🏠, « Belle piscine et luxueux centre de remise en forme » – |‡| 🗏 📺 ☎ 📞 –
🏊 30 à 80. AE ① GB JCB
voir rest. **Espadon** ci-après
Bar Vendôme : Repas carte 410 à 590 ♀ – ☲ 190 – **187 ch** 3300/4400, 45 appart.

Meurice — BX 32
228 r. Rivoli (1er) ℰ 01 44 58 10 10, Fax 01 44 58 10 15
|‡|, 🗏 ch, 📺 ☎ 📞. AE ① GB JCB. 🕉 rest
voir rest. **Le Meurice** ci-après – ☲ 170 – **48 ch** 2950/3500, 46 appart.

Inter - Continental — AX 12
3 r. Castiglione (1er) ℰ 01 44 77 11 11, Fax 01 44 77 14 60
🏠 – 🕉 ⊱ 🗏 📺 ☎ 📞 🕉 – 🏊 400. AE ① GB JCB
Brasserie 234 Rivoli ℰ 01 44 77 10 40 **Repas** 195 et carte 250 à 370
Terrasse Fleurie ℰ 01 44 77 11 11 *(15 mai-15 sept. et fermé sam. et dim.)*
Repas 295 ♀ – ☲ 145 – **443 ch** 3150/3350, 75 appart.

Costes — AX 8
239 r. St-Honoré (1er) ℰ 01 42 44 50 00, Fax 01 42 44 50 01
🏠, « Bel hôtel particulier décoré avec élégance », 🔥, 🔲 – |‡| 🗏 📺 ☎ 📞 🕉
– 🏊 30. AE ① GB JCB
Repas carte 260 à 430 ♀ – ☲ 130 – **83 ch** 1750/3250.

Vendôme — BX 5
1 pl. Vendôme (1er) ℰ 01 55 04 55 00, Fax 01 49 27 97 89
Ⓜ, « Hôtel particulier du 18e siècle » – |‡| 🗏 📺 ☎ 📞 🕉 – 🏊 40. AE ① GB
JCB. 🕉 ch
Café de Vendôme : Repas 190/350 ♀, enf.100 – ☲ 165 – **23 ch** 2300/3200,
7 appart.

Westminster — BV 13
13 r. Paix (2e) ℰ 01 42 61 57 46, Fax 01 42 60 30 66
|‡| ⊱, 🗏 ch, 📺 ☎ 📞 🕉 – 🏊 50. AE ① GB JCB
voir rest. **Céladon** ci-après – ☲ 110 – **84 ch** 2400/2950, 18 appart.

Louvre — BY 23
pl. A. Malraux (1er) ℰ 01 44 58 38 38, Fax 01 44 58 38 01
🏠 – |‡| 🗏 📺 ☎ 📞 🕉 – 🏊 15 à 80. AE ① GB JCB
Brasserie Le Louvre : Repas 130/180 et carte 210 à 340, ♀, enf. 75 – ☲ 125
– **196 ch** 2500/3500.

Castille — AV 15
37 r. Cambon (1er) ℰ 01 44 58 44 58, Fax 01 44 58 44 00
Ⓜ – |‡| ⊱ 🗏 📺 ☎ 📞 🕉 – 🏊 30. AE ① GB JCB. 🕉 ch
voir rest. **Il Cortile** ci-après – ☲ 150 – **86 ch** 2160/4000, 7 appart, 14 duplex.

Lotti — AX 3
7 r. Castiglione (1er) ℰ 01 42 60 37 34, Fax 01 40 15 93 56
|‡| ⊱ 🗏 📺 ☎ 📞. AE ① GB JCB
Repas 160/220 et carte 260 à 430 ♀ – ☲ 120 – **128 ch** 2450/3350.

Édouard VII — BX 14
39 av. Opéra (2e) ℰ 01 42 61 56 90, Fax 01 42 61 47 73
sans rest – |‡| 🗏 📺 ☎ – 🏊 15 à 25. AE ① GB
☲ 110 – **65 ch** 1500/1750, 4 appart.

🏛️ **Royal St-Honoré** BX 13
221 r. St-Honoré (1er) ℘ 01 42 60 32 79, *Fax 01 42 60 47 44*
Ⓜ sans rest – 📶 ⇔ ▤ 📺 ☎ 📞 ⅙. 🆎 ① GB JCB. ✍
☲ 105 – **67 ch** 1600/2100, 5 appart.

🏛️ **Normandy** BX 33
7 r. Échelle (1er) ℘ 01 42 60 30 21, *Fax 01 42 60 45 81*
📶 ⇔ 📺 ☎ 📞 – 🏛 30. 🆎 ① GB JCB
L'Échelle (fermé sam. et dim.) **Repas** 150, enf. 80 – ☲ 80 – **111 ch** 1155/1730, 4 appart.

🏛️ **Régina** BX 29
2 pl. Pyramides (1er) ℘ 01 42 60 31 10, *Fax 01 40 15 95 16*
🕭, « Hall ''Art Nouveau'' » – 📶 ⇔ ▤ 📺 ☎ 📞 – 🏛 30. 🆎 ① GB JCB. ✍ rest
Repas *(fermé août, sam., dim. et fériés)* *(145)* - 170/270 bc ☲ – ☲ 95 – **116 ch** 1690/2300, 14 appart.

🏛️ **Golden Tulip Opéra Richepanse** AV 35
14 r. Richepanse (1er) ℘ 01 42 60 36 00, *Fax 01 42 60 13 03*
Ⓜ sans rest – 📶 ▤ 📺 ☎ 📞. 🆎 ① GB JCB
☲ 70 – **35 ch** 1320/1540, 3 appart.

🏛️ **Golden Tulip Washington Opéra** BX 15
50 r. Richelieu (1er) ℘ 01 42 96 68 06, *Fax 01 40 15 01 12*
Ⓜ sans rest, « Hôtel particulier de la marquise de Pompadour, terrasse ⩽ Palais Royal » – 📶 ▤ 📺 ☎ 📞 ⅙. 🆎 ① GB JCB. ✍
☲ 80 – **36 ch** 1080/1400.

🏛️ **Stendhal** BX 26
22 r. D. Casanova (2e) ℘ 01 44 58 52 52, *Fax 01 44 58 52 00*
sans rest – 📶 ▤ 📺 ☎ 📞. 🆎 ① GB JCB
☲ 100 – **20 ch** 1440/2000.

🏛️ **Cambon** AX 26
3 r. Cambon (1er) ℘ 01 44 58 93 93, *Fax 01 42 60 30 59*
Ⓜ sans rest – 📶 ▤ 📺 ☎ 📞. 🆎 ① GB JCB
☲ 80 – **40 ch** 1380/1680.

🏛️ **Mansart** BV 9
5 r. Capucines (1er) ℘ 01 42 61 50 28, *Fax 01 49 27 97 44*
sans rest – 📶 📺 ☎. 🆎 ① GB JCB. ✍
☲ 60 – **57 ch** 750/1600.

🏛️ **Novotel Les Halles** CY 2
8 pl. M.-de-Navarre (1er) ℘ 01 42 21 31 31, *Fax 01 40 26 05 79*
Ⓜ, 🕭 – 📶 ⇔ ▤ 📺 ☎ ⅙ – 🏛 15 à 90. 🆎 ① GB JCB
Repas *(99)* - carte environ 180 ☲, enf. 50 – ☲ 75 – **271 ch** 1160/1500.

🏛️ **L'Horset Opéra** BV 30
18 r. d'Antin (2e) ℘ 01 44 71 87 00, *Fax 01 42 66 55 54*
Ⓜ sans rest – 📶 ⇔ ▤ 📺 ☎ 📞. 🆎 ① GB JCB
☲ 80 – **54 ch** 990/1420.

🏛️ **Noailles** BV 5
9 r. Michodière (2e) ℘ 01 47 42 92 90, *Fax 01 49 24 92 71*
Ⓜ sans rest, décor contemporain – 📶 📺 ☎ 📞. 🆎 ① GB JCB
☲ 50 – **58 ch** 880/960, 6 appart.

🏛️ **États-Unis Opéra** BV 8
16 r. d'Antin (2e) ℘ 01 42 65 05 05, *Fax 01 42 65 93 70*
sans rest – 📶 ▤ 📺 ☎ 📞. 🏛 25. 🆎 ① GB JCB. ✍
☲ 60 – **45 ch** 660/1020.

🏨 **Violet**   CY
7 r. J. Lantier (1er) ✆ 01 42 33 45 38, *Fax 01 40 28 03 56*
Ⓜ sans rest – 📶 TV ☎ 📞 ⅌. AE ⓪ GB JCB. ✗
⌴ 55 – **30 ch** 600/800.

🏨 **Malte Opéra**   BX 5
63 r. Richelieu (2e) ✆ 01 44 58 94 94, *Fax 01 42 86 88 19*
sans rest – 📶 ▤ TV ☎ 📞. AE ⓪ GB JCB. ✗
⌴ 80 – **54 ch** 890/1090, 5 duplex.

🏨 **Favart**   BV
5 r. Marivaux (2e) ✆ 01 42 97 59 83, *Fax 01 40 15 95 58*
sans rest – 📶 TV ☎ 📞. AE ⓪ GB JCB
⌴ 20 – **37 ch** 498/602.

🏨 **Britannique**   CY 2
20 av. Victoria (1er) ✆ 01 42 33 74 59, *Fax 01 42 33 82 65*
sans rest – 📶 TV ☎ 📞. AE ⓪ GB JCB. ✗
⌴ 60 – **40 ch** 725/995.

🏨 **Grand Hôtel de Champagne**   CY 1
17 r. J.-Lantier (1er) ✆ 01 42 36 60 00, *Fax 01 45 08 43 33*
sans rest – 📶 TV ☎ 📞. AE ⓪ GB JCB
⌴ 60 – **43 ch** 721/812.

🏨 **Relais du Louvre**   CY
19 r. Prêtres-St-Germain-L'Auxerrois (1er) ✆ 01 40 41 96 42, *Fax 01 40 41 96 4*
sans rest – 📶 TV ☎. AE ⓪ GB JCB
⌴ 50 – **20 ch** 620/1500.

🏨 **Louvre St-Honoré**   CY 1
141 r. St-Honoré (1er) ✆ 01 42 96 23 23, *Fax 01 42 96 21 61*
sans rest – 📶 ▤ TV ☎ 📞 ⅌. AE ⓪ GB JCB. ✗
⌴ 75 – **40 ch** 900/1350.

🏨 **Place du Louvre**   CY
21 r. Prêtres-St-Germain-L'Auxerrois (1er) ✆ 01 42 33 78 68, *Fax 01 42 33 09 9*
sans rest – 📶 TV ☎ 📞. AE ⓪ GB JCB
⌴ 50 – **20 ch** 525/850.

🏨 **Molière**   BX 1
21 r. Molière (1er) ✆ 01 42 96 22 01, *Fax 01 42 60 48 68*
sans rest – 📶 TV ☎. AE ⓪ GB JCB. ✗
⌴ 70 – **32 ch** 750/850.

🏠 **Ducs de Bourgogne**   CY 21
19 r. Pont-Neuf (1er) ✆ 01 42 33 95 64, *Fax 01 40 39 01 25*
sans rest – 📶 ▤ TV ☎ 📞. AE ⓪ GB JCB
⌴ 50 – **50 ch** 510/820.

🏠 **Grand Hôtel de Besançon**   DX 34
56 r. Montorgueil (2e) ✆ 01 42 36 41 08, *Fax 01 45 08 08 79*
Ⓜ sans rest – TV ☎ 📞. AE ⓪ GB JCB. ✗
⌴ 60 – **20 ch** 680/790.

🏠 **Baudelaire Opéra**   BX 28
61 r. Ste Anne (2e) ✆ 01 42 97 50 62, *Fax 01 42 86 85 85*
sans rest – 📶 TV ☎ 📞. AE ⓪ GB JCB
⌴ 42 – **24 ch** 500/700, 5 duplex.

🏛 **Vivienne** CV **31**
40 r. Vivienne (2ᵉ) ℰ 01 42 33 13 26, *Fax 01 40 41 98 19*
sans rest – |♦| TV ☎. GB
☲ 40 – **44 ch** 370/520.

🏛 **Opéra Richelieu** BX **45**
20 r. Molière (1ᵉʳ) ℰ 01 42 60 31 20, *Fax 01 42 60 32 06*
sans rest – |♦| ☰ TV ☎ ✆ &. AE ① GB JCB
☲ 60 – **30 ch** 780.

L'Espadon - Hôtel Ritz BX **2**
15 pl. Vendôme (1ᵉʳ) ℰ 01 43 16 30 80, *Fax 01 43 16 33 75*
🛋 – ☰. AE ① GB JCB. ✻
Repas 390 (déj.)/800 et carte 490 à 850
Spéc. Tranche de foie gras au pacherenc, compotée de fruits secs, gaufre aux épices. Filet de bar en légère tapenade de truffes et asperges sablées au parmesan. Poulette de Bresse poêlée, purée battue persillée aux truffes.

Grand Vefour CX **38**
17 r. Beaujolais (1ᵉʳ) ℰ 01 42 96 56 27, *Fax 01 42 86 80 71*
« Ancien café du Palais Royal fin 18ᵉ siècle » – ☰. AE ① GB JCB. ✻
fermé août, sam. et dim. – **Repas** 345 (déj.) et carte 620 à 880
Spéc. Ravioles de foie gras à l'émulsion de crème truffée. Triple côte d'agneau à l'orge perlé et raisins, jus café-chocolat. Blinis au chocolat et glace pistache.

Le Meurice - Hôtel Meurice BX **32**
228 r. Rivoli (1ᵉʳ) ℰ 01 44 58 10 50, *Fax 01 44 58 10 15*
☰. AE ① GB JCB. ✻
Repas (fermé pour travaux du 15 mars au 27 sept.) 290 (déj.)/480 bc et carte 380 à 550
Spéc. Médaillons de homard aux légumes de saison, sauce coraillée. Noisettes d'agneau au citron confit et coriandre. Soufflé de saison et sa quenelle de sorbet.

Carré des Feuillants (Dutournier) BX **35**
14 r. Castiglione (1ᵉʳ) ℰ 01 42 86 82 82, *Fax 01 42 86 07 71*
☰. AE ① GB JCB
fermé août, sam. midi et dim. – **Repas** 295 (déj.)et carte 490 à 700
Spéc. Velouté de châtaignes à la truffe blanche (oct. à nov.). Langoustines pimentées à la nougatine d'ail doux. Boeuf de Chalosse grillé, jus d'huîtres à la moelle.

Drouant BV **4**
pl. Gaillon (2ᵉ) ℰ 01 42 65 15 16, *Fax 01 49 24 02 15*
« Siège de l'Académie Goncourt depuis 1914 » voir aussi rest. **Café Drouant**, – ☰. AE ① GB JCB
fermé août – **Repas** 290/650 et carte 470 à 690 ♈
Spéc. Arlequin de tourteau à la fleur de sel safranée. Blanc de barbue rôti aux truffes et noix fraîches (saison). Poularde de Bresse, gâteau de foie blond, girolles et ravioles de céleri et raifort.

Gérard Besson CX **21**
5 r. Coq Héron (1ᵉʳ) ℰ 01 42 33 14 74, *Fax 01 42 33 85 71*
☰. AE ① GB JCB
fermé sam. sauf le soir de sept. à juin et dim. – **Repas** *(230)* - 290 (déj.), 460/580 et carte 460 à 630 ♈
Spéc. Homard breton. Truffes (15 déc.-15 mars). Gibier (saison).

XXXX **Goumard** AX 37
9 r. Duphot (1er) ℘ 01 42 60 36 07, *Fax 01 42 60 04 54*
📶 🍽. 🆎 ⓪ 🆖 🆑🅱
fermé 8 au 23 août, dim. et lundi – **Repas** - produits de la mer - (carte
uniquement le soir) 390 bc (déj.)/790 (dîner) et carte 430 à 730
Spéc. Rémoulade de tourteau, vinaigrette de crustacés. Bar de ligne poêlé
aux spaghetti à l'encre de seiche. Homard de Bretagne rôti.

XXX **Céladon** - Hôtel Westminster BV 14
15 r. Daunou (2e) ℘ 01 42 61 57 46, *Fax 01 42 60 30 66*
🍽. 🆎 ⓪ 🆖 🆑🅱
fermé août, sam., dim. et fériés – **Repas** 260 (déj.)/290 et carte 360 à 570
Spéc. Carpaccio de langoustines à la crème de caviar. Turbot rôti en cocotte
céleri rave au parfum de truffe. Ananas ''Victoria''.

XXX **Macéo** CX 36
15 r. Petits-Champs (1er) ℘ 01 42 96 98 89, *Fax 01 47 03 36 93*
🆎 🆖 ✗
fermé dim. – **Repas** 180 (déj.)/220 ♀.

XXX **Il Cortile** - Hôtel de Castille AV 7
37 r. Cambon (1er) ℘ 01 44 58 45 67, *Fax 01 40 15 97 64*
🍴 – 🍽. 🆎 ⓪ 🆖 🆑🅱
fermé sam. et dim. – **Repas** - cuisine italienne - carte 280 à 350
Spéc. Cannelloni au homard, fine crème de fenouil (15 juil.-15 sept.).Piccata
de veau à la sauge. Palet ''or'' moelleux aux noisettes du Piémont.

XXX **Pierre '' A la Fontaine Gaillon ''** BV 6
pl. Gaillon (2e) ℘ 01 47 42 63 22, *Fax 01 47 42 82 84*
🍴 – 🍽. 🆎 ⓪ 🆖 🆑🅱
fermé août, sam. midi et dim. – **Repas** 175 et carte 250 à 440.

XX **Pierre Au Palais Royal** BX 24
10 r. Richelieu (1er) ℘ 01 42 96 09 17, *Fax 01 42 96 09 62*
🍽. 🆎 ⓪ 🆖 🆑🅱
fermé 24 déc. au 2 jan. et dim. – **Repas** carte 230 à 320 ♀.
Spéc. Quenelle de brochet à la lyonnaise. Escalope de foie gras de canard
poêlée. Boeuf ficelle à la ménagère.

XX **Palais Royal** CX 49
110 Galerie de Valois - Jardin du Palais Royal (1er) ℘ 01 40 20 00 27,
Fax 01 40 20 00 82
🍴, « Terrasse dans le jardin du Palais Royal » – 🆎 ⓪ 🆖 🆑🅱
fermé 20 déc. au 5 janv., sam. midi et dim. d'oct. à avril –
Repas carte 220 à 350 ♀.

XX **Chez Pauline** BX 7
5 r. Villédo (1er) ℘ 01 42 96 20 70, *Fax 01 49 27 99 89*
🆎 ⓪ 🆖 🆑🅱
fermé sam. sauf le soir d'oct. à avril et dim. – **Repas** 220 et carte 300 à 490 ♀.

XX **Café Drouant**
pl. Gaillon (2e) ℘ 01 42 65 15 16, *Fax 01 49 24 02 15*
🆎 ⓪ 🆖 🆑🅱
Repas 200 et carte 230 à 390 ♀.

XX **Pays de Cocagne** CX 54
-Espace Tarn- 111 r. Réaumur (2e) ℘ 01 40 13 81 81, *Fax 01 40 13 87 70*
🆎 ⓪ 🆖 🆑🅱
fermé 1er au 22 août, sam. midi, dim. et fériés – Repas 160 et carte 260 à 360 ♀.

XX **Aristippe** CY 28
8 r. J. J. Rousseau (1er) 𝄐 01 42 60 08 80, *Fax 01 43 60 11 13*
▤. ᴀᴇ ɢʙ
fermé 9 au 22 août, sam. midi et dim. – **Repas** - produits de la mer - 170
(déj.)/220 et carte 190 à 300.

XX **Rôtisserie Monsigny** BX 17
1 r. Monsigny (2e) 𝄐 01 42 96 16 61, *Fax 01 42 97 40 97*
▤. ᴀᴇ ᴊᴄʙ
fermé 10 au 20 août, sam. midi et dim. midi – **Repas** *(110)* -
160 et carte 200 à 370 ⵏ.

XX **Kinugawa** BX 39
9 r. Mont Thabor (1er) 𝄐 01 42 60 65 07, *Fax 01 42 60 45 21*
▤. ᴀᴇ ⓪ ɢʙ ᴊᴄʙ. ⌘
fermé vacances de Noël et dim. – **Repas** - cuisine japonaise - carte 190 à 400 ⵏ.

XX **Au Pied de Cochon** CX 43
6 r. Coquillière (1er) 𝄐 01 40 13 77 00, *Fax 01 40 13 77 09*
(ouvert jour et nuit), 🌴, brasserie – ⬍ ▤. ᴀᴇ ⓪ ɢʙ
Repas 178 bc et carte 170 à 370.

XX **Gallopin** CV 5
40 r. N.-D.-des-Victoires (2e) 𝄐 01 42 36 45 38, *Fax 01 42 36 10 32*
« Brasserie fin 19e siècle » – ▤. ᴀᴇ ⓪ ɢʙ
fermé sam. midi et dim. – **Repas** 149 et carte 170 à 310 ⵏ.

XX **Vaudeville** CV 42
29 r. Vivienne (2e) 𝄐 01 40 20 04 62, *Fax 01 49 27 08 78*
brasserie – ᴀᴇ ⓪ ɢʙ
Repas 132 bc/179 bc et carte 180 à 250.

XX **Grand Colbert** CX 9
2 r. Vivienne (2e) 𝄐 01 42 86 87 88, *Fax 01 42 86 82 65*
brasserie – ᴀᴇ ⓪ ɢʙ ᴊᴄʙ
Repas 155 et carte 200 à 290 ⵡ.

XX **Gandhi** BV 29
66 r. Ste-Anne (2e) 𝄐 01 47 03 41 00, *Fax 01 49 10 03 73*
▤. ᴀᴇ ⓪ ɢʙ ᴊᴄʙ
fermé dim. – **Repas** - cuisine indienne - 75 (déj.), 149/179 et carte 140 à 230 ⵏ.

XX **Poquelin** BX 8
17 r. Molière (1er) 𝄐 01 42 96 22 19, *Fax 01 42 96 05 72*
ᴀᴇ ⓪ ɢʙ ᴊᴄʙ
fermé 1er au 20 août, sam. midi et dim. – **Repas** 189 et carte 240 à 350 ⵏ.

XX **Boutillier** CX 10
46 r. Croix des Petits Champs (1er) 𝄐 01 40 20 04 54, *Fax 01 40 20 09 81*
▤. ᴀᴇ ɢʙ
fermé 1er au 29 août et dim. – Repas 165 et carte 240 à 320 ⵏ.

XX **Bonne Fourchette** BX 46
320 r. St Honoré, au fond de la cour (1er) 𝄐 01 42 60 45 27
▤. ⓪ ɢʙ. ⌘
fermé août, vacances de fév., dim. midi et sam. – **Repas** *(100)* - 130/
170 et carte 200 à 320 ⵏ.

XX **Saudade** CY 25
34 r. Bourdonnais (1er) 𝄐 01 42 36 30 71, *Fax 01 42 36 27 77*
▤. ᴀᴇ ɢʙ ᴊᴄʙ. ⌘
fermé dim. – **Repas** - cuisine portugaise - 129 (déj.)et carte 170 à 270.

A la Grille St-Honoré BX 41
15 pl. Marché St-Honoré (1er) ✆ 01 42 61 00 93, *Fax 01 47 03 31 64*
– ▤. AE ⓓ GB
fermé 1er au 26 août, dim. et lundi – **Repas** 180/250.

Bistrot St-Honoré BX 4
10 r. Gomboust (1er) ✆ 01 42 61 77 78, *Fax 01 42 61 77 78*
AE GB JCB
fermé 25 déc. au 5 janv., sam. soir et dim. – **Repas** 130 et carte 190 à 350 ♀.

Chez Georges CX 47
1 r. Mail (2e) ✆ 01 42 60 07 11
bistrot – AE GB
fermé 1er au 23 août et dim. – **Repas** carte 210 à 340.

Café Marly BY 48
93 r. Rivoli - Cour Napoléon (1er) ✆ 01 49 26 06 60, *Fax 01 49 26 07 06*
, « Décor original dans le Grand Louvre, terrasse » – ▤. AE ⓓ GB
Repas carte 210 à 260 ♀.

L'Ardoise AX 7
28 r. Mont-Thabor (1er) ✆ 01 42 96 28 18
GB
fermé 17 au 24 mai, 9 au 31 août, Noël au Jour de l'An et lundi – Repas 165 ♀.

Café Runtz CV 15
16 r. Favart (2e) ✆ 01 42 96 69 86, *Fax 01 40 20 92 95*
bistrot – AE ⓓ GB
fermé 8 au 16 mai, 1er au 21 août, sam. midi et dim. d'avril à sept. et fériés – **Repas** - cuisine alsacienne - *(129)* - carte 160 à 260 ♀.

Willi's Wine Bar CX 6
13 r. Petits-Champs (1er) ✆ 01 42 61 05 09, *Fax 01 47 03 36 93*
GB
fermé dim. – **Repas** 148 (déj.)/185 ♀.

Ragueneau CY 14
202 r. St-Honoré (1er)-(1er étage) ✆ 01 42 61 29 76, *Fax 01 42 61 29 80*
▤. AE ⓓ GB JCB
fermé 1er au 30 août et dim. – **Repas** 115/154 ♀.

Poule au Pot CY 27
9 r. Vauvilliers (1er) ✆ 01 42 36 32 96, *Fax 01 40 91 90 64*
bistrot – GB.
fermé lundi – **Repas** (dîner seul.) 160 et carte 200 à 300.

Relais Chablisien CY 5
4 r. B. Poirée (1er) ✆ 01 45 08 53 73
« Maison du 17e siècle » – ▤. GB
fermé 1er au 22 août, sam. et dim. – **Repas** carte 170 à 240 ♀.

Chez la Vieille "Adrienne" CY 33
1 r. Bailleul (1er) ✆ 01 42 60 15 78, *Fax 01 42 33 85 71*
AE GB
fermé août, sam., dim. et le soir sauf jeudi – **Repas** (prévenir) 150 et carte environ 300.

Souletin CX 44
6 r. Vrillière (1er) ✆ 01 42 61 43 78, *Fax 01 42 61 43 78*
bistrot – GB
fermé sam. midi, dim. et fériés – **Repas** carte 160 à 240 ♀.

X Lescure AX 5

7 r. Mondovi (1er) ✆ 01 42 60 18 91
bistrot – GB
fermé août, 23 déc. au 1er janv., sam. et dim. – **Repas** 100 bc et carte 120 à 200 ♀.

X Entre Ciel et Terre CX 52

5 r. Hérold (1er) ✆ 01 45 08 49 84
rest. exclusivement non-fumeurs – AE ⓓ GB JCB
fermé 24 juil. au 22 août, sam. et dim. – **Repas** - cuisine végétarienne - *(69)* - 87 et carte environ 130.

République ──────────────
Nation - Bastille ──────────────
Ile St-Louis - Beaubourg ──────────

3ᵉ, 4ᵉ et 11ᵉ arrondissements

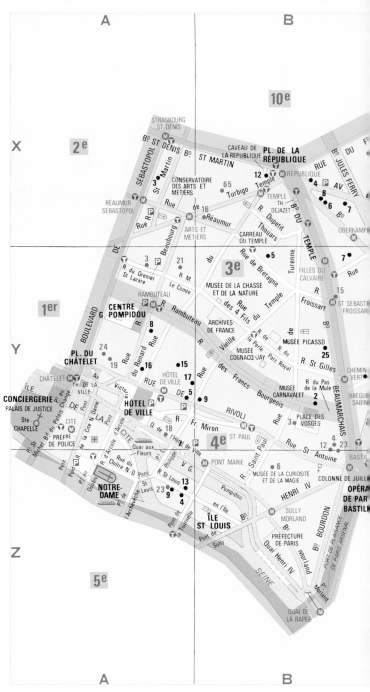

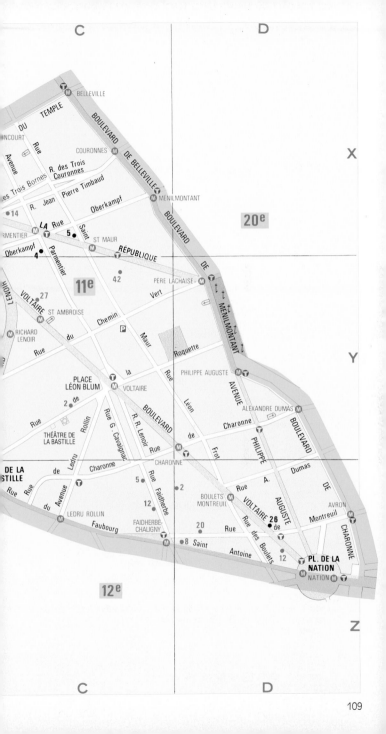

🏛 Pavillon de la Reine   BY 2
28 pl. Vosges (3e) 𝒫 01 40 29 19 19, *Fax 01 40 29 19 20*
🍽 sans rest, « Belle décoration intérieure » – 📶 🖃 📺 ☎ 📞 🚗. 🅰🅴 ⓪ 🆖 JCB
🍴 110 – **31 ch** 1850/2300, 14 appart, 10 duplex.

🏛 Holiday Inn   BX 4
10 pl. République (11e) 𝒫 01 43 55 44 34, *Fax 01 47 00 32 34*
Ⓜ – 📶 ⤢ 🖃 📺 ☎ 📞 ᕒ – 🔺 200. 🅰🅴 ⓪ 🆖 JCB
Belle Époque : Repas carte 170 à 300 – 🍴 125 – **314 ch** 1935/2995, 4 appart

🏛 Jeu de Paume   AZ 13
54 r. St-Louis-en-l'Île (4e) 𝒫 01 43 26 14 18, *Fax 01 40 46 02 76*
🍽 sans rest, « Ancien jeu de paume du 17e siècle » – 📶 📺 ☎ 📞 – 🔺 30. 🅰🅴
⓪ 🆖 JCB
🍴 80 – **30 ch** 905/1525.

🏛 Villa Beaumarchais   BY 25
5 r. Arquebusiers (3e) 𝒫 01 40 29 14 00, *Fax 01 40 29 14 01*
🍽 – 📶, 🖃 ch, 📺 ☎ 📞 ᕒ – 🔺 30. 🅰🅴 ⓪ 🆖 JCB
Repas *(fermé août, sam. et dim.)* (95) - 145/185 ₰ – 🍴 105 – **50 ch** 1600/2100.

🏛 Bretonnerie   AY 15
22 r. Ste-Croix-de-la-Bretonnerie (4e) 𝒫 01 48 87 77 63, *Fax 01 42 77 26 78*
sans rest – 📶 📺 ☎. 🆖. ⌗
fermé 30 juil. au 26 août
🍴 60 – **27 ch** 650/800, 3 appart.

🏛 Little Palace   AX 3
4 r. Salomon de Caus (3e) 𝒫 01 42 72 08 15, *Fax 01 42 72 45 81*
Ⓜ – 📶 ⤢ 🖃 ch, 📺 ☎ ᕒ. 🅰🅴 ⓪ 🆖 JCB. ⌗ rest
Repas *(fermé 1er au 16 août, vend. soir, sam. et dim.)* carte 150 à 240 ₰ –
🍴 60 – **57 ch** 720/810.

🏛 Meslay République   BX 12
3 r. Meslay (3e) 𝒫 01 42 72 79 79, *Fax 01 42 72 76 94*
sans rest – 📶 📺 ☎ 📞. 🅰🅴 ⓪ 🆖 JCB. ⌗
🍴 45 – **39 ch** 636/766.

🏛 Axial Beaubourg   AY 16
11 r. Temple (4e) 𝒫 01 42 72 72 22, *Fax 01 42 72 03 53*
sans rest – 📶 🖃 📺 ☎ 📞. 🅰🅴 ⓪ 🆖 JCB. ⌗
🍴 40 – **39 ch** 480/650.

🏛 Caron de Beaumarchais   BY 9
12 r. Vieille-du-Temple (4e) 𝒫 01 42 72 34 12, *Fax 01 42 72 34 63*
Ⓜ sans rest – 📶 🖃 📺 ☎. 🅰🅴 ⓪ 🆖 JCB. ⌗
🍴 54 – **19 ch** 730/810.

🏛 Beaubourg   AY 8
11 r. S. Le Franc (4e) 𝒫 01 42 74 34 24, *Fax 01 42 78 68 11*
sans rest – 📶 📺 ☎. 🅰🅴 ⓪ 🆖 JCB. ⌗
🍴 40 – **28 ch** 490/690.

🏛 Verlain   CX 5
97 r. St-Maur (11e) 𝒫 01 43 57 44 88, *Fax 01 43 57 32 06*
sans rest – 📶 🖃 📺 ☎ 📞. 🅰🅴 ⓪ 🆖 JCB
🍴 45 – **38 ch** 520/580.

🏨 **Lutèce**   AZ 9
65 r. St-Louis-en-l'Ile (4ᵉ) ℰ 01 43 26 23 52, *Fax 01 43 29 60 25*
sans rest – |≑| 🖃 📺 ☎. 🗛 ⒼⒷ. 🛇
☲ 53 – **23 ch** 860/880.

🏨 **Deux Iles**   AZ 4
59 r. St-Louis-en-l'Ile (4ᵉ) ℰ 01 43 26 13 35, *Fax 01 43 29 60 25*
sans rest – |≑| 🖃 📺 ☎. 🗛 ⒼⒷ
☲ 52 – **17 ch** 750/860.

🏨 **Bel Air**   BX 8
5 r. Rampon (11ᵉ) ℰ 01 47 00 41 57, *Fax 01 47 00 21 56*
Ⓜ sans rest – |≑| 📺 ☎. 🗛 ⓞ ⒼⒷ ⒿⒸⒷ. 🛇
☲ 45 – **48 ch** 550/620.

🏨 **Rivoli Notre Dame**   AY 17
19 r. Bourg Tibourg (4ᵉ) ℰ 01 42 78 47 39, *Fax 01 40 29 07 00*
sans rest – |≑| 📺 ☎ ℰ. 🗛 ⓞ ⒼⒷ ⒿⒸⒷ. 🛇
☲ 45 – **31 ch** 540/740.

🏨 **Vieux Saule**   BY 5
6 r. Picardie (3ᵉ) ℰ 01 42 72 01 14, *Fax 01 40 27 88 21*
sans rest – |≑| ⥻ 🖃 📺 ☎ ℰ ⟅. 🗛 ⓞ ⒼⒷ ⒿⒸⒷ. 🛇
☲ 55 – **31 ch** 390/690.

🏠 **Nord et Est**   BX 6
49 r. Malte (11ᵉ) ℰ 01 47 00 71 70, *Fax 01 43 57 51 16*
sans rest – |≑| 📺 ☎. 🗛 ⒼⒷ. 🛇
fermé août et 24 déc. au 2 janv.
☲ 35 – **45 ch** 320/360.

🏠 **Grand Prieuré**   BX 7
20 r. Grand Prieuré (11ᵉ) ℰ 01 47 00 74 14, *Fax 01 49 23 06 64*
sans rest – 📺 ☎. 🗛 ⓞ ⒼⒷ ⒿⒸⒷ. 🛇
☲ 30 – **32 ch** 330/370.

🏠 **Croix de Malte**   BY 7
5 r. Malte (11ᵉ) ℰ 01 48 05 09 36, *Fax 01 43 57 02 54*
Ⓜ sans rest – |≑| ⥻ 📺 ☎. 🗛 ⓞ ⒼⒷ ⒿⒸⒷ
☲ 45 – **29 ch** 540/600.

🏠 **Nice**   AY 5
42 bis r. Rivoli (4ᵉ) ℰ 01 42 78 55 29, *Fax 01 42 78 36 07*
sans rest – |≑| 📺 ☎ ℰ. ⒼⒷ. 🛇
☲ 35 – **23 ch** 380/500.

🏠 **Prince Eugène**   DZ 26
247 bd Voltaire (11ᵉ) ℰ 01 43 71 22 81, *Fax 01 43 71 24 71*
sans rest – |≑| 📺 ☎ ℰ. 🗛 ⓞ ⒼⒷ ⒿⒸⒷ
☲ 32 – **35 ch** 345/405.

🏠 **Campanile**   BY 6
9 r. Chemin Vert (11ᵉ) ℰ 01 43 38 58 08, *Fax 01 43 38 52 28*
sans rest – |≑| ⥻ 📺 ☎ ℰ ⟅. ⟅⟆. 🗛 ⓞ ⒼⒷ
☲ 36 – **157 ch** 430.

🏠 **Beauséjour**   CX 4
71 av. Parmentier (11ᵉ) ℰ 01 47 00 38 16, *Fax 01 43 55 47 89*
Ⓜ sans rest – |≑| 📺 ☎. 🗛 ⓞ ⒼⒷ ⒿⒸⒷ
☲ 30 – **31 ch** 300/380.

XXXX **L'Ambroisie** (Pacaud) BY 3
❀❀❀ 9 pl. des Vosges (4ᵉ) ✆ 01 42 78 51 45
　　🍽. 𝗔𝗘 ᴳᴮ. 🍴
　　fermé 1ᵉʳ au 23 août, vacances de fév., dim. et lundi – **Repas** carte 750
　　à 1 200
　　Spéc. Feuillantine de langoustines au curry. Agneau en nougatine, ragoût de
　　cocos à la sauge. Dacquoise au praliné.

XXX **Miravile** AY 18
72 quai Hôtel de Ville (4ᵉ) ✆ 01 42 74 72 22, *Fax 01 42 74 67 55*
　　🍽. 𝗔𝗘 ᴳᴮ
　　fermé 5 au 25 août, sam. midi et dim. – **Repas** 250/450 bc et carte 330 à 430.

XX **Ambassade d'Auvergne** AY 3
🐌 22 r. Grenier St-Lazare (3ᵉ) ✆ 01 42 72 31 22, *Fax 01 42 78 85 47*
　　🍽. 𝗔𝗘 ᴳᴮ ᴶᶜᴮ
　　fermé dim. en juil.-août – Repas 160 et carte 190 à 300 ♀.

XX **Benoît** AY 19
❀ 20 r. St-Martin (4ᵉ) ✆ 01 42 72 25 76, *Fax 01 42 72 45 68*
　　bistrot – 🍽. 𝗔𝗘
　　fermé août – **Repas** 200 (déj.) et carte 330 à 440 ♀
　　Spéc. Ballottine de canard au foie gras. Saint-Jacques au naturel (oct. à avril).
　　Cassoulet maison.

XX **Bofinger** BY 4
5 r. Bastille (4ᵉ) ✆ 01 42 72 87 82, *Fax 01 42 72 97 68*
　　brasserie, « Décor Belle Époque » – 🍽. 𝗔𝗘 ⓞ ᴳᴮ ᴶᶜᴮ
　　Repas 119 bc (déj.)/178 bc et carte 180 à 250.

XX **L'Aiguière** DZ 20
37 bis r. Montreuil (11ᵉ) ✆ 01 43 72 42 32, *Fax 01 43 72 96 36*
　　𝗔𝗘 ⓞ ᴳᴮ ᴶᶜᴮ
　　fermé sam. midi, dim. et fériés – **Repas** 138 bc / 280 bc
　　(sauf vend. soir et sam. soir) et carte 250 à 340.

XX **A Sousceyrac** CZ 5
35 r. Faidherbe (11ᵉ) ✆ 01 43 71 65 30, *Fax 01 40 09 79 75*
　　🍽. ⓞ ᴳᴮ
　　fermé août, sam. midi et dim. – **Repas** 185 et carte 220 à 340 ♀.

XX **L'Excuse** BZ 6
14 r. Charles V (4ᵉ) ✆ 01 42 77 98 97, *Fax 01 42 77 88 55*
　　𝗔𝗘 ᴳᴮ ᴶᶜᴮ
　　fermé 2 au 22 août et dim. – **Repas** 120 bc (déj.)/185 et carte 270 à 360 ♀.

XX **Vin et Marée** DZ 12
276 bd Voltaire (11ᵉ) ✆ 01 43 72 31 23, *Fax 01 40 09 05 24*
　　🍽. 𝗔𝗘 ᴳᴮ
　　Repas - produits de la mer - carte 170 à 250 ♀.

XX **Blue Elephant** CY 2
43 r. Roquette (11ᵉ) ✆ 01 47 00 42 00, *Fax 01 47 00 45 44*
　　« Décor typique » – 🍽. 𝗔𝗘 ⓞ ᴳᴮ
　　fermé sam. midi – **Repas** - cuisine thaïlandaise - 150 (déj.), 275/
　　300 et carte 180 à 270 ♀.

XX **L'Alisier** AY 21
26 r. Montmorency (3ᵉ) ✆ 01 42 72 31 04, *Fax 01 42 72 74 83*
　　𝗔𝗘 ᴳᴮ. 🍴
　　fermé août, sam. et dim. – **Repas** 145 (déj.)/195.

XX **Péché Mignon** CY 42
5 r. Guillaume Bertrand (11e) ℘ 01 43 57 68 68
GB
fermé août, dim. soir et lundi – **Repas** *(110 bc)* - 149.

XX **Les Amognes** DZ 8
243 r. Fg St-Antoine (11e) ℘ 01 43 72 73 05, *Fax 01 43 28 77 23*
GB
fermé 1er au 23 août, lundi midi, sam. midi et dim. – **Repas** 200 ♀.

XX **Repaire de Cartouche** BY 15
99 r. Amelot (11e) ℘ 01 47 00 25 86
▤. GB
fermé 15 juil. au 15 août, dim. et lundi – **Repas** carte 150 à 240 ♀.

X **Bistrot du Dôme** BY 12
2 r. Bastille (4e) ℘ 01 48 04 88 44, *Fax 01 48 04 00 59*
▤. AE GB
Repas - produits de la mer - carte 180 à 280 ♀.

X **Petit Bofinger** BY 23
6 r. Bastille (4e) ℘ 01 42 72 05 23, *Fax 01 42 72 04 94*
▤. AE ⓞ GB
Repas 95 bc (déj.)/138 bc et carte 120 à 180.

X **Chardenoux** DZ 2
1 r. J. Vallès (11e) ℘ 01 43 71 49 52
bistrot, « Décor début de siècle » – AE ⓞ GB
fermé août, sam. midi et dim. – **Repas** carte 160 à 340 ♀.

X **Mansouria** CZ 12
11 r. Faidherbe (11e) ℘ 01 43 71 00 16, *Fax 01 40 24 21 97*
▤. ⓞ GB. ✍
fermé lundi midi et dim. – **Repas** - cuisine marocaine - *(99)* -
182 et carte 180 à 250.

X **Au Bascou** BX 16
38 r. Réaumur (3e) ℘ 01 42 72 69 25
bistrot – AE
fermé en août, Noël au Jour de l'An, sam. midi et dim. – **Repas** carte 180 à
220 ♀.

X **Grizzli** AY 24
7 r. St-Martin (4e) ℘ 01 48 87 77 56
🕿, bistrot – AE GB JCB
fermé dim. – **Repas** 120 (déj.)/160 et carte 170 à 310 ♀.

X **Astier** CX 14
44 r. J.-P. Timbaud (11e) ℘ 01 43 57 16 35
bistrot – GB
*fermé vacances de printemps, 22 juil. au 25 août, Noël au Jour de l'An, sam. et
dim.* – Repas (prévenir) 115 (déj.)/140.

X **Monde des Chimères** AZ 23
69 r. St-Louis-en-L'Ile (4e) ℘ 01 43 54 45 27, *Fax 01 43 29 84 88*
GB
fermé dim. et lundi – **Repas** *(65)* - 89 (déj.)/160 et carte 270 à 390.

X **Clos du Vert Bois** BX 65
13 r. Vert Bois (3e) ℘ 01 42 77 14 85
GB
fermé 1er au 25 août, sam. midi et lundi soir – **Repas** *(72)* - 81 (déj.), 127/
179 bc et carte 210 à 350 ♀.

X **Anjou-Normandie**   CY 27
13 r. Folie-Méricourt (11ᵉ) ☎ 01 47 00 30 59, *Fax 01 47 00 30 59*
GB. ⌖
fermé sam. et dim. – **Repas** (déj. seul.) *(79 bc)* - 150 et carte 150 à 250
♀, enf. 69.

X **Les Fernandises**   BX 9
19 r. Fontaine au Roi (11ᵉ) ☎ 01 48 06 16 96
bistrot – GB
fermé 2 au 23 août, dim. et lundi – **Repas** 100 (déj.)/130 et carte 150 à 270 ♀.

St-Germain-des-Prés
Quartier Latin - Luxembourg
Jardin des Plantes

5e et 6e arrondissements

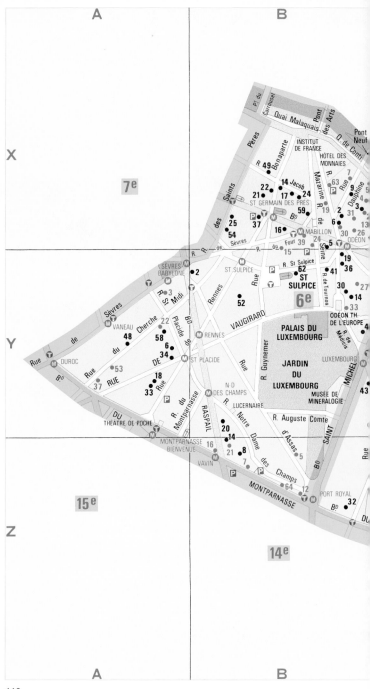

A B

X

7ᵉ

Quai Malaquais
Pont des Arts
Pont Neuf
Q. de Conti
Pᵗ du Carrousel
INSTITUT DE FRANCE
HÔTEL DES MONNAIES
R 49
R. Bonaparte
R. Dauphine
14 Jacob
22 17 24
21 59
ST GERMAIN DES PRÉS
Bᵈ
19
37 16 MABILLON
25 54
P
de Sevres
Four 39
24 5 ODÉON
30 26
13
31 2 6
63 7
9
30 19 36
R. St Sulpice
62
ST SULPICE
41
R. de Tournon
SÈVRES BABYLONE
2
ST SULPICE
R. St Midi
3
Cherche
Rennes
52
VAUGIRARD
30 27
14 33
ODÉON TH.
DE L'EUROPE

Y

Rue de Sevres
Sevres
VANEAU
22
48 58 6
34 53
RUE DE
37 RUE
18 33
DUROC
Bᵈ
Placide
Bᵈ de Rennes
RENNES
ST PLACIDE
Rue
N-D DES CHAMPS
R. du Montparnasse
RASPAIL
LUCERNAIRE
R. Notre Dame des Champs
R. Guynemer
PALAIS DU LUXEMBOURG
JARDIN DU LUXEMBOURG
MUSÉE DE MINERALOGIE
R. de Medicis
LUXEMBOURG
SAINT MICHEL
4
43

THÉÂTRE DE POCHE
P
DU
R. Auguste Comte
d'Assas
20
14
21 8
16
5
MONTPARNASSE BIENVENUE
VAVIN
7
P
64
12
MONTPARNASSE
PORT ROYAL
32
Bᵈ
DU

6ᵉ

Z

15ᵉ

14ᵉ

A B

116

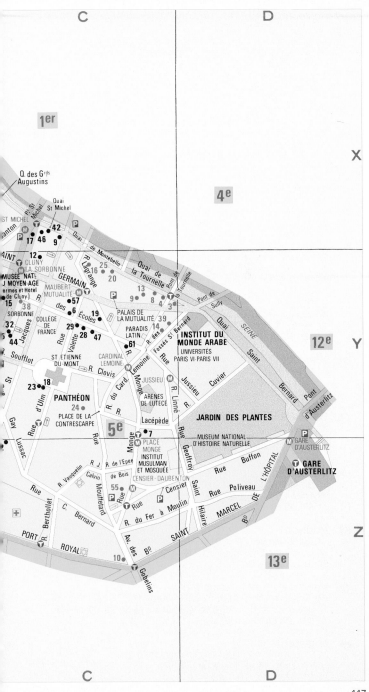

🏨 **Lutétia** BY **2**
45 bd Raspail (6e) ☎ 01 49 54 46 46, *Fax 01 49 54 46 00*
⬍ ✕ ▤ 📺 ☎ 📞 – 🅰 300. 🅰🄴 ⓿ GB JCB
voir rest. ***Paris*** ci-après
Brasserie Lutétia ☎ 01 49 54 46 76 **Repas** *(155)*/195/205 ℤ, enf.65 – ☕ 135 –
220 ch 1800/2300, 30 appart.

🏨 **Relais Christine** BX **3**
3 r. Christine (6e) ☎ 01 40 51 60 80, *Fax 01 40 51 60 81*
Ⓜ ⤳ sans rest, « Élégante décoration intérieure » – ⬍ ✕ ▤ 📺 ☎ 📞
⟿. 🅰🄴 ⓿ GB JCB
☕ 110 – **35 ch** 1850/2300, 16 duplex.

🏨 **Relais St-Germain** BY **19**
9 carrefour de l'Odéon (6e) ☎ 01 44 27 07 97, *Fax 01 46 33 45 30*
Ⓜ sans rest, « Bel aménagement intérieur » – ⬍ cuisinette ▤ 📺 ☎ 📞. 🅰🄴
⓿ GB JCB
22 ch ☕ 1290/2050.

🏨 **Relais Médicis** BY **14**
23 r. Racine (6e) ☎ 01 43 26 00 60, *Fax 01 40 46 83 39*
Ⓜ sans rest – ⬍ ▤ 📺 ☎ 📞. 🅰🄴 ⓿ GB JCB. ✕
16 ch ☕ 1290/1595.

🏨 **Aubusson** BX **9**
33 r. Dauphine (6e) ☎ 01 43 29 43 43, *Fax 01 43 29 12 62*
sans rest – ⬍ ✕ ▤ 📺 ☎ 📞 ♿. 🅰🄴 GB
☕ 95 – **50 ch** 1350/2000.

🏨 **L'Abbaye** BY **52**
10 r. Cassette (6e) ☎ 01 45 44 38 11, *Fax 01 45 48 07 86*
⤳ sans rest – ⬍ ▤ 📺 ☎ 📞. 🅰🄴 GB. ✕
42 ch ☕ 1100/1650, 4 duplex.

🏨 **Left Bank St-Germain** BX **6**
9 r. Ancienne Comédie (6e) ☎ 01 43 54 01 70, *Fax 01 43 26 17 14*
sans rest – ⬍ ▤ 📺 ☎ 📞 ♿. 🅰🄴 ⓿ GB JCB. ✕
31 ch ☕ 980/1200.

🏨 **Victoria Palace** AY **18**
6 r. Blaise-Desgoffe (6e) ☎ 01 45 49 70 00, *Fax 01 45 49 23 75*
sans rest – ⬍ ✕ 📺 ☎ 📞 ♿ ⟿ – 🅰 30. 🅰🄴 ⓿ GB JCB
☕ 95 – **79 ch** 1300/2200.

🏨 **Madison** BX **16**
143 bd St-Germain (6e) ☎ 01 40 51 60 00, *Fax 01 40 51 60 01*
Ⓜ sans rest, « Beau mobilier » – ⬍ ▤ 📺 ☎ 📞. 🅰🄴 ⓿ GB JCB
54 ch ☕ 800/1600.

🏨 **Holiday Inn Saint-Germain-des-Prés** AY **34**
92 r. Vaugirard (6e) ☎ 01 42 22 00 56, *Fax 01 42 22 05 39*
Ⓜ sans rest – ⬍ ✕ ▤ 📺 ☎ 📞 ♿ ⟿ – 🅰 50. 🅰🄴 ⓿ GB JCB
☕ 80 – **134 ch** 1095/1275.

🏨 **Angleterre** BX **49**
44 r. Jacob (6e) ☎ 01 42 60 34 72, *Fax 01 42 60 16 93*
sans rest – ⬍ 📺 ☎. 🅰🄴 ⓿ GB JCB. ✕
☕ 60 – **23 ch** 750/1200, 4 appart.

Ste-Beuve BY 20
9 r. Ste-Beuve (6ᵉ) ℰ 01 45 48 20 07, *Fax 01 45 48 67 52*
Ⓜ sans rest – |≑| 𝗧𝗩 ☎ 📞. 𝖠𝖤 𝖦𝖡 𝖩𝖢𝖡. ⌖
⌑ 90 – **22 ch** 760/1810.

Littré AY 33
9 r. Littré (6ᵉ) ℰ 01 45 44 38 68, *Fax 01 45 44 88 13*
sans rest – |≑| 𝗧𝗩 ☎ 📞 – 🛗 25. 𝖠𝖤 ⓞ 𝖦𝖡 𝖩𝖢𝖡. ⌖
⌑ 70 – **88 ch** 1100/1650, 3 appart.

St-Grégoire AY 6
43 r. Abbé Grégoire (6ᵉ) ℰ 01 45 48 23 23, *Fax 01 45 48 33 95*
Ⓜ sans rest – |≑| ▤ 𝗧𝗩 ☎ 📞. 𝖠𝖤 ⓞ 𝖦𝖡 𝖩𝖢𝖡. ⌖
⌑ 60 – **20 ch** 1090/1490.

Villa BX 14
29 r. Jacob (6ᵉ) ℰ 01 43 26 60 00, *Fax 01 46 34 63 63*
Ⓜ sans rest, « Original décor contemporain » – |≑| ⇥ ▤ 𝗧𝗩 ☎ 📞. 𝖠𝖤 ⓞ 𝖦𝖡
𝖩𝖢𝖡. ⌖
⌑ 80 – **28 ch** 900/2000, 4 appart.

Alliance St-Germain-des-Prés BX 21
7 r. St-Benoît (6ᵉ) ℰ 01 42 61 53 53, *Fax 01 49 27 09 33*
Ⓜ sans rest – |≑| ▤ 𝗧𝗩 ☎ 📞 ♿. 𝖠𝖤 ⓞ 𝖦𝖡 𝖩𝖢𝖡
⌑ 75 – **117 ch** 1750/1850.

St-Germain-des-Prés BX 22
36 r. Bonaparte (6ᵉ) ℰ 01 43 26 00 19, *Fax 01 40 46 83 63*
sans rest – |≑| ▤ 𝗧𝗩 ☎ 📞. 𝖠𝖤 𝖦𝖡
⌑ 50 – **30 ch** 750/1350.

Rives de Notre-Dame CX 42
15 quai St-Michel (5ᵉ) ℰ 01 43 54 81 16, *Fax 01 43 26 27 09*
Ⓜ sans rest, ≤, « Maison du 16ᵉ siècle, décor provençal » – |≑| ⇥ ▤ 𝗧𝗩 ☎
📞. 𝖠𝖤 ⓞ 𝖦𝖡 𝖩𝖢𝖡
⌑ 65 – **10 ch** 1100/2500.

Ferrandi AY 48
92 r. Cherche-Midi (6ᵉ) ℰ 01 42 22 97 40, *Fax 01 45 44 89 97*
sans rest – |≑| ▤ 𝗧𝗩 ☎ 📞. 𝖠𝖤 ⓞ 𝖦𝖡 𝖩𝖢𝖡
⌑ 65 – **42 ch** 580/1280.

Villa des Artistes BZ 8
9 r. Grande Chaumière (6ᵉ) ℰ 01 43 26 60 86, *Fax 01 43 54 73 70*
Ⓜ ⌘ sans rest – |≑| 𝗧𝗩 ☎ 📞. 𝖠𝖤 ⓞ 𝖦𝖡 𝖩𝖢𝖡. ⌖
⌑ 50 – **59 ch** 1200.

Régent BX 2
61 r. Dauphine (6ᵉ) ℰ 01 46 34 59 80, *Fax 01 40 51 05 07*
Ⓜ sans rest – |≑| ▤ 𝗧𝗩 ☎ 📞. 𝖠𝖤 ⓞ 𝖦𝖡 𝖩𝖢𝖡. ⌖
⌑ 60 – **25 ch** 750/1100.

Buci BX 59
22 r. Buci (6ᵉ) ℰ 01 55 42 74 74, *Fax 01 55 42 74 44*
Ⓜ sans rest – |≑| 𝗧𝗩 ☎ 📞 ♿. 𝖠𝖤 ⓞ 𝖦𝖡 𝖩𝖢𝖡. ⌖
⌑ 90 – **24 ch** 1250/1850.

Relais St-Jacques CZ 2
3 r. Abbé de l'Épée (5ᵉ) ℰ 01 53 73 26 00, *Fax 01 43 26 17 81*
sans rest – |≑| ▤ 𝗧𝗩 ☎ 📞. 𝖠𝖤 ⓞ 𝖦𝖡 𝖩𝖢𝖡. ⌖
⌑ 70 – **23 ch** 1135/1365.

🏛 **Résidence Henri IV** CY 47
50 r. Bernardins (5e) ℰ 01 44 41 31 81, *Fax 01 46 33 93 22*
Ⓜ sans rest – |‡| cuisinette 📺 ☎ 📞. AE ① GB
☑ 40 – **8 ch** 700/900, 5 appart.

🏛 **Odéon Hôtel** BY 36
3 r. Odéon (6e) ℰ 01 43 25 90 67, *Fax 01 43 25 55 98*
Ⓜ sans rest – |‡| 📼 📺 ☎ 📞. AE ① GB JCB. ⚡
☑ 60 – **33 ch** 756/1412.

🏛 **Fleurie** BX 8
32 r. Grégoire de Tours (6e) ℰ 01 53 73 70 00, *Fax 01 53 73 70 20*
sans rest – |‡| 📼 📺 ☎ 📞. AE ① GB. ⚡
☑ 50 – **29 ch** 700/1200.

🏛 **Grand Hôtel St-Michel** CY 35
19 r. Cujas (5e) ℰ 01 46 33 33 02, *Fax 01 40 46 96 33*
sans rest – |‡| 📼 📺 ☎ 📞. AE ① GB JCB. ⚡
☑ 55 – **38 ch** 690/890, 7 appart.

🏛 **Saints-Pères** BX 54
65 r. des Sts-Pères (6e) ℰ 01 45 44 50 00, *Fax 01 45 44 90 83*
sans rest – |‡| 📺 ☎ 📞. AE GB. ⚡
☑ 60 – **36 ch** 650/1250, 3 appart.

🏛 **Select** CY 32
1 pl. Sorbonne (5e) ℰ 01 46 34 14 80, *Fax 01 46 34 51 79*
Ⓜ sans rest – |‡| 📺 ☎ 📞. AE ① GB JCB
☑ 40 – **68 ch** 670/920.

🏛 **Panthéon** CY 23
19 pl. Panthéon (5e) ℰ 01 43 54 32 95, *Fax 01 43 26 64 65*
sans rest – |‡| 📼 📺 ☎ 📞. AE ① GB JCB. ⚡
☑ 50 – **34 ch** 800/1000.

🏛 **Grands Hommes** CY 18
17 pl. Panthéon (5e) ℰ 01 46 34 19 60, *Fax 01 43 26 67 32*
sans rest, ≤ – |‡| 📼 📺 ☎. AE ① GB JCB
☑ 50 – **32 ch** 700/900.

🏛 **Sully St-Germain** CY 28
31 r. Écoles (5e) ℰ 01 43 26 56 02, *Fax 01 43 29 74 42*
Ⓜ sans rest, ⅓ – |‡| ⇥ 📼 📺 ☎ 📞. AE ① GB JCB. ⚡
☑ 50 – **58 ch** 750/1200.

🏛 **Relais St-Sulpice** BY 62
3 r. Garancière (6e) ℰ 01 46 33 99 00, *Fax 01 46 33 00 10*
Ⓜ 🍃 sans rest – |‡| ⇥ 📼 📺 ☎ 📞 ♿. AE ① GB JCB. ⚡
☑ 50 – **26 ch** 930/1130.

🏛 **Royal St-Michel** CX 17
3 bd St-Michel (5e) ℰ 01 44 07 06 06, *Fax 01 44 07 36 25*
Ⓜ sans rest – |‡| 📼 📺 ☎ 📞. AE ① GB JCB
☑ 60 – **39 ch** 990/1160.

🏛 **Belloy St-Germain** CY 15
2 r. Racine (6e) ℰ 01 46 34 26 50, *Fax 01 46 34 66 18*
Ⓜ sans rest – |‡| 📺 ☎ 📞. AE GB JCB
☑ 50 – **50 ch** 690/910.

🏛 **Jardins du Luxembourg** BY 43
5 imp. Royer-Collard (5e) ℰ 01 40 46 08 88, *Fax 01 40 46 02 28*
Ⓜ 🍃 sans rest – |‡| ⇥ 📼 📺 ♿. AE ① GB JCB. ⚡
☑ 50 – **26 ch** 795/840.

🏛 **Au Manoir St-Germain-des-Prés**   BX 37
153 bd St-Germain (6ᵉ) ℘ 01 42 22 21 65, *Fax 01 45 48 22 25*
sans rest – |≑| 🔲 📺 ☎ 📞. 🆎 ⓪ ☎Ⓑ ᴊⒸⒷ. ⚡
32 ch ⊈ 850/1300.

🏛 **de l'Odéon**   BY 41
13 r. St-Sulpice (6ᵉ) ℘ 01 43 25 70 11, *Fax 01 43 29 97 34*
sans rest, « Maison du 16ᵉ siècle » – |≑| 🔲 📺 ☎. 🆎 ⓪ ☎Ⓑ ᴊⒸⒷ
⊈ 58 – **29 ch** 700/1050.

🏛 **Jardin de l'Odéon**   BY 30
7 r. Casimir Delavigne (6ᵉ) ℘ 01 46 34 23 90, *Fax 01 43 25 28 12*
Ⓜ sans rest – |≑| 📺 ☎ 📞 ♿. 🆎 ☎Ⓑ
⊈ 55 – **41 ch** 665/1050.

🏛 **Clos Médicis**   BY 4
56 r. Monsieur Le Prince (6ᵉ) ℘ 01 43 29 10 80, *Fax 01 43 54 26 90*
Ⓜ sans rest – |≑| 🔲 📺 ☎ 📞 ♿. 🆎 ⓪ ☎Ⓑ ᴊⒸⒷ
⊈ 60 – **38 ch** 1200.

🏛 **Parc St-Séverin**   CY 12
22 r. Parcheminerie (5ᵉ) ℘ 01 43 54 32 17, *Fax 01 43 54 70 71*
sans rest – |≑| 📺 ☎ 📞. 🆎 ⓪ ☎Ⓑ ᴊⒸⒷ. ⚡
⊈ 50 – **27 ch** 510/1540.

🏛 **St-Christophe**   CY 7
17 r. Lacépède (5ᵉ) ℘ 01 43 31 81 54, *Fax 01 43 31 12 54*
sans rest – |≑| 📺 ☎. 🆎 ⓪ ☎Ⓑ
⊈ 50 – **31 ch** 550/600.

🏛 **Notre Dame**   CX 9
1 quai St-Michel (5ᵉ) ℘ 01 43 54 20 43, *Fax 01 43 26 61 75*
sans rest, ⇐ – |≑| 📺 ☎ 📞. 🆎 ⓪ ☎Ⓑ ᴊⒸⒷ
⊈ 40 – **23 ch** 630/830, 3 duplex.

🏛 **Jardin de Cluny**   CY 57
9 r. Sommerard (5ᵉ) ℘ 01 43 54 22 66, *Fax 01 40 51 03 36*
sans rest – |≑| 📺 ☎ 📞. 🆎 ⓪ ☎Ⓑ ᴊⒸⒷ. ⚡
⊈ 50 – **40 ch** 710/1300.

🏛 **Millésime Hôtel**   BX 24
15 r. Jacob (6ᵉ) ℘ 01 44 07 97 97, *Fax 01 46 34 55 97*
sans rest – |≑| 🔲 📺 ☎ 📞 ♿. 🆎 ☎Ⓑ. ⚡
⊈ 60 – **21 ch** 850/1100.

🏛 **Bréa**   BZ 14
14 r. Bréa (6ᵉ) ℘ 01 43 25 44 41, *Fax 01 44 07 19 25*
sans rest – |≑| 🔲 📺 ☎ 📞. 🆎 ⓪ ☎Ⓑ. ⚡
⊈ 55 – **23 ch** 710/920.

🏛 **Agora St-Germain**   CY 19
42 r. Bernardins (5ᵉ) ℘ 01 46 34 13 00, *Fax 01 46 34 75 05*
sans rest – |≑| 🔲 📺 ☎ 📞. 🆎 ⓪ ☎Ⓑ ᴊⒸⒷ. ⚡
⊈ 50 – **39 ch** 590/720.

🏛 **Pas-de-Calais**   BX 25
59 r. Sts-Pères (6ᵉ) ℘ 01 45 48 78 74, *Fax 01 45 44 94 57*
sans rest – |≑| 🔲 📺 ☎ 📞. 🆎 ⓪ ☎Ⓑ ᴊⒸⒷ
⊈ 50 – **41 ch** 610/820.

🏛 **Marronniers**   BX 17
21 r. Jacob (6ᵉ) ℘ 01 43 25 30 60, *Fax 01 40 46 83 56*
🦢 sans rest – |≑| 🔲 📺 ☎ 📞. ☎Ⓑ. ⚡
⊈ 55 – **37 ch** 755/985.

🏨 **St-Jacques** CY 29
35 r. Écoles (5ᵉ) ℘ 01 44 07 45 45, *Fax 01 43 25 65 50*
sans rest – 🛗 📺 ☎ 📞. 🆎 ⓪ ⒢⒝ ⒥⒞⒝. ⚘
☒ 35 – **35 ch** 365/580.

🏨 **California** CY 6
32 r. Écoles (5ᵉ) ℘ 01 46 34 12 90, *Fax 01 46 34 75 52*
sans rest – 🛗 📺 ☎ 📞. 🆎 ⓪ ⒢⒝. ⚘
☒ 50 – **44 ch** 700/1200.

🏨 **Sèvres Azur** AY 58
22 r. Abbé-Grégoire (6ᵉ) ℘ 01 45 48 84 07, *Fax 01 42 84 01 55*
sans rest – 🛗 📺 ☎ 📞. 🆎 ⓪ ⒢⒝ ⒥⒞⒝
☒ 38 – **31 ch** 445/530.

🏨 **Familia** CY 61
11 r. Écoles (5ᵉ) ℘ 01 43 54 55 27, *Fax 01 43 29 61 77*
sans rest – 🛗 📺 ☎. 🆎 ⓪ ⒢⒝. ⚘
☒ 38 – **30 ch** 390/550.

🏨 **Albe** CX 46
1 r. Harpe (5ᵉ) ℘ 01 46 34 09 70, *Fax 01 40 46 85 70*
sans rest – 🛗 ⇌ 📺 ☎ 📞. 🆎 ⓪ ⒢⒝ ⒥⒞⒝. ⚘
☒ 50 – **45 ch** 580/850.

🏨 **Pierre Nicole** BZ 32
39 r. Pierre Nicole (5ᵉ) ℘ 01 43 54 76 86, *Fax 01 43 54 22 45*
sans rest – 🛗 ☎. 🆎 ⓪ ⒢⒝ ⒥⒞⒝. ⚘
☒ 35 – **33 ch** 350/450.

🏨 **Sorbonne** CY 44
6 r. Victor Cousin (5ᵉ) ℘ 01 43 54 58 08, *Fax 01 40 51 05 18*
sans rest – 🛗 📺 ☎. 🆎 ⒢⒝ ⒥⒞⒝
☒ 35 – **37 ch** 430/510.

XXXXX **Tour d'Argent** (Terrail) CY 3
❀❀ ≤ Notre-Dame, « Petit musée de la table. Dans les caves, spectacle historique
15 quai Tournelle (5ᵉ) ℘ 01 43 54 23 31, *Fax 01 44 07 12 04*
sur le vin » – ▤. 🆎 ⓪ ⒢⒝ ⒥⒞⒝
fermé lundi – **Repas** 350 (déj.) et carte 740 à 990
Spéc. Quenelles de brochet ''André Terrail''. Caneton ''Tour d'Argent''.
Crêpes ''Belle Époque''.

XXX **Jacques Cagna** BX 29
❀ 14 r. Grands Augustins (6ᵉ) ℘ 01 43 26 49 39, *Fax 01 43 54 54 48*
« Maison du Vieux Paris » – ▤. 🆎 ⓪ ⒢⒝ ⒥⒞⒝
fermé 1ᵉʳ au 24 août, 20 au 27 déc., sam. midi, lundi midi et dim. – **Repas** 270
(déj.)/490 et carte 420 à 640
Spéc. Langoustines rôties, piperade de légumes aux aromates, sauce mous-
seuse au homard et thym citron. Coquilles St-Jacques (saison). Côte de veau
de lait au gingembre et citron vert.

XXX **Paris** - Hôtel Lutétia BY 2
❀ 45 bd Raspail (6ᵉ) ℘ 01 49 54 46 90, *Fax 01 49 54 46 00*
« Décor inspiration ''Art-Déco'' » – ▤. 🆎 ⓪ ⒢⒝ ⒥⒞⒝
fermé 30 juil. au 30 août, sam., dim. et fériés – **Repas** 290 (déj.), 390/
580 et carte 410 à 580
Spéc. Cannelloni de foie gras de canard à la truffe noire. Turbot cuit dans le
sel de Guérande et algues. ''Tout chocolat''.

XXXX **Relais Louis XIII** (Martinez) BX 4
8 r. Grands Augustins (6e) ☎ 01 43 26 75 96, *Fax 01 44 07 07 80*
« Maison historique, caveau du 16e siècle » – 🍽. AE GB JCB
fermé 2 au 23 août, lundi midi et dim. – **Repas** 195 (déj.)/
280 et carte 330 à 450 ♀
Spéc. Soufflé de poularde au ris de veau et écrevisses (sept. à déc.). Double
côte de veau de lait à l'estragon. Millefeuille tiède à la vanille.

XXXX **Closerie des Lilas** BZ 12
171 bd Montparnasse (6e) ☎ 01 40 51 34 50, *Fax 01 43 29 99 94*
🍴, « Ancien café littéraire » – AE ① GB JCB
Repas 250 bc (déj.), 350/450 et carte 320 à 460 ♀
Brasserie : **Repas** 180 bc/300 bc et carte 200 à 280.

XXXX **Procope** BX 30
13 r. Ancienne Comédie (6e) ☎ 01 40 46 79 00, *Fax 01 40 46 79 09*
« Ancien café littéraire du 18e siècle » – 🍽. AE ① GB
Repas 109 (déj.)/178 et carte 210 à 360.

XX **Yugaraj** BX 7
14 r. Dauphine (6e) ☎ 01 43 26 44 91, *Fax 01 46 33 50 77*
🍽. AE ① GB JCB. ✍
fermé lundi midi – **Repas** - cuisine indienne - 130 (déj.), 180/
220 et carte 220 à 270.

XX **Mavrommatis** CZ 55
42 r. Daubenton (5e) ☎ 01 43 31 17 17, *Fax 01 43 36 13 08*
🍽. GB. ✍
fermé lundi – **Repas** - cuisine grecque - 120 (déj.)/160 et carte 180 à 270.

XX **Chez Maître Paul** BY 27
12 r. Monsieur-le-Prince (6e) ☎ 01 43 54 74 59, *Fax 01 46 34 58 33*
🍽. AE ① GB
fermé lundi midi et dim. en juil.-août – Repas 165 et carte 220 à 330 ♀.

XX **Truffière** CY 24
4 r. Blainville (5e) ☎ 01 46 33 29 82, *Fax 01 46 33 64 74*
« Maison du 17e siècle » – 🍽. AE ① GB JCB. ✍
fermé lundi – **Repas** (90) - 110 (déj.)et carte 220 à 280.

XX **Chat Grippé** BZ 5
87 r. Assas (6e) ☎ 01 43 54 70 00, *Fax 01 43 26 42 05*
🍽. AE GB. ✍
fermé août, sam. midi, dim. midi et lundi – **Repas** 140 (déj.), 200/
280 et carte 240 à 310.

XX **Alcazar** BX 19
62 r. Mazarine (6e) ☎ 01 53 10 19 99, *Fax 01 53 10 23 23*
« Original cadre contemporain » – 🍽. AE ① GB JCB
Repas carte 200 à 410 ♀.

XX **Marty** CZ 10
20 av. Gobelins (5e) ☎ 01 43 31 39 51, *Fax 01 43 37 63 70*
brasserie, « Cadre des années 30 » – AE ① GB JCB
Repas (98) - 139/198 et carte 140 à 210 ♀.

XX **Inagiku** CY 9
14 r. Pontoise (5e) ☎ 01 43 54 70 07, *Fax 01 40 51 74 44*
🍽. GB
fermé 10 au 20 août et dim. – **Repas** - cuisine japonaise - 88 (déj.), 148/
348 et carte 240 à 300.

XX **Bastide Odéon** BY 33
7 r. Corneille (6ᵉ) ℰ 01 43 26 03 65, *Fax 01 44 07 28 93*
AE GB ✗
fermé 1ᵉʳ au 23 août, Noël au Jour de l'An, dim. et lundi – **Repas** (150) - 190 ♀.

XX **Rond de Serviette** AY 53
97 r. Cherche-Midi (6ᵉ) ℰ 01 45 44 01 02, *Fax 01 42 22 50 10*
▤. **AE** ⓞ GB JCB
fermé 29 juil. au 24 août, sam. midi et dim. – **Repas** (98) - 138 bc (déj.),
178/270 bc ♀.

XX **Catalogne** BX 26
4 cour du Commerce (6ᵉ) ℰ 01 55 42 16 19, *Fax 01 55 42 16 33*
AE ⓞ GB
Repas - cuisine catalane - 180/200 ♀.

XX **Chez Toutoune** CY 13
5 r. Pontoise (5ᵉ) ℰ 01 43 26 56 81, *Fax 01 40 46 80 34*
AE GB
fermé lundi midi – **Repas** 188/198 ♀.

XX **Atelier Maître Albert** CY 20
1 r. Maître Albert (5ᵉ) ℰ 01 46 33 13 78, *Fax 01 44 07 01 86*
▤. **AE** GB
fermé lundi midi, dim. et fêtes – **Repas** 190/250 bc.

XX **Les Brézolles** BX 39
5 r. Mabillon (6ᵉ) ℰ 01 53 10 16 10, *Fax 01 56 24 98 59*
GB
fermé août, lundi midi, dim. et fériés – **Repas** (165) - 195 ♀.

X **Campagne et Provence** CY 8
25 quai Tournelle (5ᵉ) ℰ 01 43 54 05 17, *Fax 01 43 29 74 93*
▤. GB
fermé sam. midi, lundi midi et dim. – **Repas** (125) - 220.

X **Bouillon Racine** CY 17
3 r. Racine (6ᵉ) ℰ 01 44 32 15 60, *Fax 01 44 32 15 61*
brasserie, « Cadre ''Art Nouveau'' » – ▤. **AE** GB
Repas (79) - 107 (déj.)/169 et carte 180 à 270 ♀.

X **Les Bouchons de François Clerc** CY 16
12 r. Hôtel Colbert (5ᵉ) ℰ 01 43 54 15 34, *Fax 01 46 34 68 07*
« Maison du vieux Paris » – ▤. **AE** GB
fermé sam. midi et dim. – **Repas** 227.

X **Les Bookinistes** BX 56
53 quai Grands Augustins (6ᵉ) ℰ 01 43 25 45 94, *Fax 01 43 25 23 07*
▤. **AE** ⓞ GB JCB
fermé sam. midi et dim. midi – **Repas** 160 (déj.)et carte 210 à 280 ♀.

X **Dominique** BZ 21
19 r. Bréa (6ᵉ) ℰ 01 43 27 08 80, *Fax 01 43 26 88 35*
▤. **AE** ⓞ GB JCB
fermé 18 juil. au 18 août et dim. – **Repas** - cuisine russe - (dîner seul.)
175 et carte 240 à 290 ♀.

X **L'O à la Bouche** BZ 64
157 bd Montparnasse (6ᵉ) ℰ 01 43 26 26 53, *Fax 01 43 26 43 40*
GB
fermé 10 au 17 avril, 1ᵉʳ au 22 août, 1ᵉʳ au 8 janv., dim. et lundi – **Repas** (100) -
135 (déj.), 190/255 ♀.

✗ **Rotonde** BZ 16
105 bd Montparnasse (6e) ✆ 01 43 26 48 26, *Fax 01 46 34 52 40*
brasserie – 🍴. 𝔸𝔼 ⒼⒷ 🎴
Repas *(140)* - 180/300 et carte 280 à 350 ♈.

✗ **Rôtisserie d'en Face** BX 8
2 r. Christine (6e) ✆ 01 43 26 40 98, *Fax 01 43 54 54 48*
🍴. 𝔸𝔼 ⓪ ⒼⒷ 🎴
fermé sam. midi et dim. – **Repas** 159 (déj.)/210 ♈.

✗ **Marlotte** AY 22
55 r. Cherche-Midi (6e) ✆ 01 45 48 86 79, *Fax 01 45 44 34 80*
🍴. 𝔸𝔼 ⓪ ⒼⒷ
fermé août, sam. midi et dim. – **Repas** carte 200 à 300.

✗ **Rôtisserie du Beaujolais** CY 4
19 quai Tournelle (5e) ✆ 01 43 54 17 47, *Fax 01 44 07 12 04*
🍴. ⒼⒷ
fermé lundi – **Repas** carte 160 à 230.

✗ **Bistrot d'Alex** BX 24
2 r. Clément (6e) ✆ 01 43 54 09 53, *Fax 01 43 25 77 66*
🍴. 𝔸𝔼 ⒼⒷ 🎴
fermé 8 au 16 août, 24 déc. au 2 janv., sam. midi et dim. – Repas 140/
170 et carte 160 à 240.

✗ **Joséphine ''Chez Dumonet''** AY 37
117 r. Cherche-Midi (6e) ✆ 01 45 48 52 40, *Fax 01 42 84 06 83*
bistrot – 𝔸𝔼 ⒼⒷ
fermé août, sam. et dim. – carte 210 à 350
Charroi ✆ 01 42 22 81 19 *(fermé juil., dim. de mars à sept., mardi d'oct. à
mars et lundi)* **Repas** *(88)*-carte environ 160 ♈.

✗ **L'Épi Dupin** AY 3
11 r. Dupin (6e) ✆ 01 42 22 64 56, *Fax 01 42 22 30 42*
𝔸𝔼 ⒼⒷ
fermé sam. et dim. – Repas (nombre de couverts limité, prévenir) *(110 bc)* -
165 ♈.

✗ **Bauta** BZ 7
129 bd Montparnasse (6e) ✆ 01 43 22 52 35, *Fax 01 43 22 10 99*
🍴. ⒼⒷ. 🚭
fermé sam. midi et dim. – **Repas** - cuisine italienne - 149 bc (déj.), 250
bc/300 bc et carte 230 à 320.

✗ **Cafetière** BX 63
21 r. Mazarine (6e) ✆ 01 46 33 76 90, *Fax 01 43 25 76 90*
ⒼⒷ
fermé 9 au 30 août, 24 déc. au 5 janv., dim. et lundi – **Repas** - cuisine italienne
carte 200 à 300 ♈.

✗ **Allard** BX 13
41 r. St-André-des-Arts (6e) ✆ 01 43 26 48 23, *Fax 01 46 33 04 02*
bistrot – 🍴. 𝔸𝔼 ⓪ ⒼⒷ 🎴
fermé 1er au 23 août et dim. – **Repas** *(150)* - 200 et carte 260 à 390.

✗ **L'Espadon Bleu** BX 31
23 r. Grands Augustins (6e) ✆ 01 46 33 00 85
🍴. 𝔸𝔼 ⒼⒷ 🎴
fermé sam. midi, dim. midi et lundi – **Repas** - produits de la mer – *(135)* -
165 (déj.)/195 et carte 220 à 480 ♈.

✗ **Au Moulin à Vent "Chez Henri"** CY 39
20 r. Fossés-St-Bernard (5ᵉ) ℘ 01 43 54 99 37
bistrot – GB JCB. ✗
fermé août, dim. et lundi – **Repas** carte 240 à 320.

✗ **Balzar** CY 38
49 r. Écoles (5ᵉ) ℘ 01 43 54 13 67, *Fax 01 44 07 14 91*
brasserie – ▤. AE GB
Repas carte 150 à 250 ♈.

✗ **Moissonnier** CY 14
28 r. Fossés-St-Bernard (5ᵉ) ℘ 01 43 29 87 65
bistrot – GB
fermé 1ᵉʳ au 23 août, dim. soir et lundi – Repas 150 et carte 190 à 290.

✗ **Reminet** CY 25
3 r. Grands Degrés (5ᵉ) ℘ 01 44 07 04 24, *Fax 01 44 07 17 37*
AE GB
fermé 16 au 31 août, 4 au 24 janv., mardi midi et lundi – **Repas** 85 (déj.)/110 ♈.

✗ **Palanquin** BX 15
12 r. Princesse (6ᵉ) ℘ 01 43 29 77 66
GB
fermé dim. – **Repas** - cuisine vietnamienne - 70 (déj.), 110/148
et carte 140 à 220 ♈.

Tour Eiffel
École Militaire
Invalides

7ᵉ arrondissement

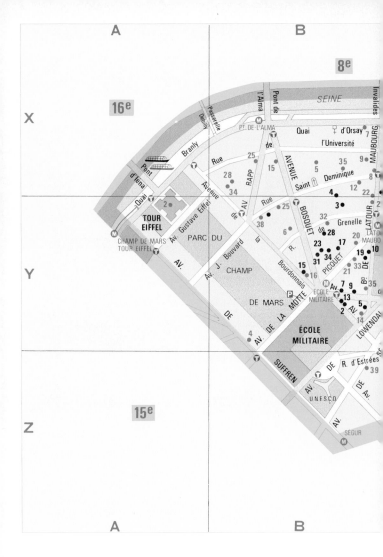

Pour vous diriger dans *PARIS* : *le plan Michelin*
tourisme (n° **8**)
transports (n° **9**)
en une feuille (n° **10**)
avec répertoire des rues (n° **12**)

un atlas avec répertoire des rues et adresses utiles (n° **11**)
un atlas avec répertoire des rues (n° **14**)

Pour visiter **Paris** : *le guide Vert Michelin*

Ces ouvrages se complètent utilement.

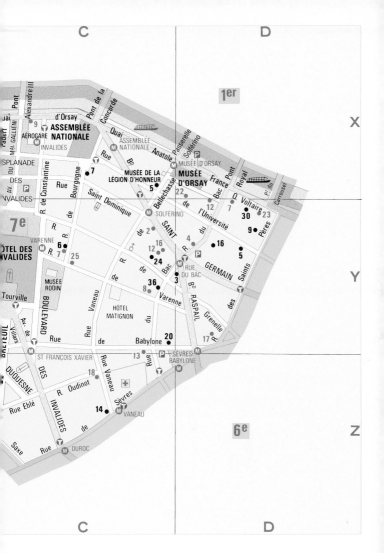

🏨 **Montalembert**   DY **16**
3 r. Montalembert ℰ 01 45 49 68 68, *Fax 01 45 49 69 49*
Ⓜ, 😾, « Décoration originale » – |‡| 🗄 📺 ☎ 📞 – 🏖 25. 🖭 ⓞ ᴳᴮ
Repas carte 240 à 360 – 🍵 100 – **50 ch** 1750/2300, 6 appart.

🏨 **Duc de Saint-Simon**   CY **24**
14 r. St-Simon ℰ 01 44 39 20 20, *Fax 01 45 48 68 25*
🤏 sans rest – |‡| 📺 ☎ 📞. 🖭 ᴳᴮ. 🛇
🍵 70 – **29 ch** 1350/1475, 5 appart.

🏨 **Golden Tulip Cayré**   DY **3**
4 bd Raspail ℰ 01 45 44 38 88, *Fax 01 45 44 98 13*
Ⓜ sans rest – |‡| 🖂 🗄 📺 ☎ 📞 ₢. 🖭 ⓞ ᴳᴮ ᴶᶜᴮ
🍵 80 – **119 ch** 1400.

🏨 **Bellechasse**   CX **5**
8 r. Bellechasse ℰ 01 45 50 22 31, *Fax 01 45 51 52 36*
Ⓜ sans rest – |‡| 🖂 📺 ☎ ₢. 🖭 ⓞ ᴳᴮ ᴶᶜᴮ
🍵 75 – **41 ch** 955/1025.

🏨 **Verneuil**   DY **9**
8 r. Verneuil ℰ 01 42 60 82 14, *Fax 01 42 61 40 38*
sans rest, « Belle décoration intérieure » – |‡| 📺 ☎. 🖭 ⓞ ᴳᴮ. 🛇
🍵 50 – **26 ch** 670/980.

🏨 **Tourville**   BY **9**
16 av. Tourville ℰ 01 47 05 62 62, *Fax 01 47 05 43 90*
Ⓜ sans rest – |‡| 🗄 📺 ☎ 📞. 🖭 ⓞ ᴳᴮ ᴶᶜᴮ
🍵 60 – **30 ch** 790/1990.

🏨 **Lenox Saint-Germain**   DY **5**
9 r. Université ℰ 01 42 96 10 95, *Fax 01 42 61 52 83*
sans rest – |‡| 📺 ☎ 📞. 🖭 ⓞ ᴳᴮ ᴶᶜᴮ
🍵 45 – **34 ch** 680/1500.

🏨 **Splendid**   BY **13**
29 av. Tourville ℰ 01 45 51 29 29, *Fax 01 44 18 94 60*
Ⓜ sans rest – |‡| 📺 ☎ 📞 ₢. 🖭 ⓞ ᴳᴮ
🍵 50 – **48 ch** 640/1090.

🏨 **Bourgogne et Montana**   CX **7**
3 r. Bourgogne ℰ 01 45 51 20 22, *Fax 01 45 56 11 98*
sans rest – |‡| 📺 ☎ 📞. 🖭 ⓞ ᴳᴮ ᴶᶜᴮ
🍵 70 – **29 ch** 690/1200, 4 appart.

🏨 **Eiffel Park Hôtel**   BY **3**
17 bis r. Amélie ℰ 01 45 55 10 01, *Fax 01 47 05 28 68*
Ⓜ sans rest – |‡| 🗄 📺 ☎ 📞 – 🏖 25. 🖭 ⓞ ᴳᴮ ᴶᶜᴮ. 🛇
🍵 55 – **36 ch** 650/750.

🏨 **Les Jardins d'Eiffel**   BX **4**
8 r. Amélie ℰ 01 47 05 46 21, *Fax 01 45 55 28 08*
Ⓜ sans rest – |‡| 🖂 🗄 📺 ☎ 📞 ₢ 🚗. 🖭 ⓞ ᴳᴮ ᴶᶜᴮ
🍵 60 – **80 ch** 710/970.

🏨 **La Bourdonnais**   BY **15**
111 av. La Bourdonnais ℰ 01 47 05 45 42, *Fax 01 45 55 75 54*
sans rest – |‡| 🗄 📺 ☎. 🖭 ⓞ ᴳᴮ ᴶᶜᴮ
🍵 45 – **57 ch** 580/780, 3 appart.

🏨 **Muguet** — BY 19
11 r. Chevert ℘ 01 47 05 05 93, *Fax 01 45 50 25 37*
Ⓜ sans rest – 📶 ≣ 📺 ☎ 📞. 🅰🅴 ᴳᴮ
⚏ 45 – **45 ch** 500/580.

🏨 **Cadran** — BY 23
10 r. Champ-de-Mars ℘ 01 40 62 67 00, *Fax 01 40 62 67 13*
Ⓜ sans rest – 📶 ↔ ≣ 📺 ☎ 📞. 🅰🅴 ⓞ ᴳᴮ. ⚗
⚏ 55 – **42 ch** 850/950.

🏨 **Relais Bosquet** — BY 31
19 r. Champ-de-Mars ℘ 01 47 05 25 45, *Fax 01 45 55 08 24*
sans rest – 📶 📺 ☎ 📞. 🅰🅴 ⓞ ᴳᴮ ᴶᶜᴮ
⚏ 57 – **40 ch** 850/900.

🏨 **Timhôtel Invalides** — BX 30
35 bd La Tour Maubourg ℘ 01 45 56 10 78, *Fax 01 45 05 65 08*
sans rest – 📶 📺 ☎ 📞. 🅰🅴 ⓞ ᴳᴮ ᴶᶜᴮ
⚏ 60 – **30 ch** 680/895.

🏨 **Sèvres Vaneau** — CZ 14
86 r. Vaneau ℘ 01 45 48 73 11, *Fax 01 45 49 27 74*
sans rest – 📶 ↔ 📺 ☎. 🅰🅴 ⓞ ᴳᴮ ᴶᶜᴮ
⚏ 75 – **39 ch** 865/935.

🏨 **St-Germain** — CY 36
88 r. Bac ℘ 01 49 54 70 00, *Fax 01 45 48 26 89*
sans rest – 📶 📺 ☎ 📞. 🅰🅴 ᴳᴮ. ⚗
⚏ 55 – **29 ch** 500/850.

🏨 **Varenne** — CY 6
44 r. Bourgogne ℘ 01 45 51 45 55, *Fax 01 45 51 86 63*
🕭 sans rest – 📶 📺 ☎. 🅰🅴 ᴳᴮ
⚏ 50 – **24 ch** 610/740.

🏨 **Derby Eiffel Hôtel** — BY 2
5 av. Duquesne ℘ 01 47 05 12 05, *Fax 01 47 05 43 43*
sans rest – 📶 ≣ 📺 ☎. 🅰🅴 ⓞ ᴳᴮ ᴶᶜᴮ. ⚗
⚏ 65 – **43 ch** 690/900.

🏨 **Londres Eiffel** — BY 18
1 r. Augereau ℘ 01 45 51 63 02, *Fax 01 47 05 28 96*
sans rest – 📶 📺 ☎. 🅰🅴 ⓞ ᴳᴮ ᴶᶜᴮ
⚏ 40 – **30 ch** 495/595.

🏨 **Beaugency** — BY 17
21 r. Duvivier ℘ 01 47 05 01 63, *Fax 01 45 51 04 96*
sans rest – 📶 📺 ☎. 🅰🅴 ⓞ ᴳᴮ
⚏ 45 – **30 ch** 500/700.

🏨 **Champ-de-Mars** — BY 34
7 r. Champ-de-Mars ℘ 01 45 51 52 30, *Fax 01 45 51 64 36*
sans rest – 📶 📺 ☎. 🅰🅴 ⓞ ᴳᴮ ᴶᶜᴮ. ⚗
⚏ 35 – **25 ch** 365/430.

🏨 **Bersoly's** — DY 30
28 r. Lille ℘ 01 42 60 73 79, *Fax 01 49 27 05 55*
sans rest – 📶 ≣ 📺 ☎. 🅰🅴 ᴳᴮ
fermé 12 au 31 août
⚏ 50 – **16 ch** 700/750.

🏠 **L'Empereur**　　　　　　　　　　　　　　　　　　BY **10**
2 r. Chevert ℰ 01 45 55 88 02, *Fax 01 45 51 88 54*
sans rest, ≼ – 📶 📺 ☎. 🆎 ⊖🅱
⌑ 37 – **38 ch** 430/500.

🏠 **France**　　　　　　　　　　　　　　　　　　　　BY **5**
102 bd La Tour Maubourg ℰ 01 47 05 40 49, *Fax 01 45 56 96 78*
sans rest – 📶 📺 ☎ 📞. 🆎 ⓪ ⊖🅱 🅹🅲🅱
⌑ 35 – **60 ch** 395/500.

🏠 **Chomel**　　　　　　　　　　　　　　　　　　　CY **20**
15 r. Chomel ℰ 01 45 48 55 52, *Fax 01 45 48 89 76*
sans rest – 📶 📺 ☎. 🆎 ⓪ ⊖🅱 🅹🅲🅱. 🚫
⌑ 50 – **23 ch** 900.

🏠 **Lévêque**　　　　　　　　　　　　　　　　　　BY **28**
29 r. Clerc ℰ 01 47 05 49 15, *Fax 01 45 50 49 36*
sans rest – 📶 📺 ☎. 🆎 ⊖🅱. 🚫
⌑ 35 – **50 ch** 270/450.

🏠 **Turenne**　　　　　　　　　　　　　　　　　　BY **7**
20 av. Tourville ℰ 01 47 05 99 92, *Fax 01 45 56 06 04*
sans rest – 📶 📧 📺 ☎. 🆎 ⓪ ⊖🅱
⌑ 38 – **34 ch** 350/570.

XXXX **Arpège** (Passard)　　　　　　　　　　　　　CY **25**
❀❀❀ 84 r. Varenne ℰ 01 45 51 47 33, *Fax 01 44 18 98 39*
📧. 🆎 ⓪ ⊖🅱 🅹🅲🅱
fermé sam. et dim. – **Repas** 390 (déj.)/960 et carte 620 à 880 ♀
Spéc. Consommé de crustacés et ravioles d'oignons blancs au citron. Dragée
de pigeonneau vendéen à l'hydromel. Tomate confite farcie aux douze
saveurs (dessert).

XXXX **Jules Verne**　　　　　　　　　　　　　　　　AY **2**
❀ 2e étage Tour Eiffel, ascenseur privé pilier sud ℰ 01 45 55 61 44,
Fax 01 47 05 29 41
≼ Paris – 📧. 🆎 ⓪ ⊖🅱 🅹🅲🅱. 🚫
Repas 290 (déj.)/680 et carte 510 à 690 ♀
Spéc. Grosses langoustines à la vapeur, tomates grappe au basilic. Sauté de
poulet de Bresse aux légumes confits et champignons. Chutney aux
mangues et fruits secs, madeleine tiède.

XXXX **Le Divellec**　　　　　　　　　　　　　　　　BX **3**
❀❀ 107 r. Université ℰ 01 45 51 91 96, *Fax 01 45 51 31 75*
📧. 🆎 ⓪ ⊖🅱 🅹🅲🅱. 🚫
fermé Noël au Jour de l'An et dim. – **Repas** - produits de la mer - 290/390 (déj.)
et carte 500 à 840
Spéc. Tartelette de pommes "ratte" à l'anguille fumée. Poêlée d'ormeaux et
casserons, riz à l'encre de seiche. Homard à la presse avec son corail.

XXX **Paul Minchelli**　　　　　　　　　　　　　　　BY **26**
❀ 54 bd La Tour Maubourg ℰ 01 47 05 89 86, *Fax 01 45 56 03 84*
📧. ⊖🅱. 🚫
fermé août, vacances de Noël, dim. et lundi – **Repas** - produits de la mer -
carte 470 à 670 ♀
Spéc. Poissons crus. Homard au miel et aux épices. Pâtes et St-Jacques au
citron (oct. à mai).

XXX **Violon d'Ingres** (Constant)   BY 38
❀❀ 135 r. St-Dominique ✆ 01 45 55 15 05, *Fax 01 45 55 48 42*
▤, ᴀᴇ ɢʙ
fermé dim. et lundi – **Repas** 240 (déj.)/400 et carte 290 à 400 ⵉ
Spéc. Salade de Saint-Jacques aux truffes, copeaux de parmesan. Suprême
de bar croustillant aux amandes, jus acidulé aux câpres. Tatin de pied de porc
caramélisé, moelleux de pommes "ratte".

XXX **Cantine des Gourmets**   BY 16
❀ 113 av. La Bourdonnais ✆ 01 47 05 47 96, *Fax 01 45 51 09 29*
▤, ᴀᴇ ɢʙ
Repas 240 (déj.), 320/480 et carte 380 à 510
Spéc. Salade de langoustines et tourteau (hiver). Fricassée de grillons de ris
de veau en escabèche. Farçons à l'oseille et blettes, fricassée de cèpes (automne).

XXX **Boule d'Or**   BX 27
13 bd La Tour Maubourg ✆ 01 47 05 50 18, *Fax 01 47 05 91 21*
▤, ᴀᴇ ⓪ ɢʙ
fermé sam. midi – **Repas** 175/210 et carte 180 à 250 ⵉ.

XXX **Petit Laurent**   CY 8
38 r. Varenne ✆ 01 45 48 79 64, *Fax 01 45 44 15 95*
ᴀᴇ ⓪ ɢʙ ᴊᴄʙ
fermé août, sam. midi et dim. – **Repas** 190/250 et carte 270 à 410 ⵉ.

XX **Bellecour** (Goutagny)   BX 9
❀ 22 r. Surcouf ✆ 01 45 51 46 93, *Fax 01 45 50 30 11*
▤, ᴀᴇ ⓪ ɢʙ
fermé 30 juil. au 30 août, sam. midi et dim. – **Repas** 220
Spéc. Quenelles de brochet. Truffière de Saint-Jacques (15 déc. au 15 avril).
Lièvre à la cuillère de ''douze heures'' (15 oct. au 15 janv.).

XX **Récamier** (Cantegrit)   DY 17
❀ 4 r. Récamier ✆ 01 45 48 86 58, *Fax 01 42 22 84 76*
🍽 – ▤, ᴀᴇ ⓪ ɢʙ ᴊᴄʙ
fermé dim. – **Repas** carte 300 à 450 ⵉ
Spéc. Oeufs en meurette. Mousse de brochet sauce Nantua. Boeuf bourguignon.

XX **Maison de l'Amérique Latine**   CY 2
217 bd St-Germain ✆ 01 45 49 33 23, *Fax 01 40 49 03 94*
🍽, « Dans un hôtel particulier du 18e siècle, terrasse ouverte sur le jardin » –
ᴀᴇ 🌐 ɢʙ. 🚫
fermé 1er au 22 août, 24 déc. au 2 janv., le soir d'oct. à mai, sam., dim. et fériés
– **Repas** 230 (déj.) et carte environ 350.

XX **Beato**   BX 5
8 r. Malar ✆ 01 47 05 94 27, *Fax 01 45 55 64 41*
▤, ᴀᴇ ɢʙ
fermé 24 déc. au 2 janv. et lundi – **Repas** - cuisine italienne - *(130)* -
145 et carte 230 à 350 ⵉ.

XX **Ferme St-Simon**   CY 16
6 r. St-Simon ✆ 01 45 48 35 74, *Fax 01 40 49 07 31*
▤, ᴀᴇ ⓪ ɢʙ
fermé 6 au 16 août, sam. midi et dim. – **Repas** 178
(déj.)/195 et carte 250 à 380.

7e arrondissement

XX **6 Bosquet**   BX 15

6 av. Bosquet ℘ 01 45 56 97 26, *Fax 01 45 56 98 44*
▤. 🄰🄴 🄾 ᴳᴮ ᴶᶜᴮ
fermé 7 au 24 août, 24 déc. au 4 janv., sam. et dim. – **Repas** *(135 bc)*
175 et carte 190 à 250 ♈.

XX **Télégraphe**   DY 12

41 r. de Lille ℘ 01 42 92 03 04, *Fax 01 42 92 02 77*
▤. 🄰🄴 🄾 ᴳᴮ
fermé sam. midi – **Repas** 135 (déj.), 200/300 bc et carte 240 à 390 ♈.

XX **Vin sur Vin**   BX 34

20 r. Monttessuy ℘ 01 47 05 14 20
▤. ᴳᴮ
fermé 1er au 15 août, 23 déc. au 2 janv., lundi midi, sam. midi et dim. –
Repas carte 270 à 400 ♈.

XX **Les Glénan**   CY 7

54 r. Bourgogne ℘ 01 47 05 96 65, *Fax 01 45 51 27 34*
▤. ᴳᴮ ᴶᶜᴮ
fermé août, vacances de fév., sam. et dim. – **Repas** - produits de la mer -
210 bc et carte 290 à 350.

XX **Bamboche**   CY 13

15 r. Babylone ℘ 01 45 49 14 40, *Fax 01 45 49 14 44*
▤. 🄰🄴 ᴳᴮ
fermé sam. et dim. – **Repas** 190 et carte 340 à 410 ♈.

XX **New Jawad**   BX 25

12 av. Rapp ℘ 01 47 05 91 37, *Fax 01 45 50 31 27*
▤. 🄰🄴 🄾 ᴳᴮ. 🍽
Repas - cuisine indienne et pakistanaise - 99/140 et carte 150 à 220.

XX **Gildo**   BY 32

153 r. Grenelle ℘ 01 45 51 54 12, *Fax 01 45 51 54 12*
▤. 🄰🄴 ᴳᴮ ᴶᶜᴮ
fermé 25 juil. au 25 août, Noël au Jour de l'An, lundi midi et dim. – **Repas** -
cuisine italienne - *(149 bc)* - carte 230 à 360.

XX **D'Chez Eux**   BY 14

2 av. Lowendal ℘ 01 47 05 52 55, *Fax 01 45 55 60 74*
▤. 🄰🄴 🄾 ᴳᴮ
fermé 1er au 23 août et dim. – **Repas** 270 bc (déj.)/570 bc et carte 250 à 420.

XX **Bar au Sel**   BX 7

43 quai d'Orsay ℘ 01 45 51 58 58, *Fax 01 40 62 97 30*
🄰🄴 🄾 ᴳᴮ
Repas - produits de la mer - 190 et carte 220 à 320 ♈.

XX **Foc Ly**   BY 4

71 av. Suffren ℘ 01 47 83 27 12, *Fax 01 46 24 48 46*
▤. 🄰🄴 ᴳᴮ
fermé lundi en août – **Repas** - cuisine chinoise et thaïlandaise - 130 bc (déj.)
150 bc/200 bc et carte 150 à 240, enf. 70.

XX **Tan Dinh**   DX 22

60 r. Verneuil ℘ 01 45 44 04 84, *Fax 01 45 44 36 93*
fermé août et dim. – **Repas** - cuisine vietnamienne - carte 260 à 310.

X **Gaya Rive Gauche**   DY 4

44 r. Bac ℘ 01 45 44 73 73, *Fax 01 45 44 73 73*
🄰🄴 ᴳᴮ
fermé août et dim. – **Repas** - produits de la mer - carte 280 à 490.

XX **Chez Françoise**　　　　　　　　　　　　　　　　CX 9
Aérogare des Invalides ℘ 01 47 05 49 03, *Fax 01 45 51 96 20*
🍴 – AE ① GB JCB
Repas *(120)* - 179 et carte 200 à 330 ♀.

XX **Champ de Mars**　　　　　　　　　　　　　　　　BY 33
17 av. La Motte-Picquet ℘ 01 47 05 57 99, *Fax 01 44 18 94 69*
AE ① GB JCB
fermé 18 juil. au 18 août et lundi – Repas 118/155 bc et carte 170 à 300.

X **Les Olivades**　　　　　　　　　　　　　　　　　BZ 39
41 av. Ségur ℘ 01 47 83 70 09, *Fax 01 42 73 04 75*
AE GB JCB
fermé 2 au 23 août, lundi midi, sam. midi et dim. – **Repas** 130 (déj.), 179/
230 et carte 250 à 310 ♀.

X **Bistrot de Paris**　　　　　　　　　　　　　　　　DY 7
33 r. Lille ℘ 01 42 61 15 84, *Fax 01 49 27 06 09*
évocation bistrot 1900 – AE GB
Repas 155/195 ♀.

X **P'tit Troquet**　　　　　　　　　　　　　　　　　BY 6
28 r. Exposition ℘ 01 47 05 80 39, *Fax 01 47 05 80 39*
bistrot – GB
fermé août, Noël au Jour de l'An, lundi midi et dim. – Repas (nombre de
couverts limité, prévenir) 158.

X **Thoumieux**　　　　　　　　　　　　　　　　　　BX 12
79 r. St-Dominique ℘ 01 47 05 49 75, *Fax 01 47 05 36 96*
avec ch, brasserie – 📺 rest, 📺 ☎. AE GB
Repas 82/170 bc et carte 180 à 250 – ☲ 35 – **10 ch** 700/800.

X **Maupertu**　　　　　　　　　　　　　　　　　　BY 35
94 bd La Tour Maubourg ℘ 01 45 51 37 96
GB
fermé 8 au 30 août, sam. et dim. – **Repas** 139 et carte 240 à 320 ♀.

X **L'Oeillade**　　　　　　　　　　　　　　　　　　CY 12
10 r. St-Simon ℘ 01 42 22 01 60
📺. GB
fermé 15 août au 1er sept., sam. midi et dim. – **Repas** 168/
220 et carte 200 à 280.

X **Fontaine de Mars**　　　　　　　　　　　　　　　BY 25
129 r. St-Dominique ℘ 01 47 05 46 44, *Fax 01 47 05 11 13*
🍴, bistrot – AE GB
Repas carte 180 à 270 ♀.

X **Chez Collinot**　　　　　　　　　　　　　　　　　CZ 18
1 r. P. Leroux ℘ 01 45 67 66 42
GB
fermé août, sam. sauf le soir d'oct. à juin et dim. – **Repas** *(100)* - 135.

X **Du Côté 7eme**　　　　　　　　　　　　　　　　　BX 8
29 r. Surcouf ℘ 01 47 05 81 65, *Fax 01 47 05 80 03*
bistrot – AE ① GB JCB
fermé 10 au 17 août et lundi – **Repas** *(130 bc)* - 185 bc.

X **Au Bon Accueil**　　　　　　　　　　　　　　　　BX 28
14 r. Monttessuy ℘ 01 47 05 46 11
GB
fermé sam. et dim. – **Repas** 135 (déj.)/155 et carte 280 à 340 ♀.

%% **Florimond**   BY 21
  19 av. La Motte-Picquet ℰ 01 45 55 40 38, *Fax 01 45 55 40 38*
  GB
  fermé 1ᵉʳ au 22 août, sam. midi et dim. – **Repas** 108/164 et carte 180 à 260.

%% **Auberge Bressane**   BY 20
  16 av. La Motte-Picquet ℰ 01 47 05 98 37, *Fax 01 47 05 92 21*
  ▤, AE GB JCB, ✀
  fermé 10 au 20 août et sam. midi – **Repas** 129 bc/149 bc (midi seul.)
  et carte 180 à 260.

%% **Calèche**   DY 23
  8 r. Lille ℰ 01 42 60 24 76, *Fax 01 47 03 31 10*
  ▤, AE ⓞ GB JCB
  fermé 4 au 30 août, 24 déc. au 2 janv., sam. et dim. – **Repas** 100/
  175 et carte 180 à 260 ♈.

%% **Apollon**   BX 35
  24 r. J. Nicot ℰ 01 45 55 68 47, *Fax 01 47 05 13 60*
  fermé 20 déc. au 10 janv. et dim. – **Repas** - cuisine grecque - 128/
  150 bc et carte 140 à 190 ♈.

%% **Bistrot du 7ᵉ**   BY 22
  56 bd La Tour-Maubourg ℰ 01 45 51 93 08
  AE GB
  fermé sam. midi et dim. midi – **Repas** 75 (déj.)/95 ♨.

Champs-Élysées - Concorde
Madeleine
St-Lazare - Monceau

8ᵉ arrondissement

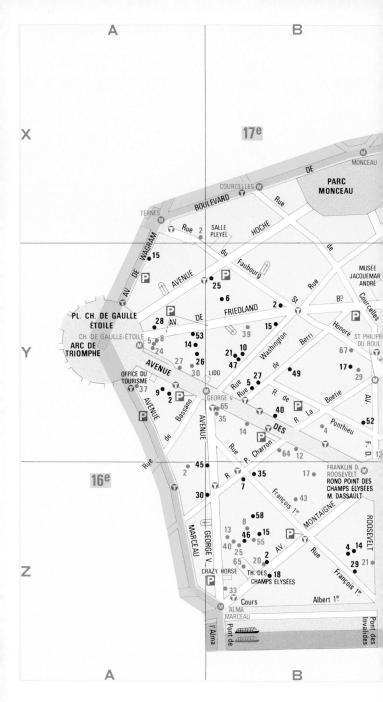

🏨 **Plaza Athénée**   BZ

25 av. Montaigne ℰ 01 53 67 66 65, *Fax 01 53 67 66 66*
🏖, *Lɓ* – 🛗 🗐 📺 ☎ 📞 – 🔬 20 à 60. 🖭 ⓞ ☜ JCB 🕸
voir rest. *Régence* ci-après
Relais-Plaza ℰ 01 53 67 64 00 *(fermé 1er au 22 août et vacances de fév.*
Repas 290 et carte 250 à 450 ♈
La Cour Jardin (terrasse) ℰ 01 53 67 66 02 *(mai-oct.)* **Repas** carte 370 à 600 ♈
– ⛁ 160 – **143 ch** 3000/4800, 42 appart.

🏨 **Bristol**   CY 44

112 r. Fg St-Honoré ℰ 01 53 43 43 00, *Fax 01 53 43 43 01*
« Belle cour intérieure avec jardin à la française », *Lɓ*, 🔲, 🎋 – 🛗, 🗐 ch, 📺
☎ 📞 🚙 – 🔬 30 à 60. 🖭 ⓞ ☜ JCB 🕸
voir rest. *Bristol* ci-après – ⛁ 175 – **156 ch** 2950/3950, 26 appart.

🏨 **Crillon**   DZ 24

ℰ 01 44 71 15 00, *Fax 01 44 71 15 02*
Lɓ – 🛗 ⇥ 🗐 📺 ☎ 📞 – 🔬 30 à 60. 🖭 ⓞ ☜ JCB
voir rest. *Les Ambassadeurs* et *L'Obélisque* ci-après – ⛁ 240 – **120 ch**
2950/4300, 43 appart.

🏨 **Prince de Galles**   BZ 45

33 av. George-V ℰ 01 53 23 77 77, *Fax 01 53 23 78 78*
🏖, *Lɓ* – 🛗 ⇥ 🗐 📺 ☎ 📞 – 🔬 25 à 100. 🖭 ⓞ ☜ JCB. 🕸
Jardin des Cygnes ℰ 01 53 23 78 50 **Repas** 280 (déj.)/350 et carte 460 à 640
– ⛁ 160 – **138 ch** 2150/3350, 30 appart.

🏨 **Royal Monceau**   BY 25

37 av. Hoche ℰ 01 42 99 88 00, *Fax 01 42 99 89 90*
🏖, « Piscine et centre de remise en forme » – 🛗 🗐 📺 ☎ 📞 🚙
🔬 25 à 100. 🖭 ⓞ ☜ JCB. 🕸
voir rest. *Le Jardin* ci-après
Carpaccio ℰ 01 42 99 98 90, fax 01 42 99 89 94 cuisine italienne *(fermé 17 juil.*
au 23 août) **Repas** 280 et carte 340 à 450 – ⛁ 210 – **142 ch** 3150/3750
38 appart.

🏨 **Lancaster**   BY 27

7 r. Berri ℰ 01 40 76 40 76, *Fax 01 40 76 40 00*
🏖, « Décor élégant », *Lɓ* – 🛗 ⇥ 🗐 ch, 📺 ☎ 📞 – 🔬 16. 🖭 ⓞ ☜ JCB
Repas (résidents seul.) carte environ 300 ♈ – ⛁ 120 – **50 ch** 1950/2750
10 appart.

🏨 **Vernet**   AY

25 r. Vernet ℰ 01 44 31 98 00, *Fax 01 44 31 85 69*
🛗 🗐 📺 ☎ 📞. 🖭 ⓞ ☜ JCB. 🕸
voir rest. *Les Élysées* ci-après – ⛁ 130 – **54 ch** 2200/2600, 3 appart.

🏨 **de Vigny**   AY 14

9 r. Balzac ℰ 01 42 99 80 80, *Fax 01 42 99 80 40*
Ⓜ sans rest, « Élégante installation » – 🛗 ⇥ 🗐 📺 ☎ 📞 🚙. 🖭 ⓞ ☜
JCB
⛁ 100 – **26 ch** 2000/2500, 11 appart.

🏨 **San Régis**   BZ

12 r. J. Goujon ℰ 01 44 95 16 16, *Fax 01 45 61 05 48*
« Bel aménagement intérieur » – 🛗 🗐 📺 ☎ 📞. 🖭 ⓞ ☜ JCB. 🕸
Repas *(fermé août)* 200/250 (déj.) et carte 270 à 360 ♈ – ⛁ 110 – **33 ch**
1700/2950, 11 appart.

🏨 **Sofitel Arc de Triomphe**   BY 6
14 r. Beaujon ℰ 01 53 89 50 50, *Fax 01 53 89 50 51*
📶 ⇆ 🗏 📺 ☎ 📞 ⅙ – 🏛 40. 🖭 ⓪ 🖼
voir rest. *Clovis* ci-après – 🍽 140 – **135 ch** 2400/4500.

🏨 **Hyatt Regency**   DY 22
24 bd Malhesherbes ℰ 01 55 27 12 34, *Fax 01 55 27 12 35*
Ⓜ, 🛋 – 📶 ⇆ 🗏 📺 ☎ 📞 ⅙ – 🏛 20. 🖭 ⓪ 🖼 🖼
Café M ℰ 01 55 27 12 57 *(fermé sam. midi et dim. midi)* **Repas** 185
(dîner)/230 ♀, enf. 125 – 🍽 130 – **86 ch** 2700/3100.

🏨 **Astor**   CY 68
11 r. d'Astorg ℰ 01 53 05 05 05, *Fax 01 53 05 05 30*
Ⓜ 🍷, 🛋 – 📶 ⇆, 🗏 ch, 📺 ☎ 📞 ⅙. 🖭 ⓪ 🖼 🖼
voir rest. *L'Astor* ci-après – 🍽 140 – **129 ch** 2070/3150, 5 appart.

🏨 **Marriott**   BY 40
70 av. Champs-Élysées ℰ 01 53 93 55 00, *Fax 01 53 93 55 01*
Ⓜ, 🍴, 🛋 – 📶 ⇆ 🗏 📺 ☎ 📞 ⅙ 🚗 – 🏛 150. 🖭 ⓪ 🖼 🖼. 🍸
Pavillon ℰ 01 53 93 55 44 **Repas** 260/280 ♀ – 🍽 175 – **174 ch** 3600/5100,
18 appart.

🏨 **California**   BY 49
16 r. Berri ℰ 01 43 59 93 00, *Fax 01 45 61 03 62*
🍴, « Importante collection de tableaux » – 📶 ⇆ 🗏 📺 ☎ 📞 – 🏛 20 à 100.
🖭 ⓪ 🖼 🖼. 🍸
Repas *(fermé août, sam. et dim.)* (déj. seul.) *(150)* - 180 ♀ – 🍽 130 – **161 ch**
2200/2500, 13 duplex.

🏨 **Balzac**   AY 26
6 r. Balzac ℰ 01 44 35 18 00, *Fax 01 44 35 18 05*
Ⓜ – 📶, 🗏 ch, 📺 ☎ 📞. 🖭 ⓪ 🖼 🖼
voir rest. *Pierre Gagnaire* ci-après – 🍽 100 – **56 ch** 1800/2000, 14 appart.

🏨 **Warwick**   BY 5
5 r. Berri ℰ 01 45 63 14 11, *Fax 01 45 63 75 81*
Ⓜ – 📶 ⇆ 🗏 📺 ☎ 📞 – 🏛 30 à 110. 🖭 ⓪ 🖼 🖼
Couronne ℰ 01 45 61 82 08 *(fermé août, sam. midi, dim. et fériés)* **Repas** 260
– 🍽 110 – **142 ch** 2600/2800, 5 appart.

🏨 **Concorde St-Lazare**   DY 16
108 r. St-Lazare ℰ 01 40 08 44 44, *Fax 01 42 93 01 20*
« Hall fin 19e siècle, superbe salon de billards » – 📶 ⇆ 🗏 📺 ☎ 📞 –
🏛 25 à 150. 🖭 ⓪ 🖼 🖼
Café Terminus : **Repas** 152/200 bc, enf. 45 – 🍽 120 – **269 ch** 1800/3500,
11 appart.

🏨 **Trémoille**   BZ 46
14 r. La Trémoille ℰ 01 47 23 34 20, *Fax 01 40 70 01 08*
📶 🗏 📺 ☎ 📞 – 🏛 25. 🖭 ⓪ 🖼 🖼
Louis d'Or *(fermé août, sam., dim. et fériés)* **Repas** 250 ♀, enf. 90 – 🍽 120 –
107 ch 2290/3370.

🏨 **Napoléon**   AY 28
40 av. Friedland ℰ 01 47 66 02 02, *Fax 01 47 66 82 33*
sans rest – 📶 🗏 📺 ☎ 📞 – 🏛 30 à 60. 🖭 ⓪ 🖼 🖼
🍽 110 – **102 ch** 1300/2100.

🏨 **Château Frontenac**   BZ 7
54 r. P. Charron ℰ 01 53 23 13 13, *Fax 01 53 23 13 01*
sans rest – 📶 📺 ☎ 📞 – 🏛 25. 🖭 ⓪ 🖼. 🍸
🍽 90 – **100 ch** 1000/1500, 4 appart.

🏨 Bedford DY

17 r. de l'Arcade ℰ 01 44 94 77 77, *Fax 01 44 94 77 97*
[≣] ≣ 📺 ☎ 📞 – ⚐ 50. AE GB. ℅ rest
Repas *(fermé 2 au 29 août, sam. et dim.)* (déj. seul.) *(150)* - 180 – ⌑ 75 -
135 ch 860/1050, 11 appart.

🏨 Queen Elizabeth BZ 3

41 av. Pierre-1er-de-Serbie ℰ 01 53 57 25 25, *Fax 01 53 57 25 26*
[≣] ↔ ≣ 📺 ☎ 📞 – ⚐ 30. AE ① GB JCB
Repas *(fermé août, sam. et dim.)* (déj. seul.) *(125)* - 175/230 bc – ⌑ 100 -
53 ch 1350/2000, 12 appart.

🏨 Montaigne BZ 1

6 av. Montaigne ℰ 01 47 20 30 50, *Fax 01 47 20 94 12*
Ⓜ sans rest – [≣] ≣ 📺 ☎ 📞 &. AE ① GB JCB
⌑ 95 – **29 ch** 1350/1950.

🏨 Élysées Star AY

19 r. Vernet ℰ 01 47 20 41 73, *Fax 01 47 23 32 15*
Ⓜ sans rest – [≣] ↔ ≣ 📺 ☎ 📞 – ⚐ 30. AE ① GB JCB
⌑ 90 – **42 ch** 1700/3500.

🏨 Bradford Élysées BY 1

10 r. St-Philippe-du-Roule ℰ 01 45 63 20 20, *Fax 01 45 63 20 07*
sans rest – [≣] ↔ ≣ 📺 ☎ 📞. AE ① GB JCB. ℅
⌑ 90 – **50 ch** 1390/1490.

🏨 Royal Hôtel AY 5

33 av. Friedland ℰ 01 43 59 08 14, *Fax 01 45 63 69 92*
Ⓜ sans rest – [≣] ≣ 📺 ☎ 📞. AE ① GB JCB
⌑ 105 – **58 ch** 1350/2150.

🏨 Élysées-Ponthieu et Résidence BY 5

24 r. Ponthieu ℰ 01 53 89 58 58, *Fax 01 53 89 59 59*
sans rest – [≣] cuisinette ↔ 📺 ☎ 📞 &. AE ① GB JCB
⌑ 75 – **92 ch** 920/1780, 6 appart.

🏨 Powers BZ 3

52 r. François 1er ℰ 01 47 23 91 05, *Fax 01 49 52 04 63*
sans rest – [≣] ≣ 📺 ☎ 📞. AE ① GB JCB
⌑ 65 – **55 ch** 912/1462.

🏨 Sofitel Champs-Élysées BZ 1

8 r. J. Goujon ℰ 01 40 74 64 64, *Fax 01 40 74 64 99*
Ⓜ, 🍽 – [≣] ↔ ≣ 📺 ☎ 📞 & 🚗 – ⚐ 15 à 150. AE ① GB JCB
Les Saveurs ℰ 01 40 74 64 94 *(fermé août, sam., dim. et fériés)* **Repa**
185/350 – ⌑ 125 – **40 ch** 2000/2625.

🏨 Résidence du Roy BZ 2

8 r. François 1er ℰ 01 42 89 59 59, *Fax 01 40 74 07 92*
Ⓜ sans rest – [≣] cuisinette ≣ 📺 ☎ & 🚗 – ⚐ 25. AE ① GB JCB
⌑ 105, 28 appart 1400/3500, 4 studios, 3 duplex.

🏨 Concortel DY 1

19 r. Pasquier ℰ 01 42 65 45 44, *Fax 01 42 65 18 33*
sans rest – [≣] ≣ 📺 ☎ 📞. AE ① GB JCB
⌑ 50 – **46 ch** 610/900.

🏨 Résidence Monceau CX 1

85 r. Rocher ℰ 01 45 22 75 11, *Fax 01 45 22 30 88*
sans rest – [≣] 📺 ☎ &. AE ① GB JCB. ℅
⌑ 50 – **51 ch** 740.

🏨 **Chateaubriand** BY 10
6 r. Chateaubriand ℰ 01 40 76 00 50, *Fax 01 40 76 09 22*
sans rest – 🛗 🗏 📺 ☎ 📞 ⚿ ᴁ ① ⅁ℬ ᴊᴄʙ
� 80 – **28 ch** 1800/1900.

🏨 **New Hôtel Roblin** DY 54
6 r. Chauveau-Lagarde ℰ 01 44 71 20 80, *Fax 01 42 65 19 49*
🛗 ⤢ 🗏 📺 ☎ 📞 ⚿ ᴁ ① ⅁ℬ ᴊᴄʙ
Mazagran (fermé sam., dim. et fériés) **Repas** 92/155 – ⊑ 75 – **77 ch** 776/
962.

🏨 **Beau Manoir** DY 12
6 r. de l'Arcade ℰ 01 42 66 03 07, *Fax 01 42 68 03 00*
sans rest, « Bel aménagement intérieur » – 🛗 🗏 📺 ☎ 📞 ⚿ ᴁ ① ⅁ℬ ᴊᴄʙ
29 ch ⊑ 1100/1300, 3 appart.

🏨 **L'Arcade** DY 13
9 r. de l'Arcade ℰ 01 53 30 60 00, *Fax 01 40 07 03 07*
Ⓜ sans rest – 🛗 🗏 📺 ☎ 📞 ⚿ – 🏛 25. ᴁ ⅁ℬ ᴊᴄʙ
⊑ 55 – **37 ch** 800/1000, 4 duplex.

🏨 **Élysées Mermoz** CY 50
30 r. J. Mermoz ℰ 01 42 25 75 30, *Fax 01 45 62 87 10*
Ⓜ sans rest – 🛗 🗏 📺 ☎ 📞 ⚿ ᴁ ① ⅁ℬ ᴊᴄʙ
⊑ 50 – **26 ch** 750/920, 5 appart.

🏨 **Franklin Roosevelt** BZ 58
18 r. Clément-Marot ℰ 01 53 57 49 50, *Fax 01 47 20 44 30*
sans rest – 🛗 ☎ ⚿ ᴁ ⅁ℬ. ⚸
⊑ 110 – **45 ch** 1000/1800.

🏨 **Queen Mary** DY 4
9 r. Greffulhe ℰ 01 42 66 40 50, *Fax 01 42 66 94 92*
Ⓜ sans rest – 🛗 🗏 📺 ☎ 📞 ⚿ ᴁ ① ⅁ℬ ᴊᴄʙ. ⚸
⊑ 85 – **35 ch** 755/975.

🏨 **Lido** DY 36
4 passage Madeleine ℰ 01 42 66 27 37, *Fax 01 42 66 61 23*
Ⓜ sans rest – 🛗 🗏 📺 ☎ 📞 ⚿ ᴁ ① ⅁ℬ ᴊᴄʙ
32 ch ⊑ 980/1100.

🏨 **Étoile Friedland** BY 2
177 r. Fg St-Honoré ℰ 01 45 63 64 65, *Fax 01 45 63 88 96*
sans rest – 🛗 🗏 📺 ☎ 📞 ⚿ ᴁ ① ⅁ℬ ᴊᴄʙ. ⚸
⊑ 80 – **40 ch** 1300/1700.

🏨 **Élysées Céramic** AY 15
34 av. Wagram ℰ 01 42 27 20 30, *Fax 01 46 22 95 83*
sans rest, « Façade ''Art Nouveau'' » – 🛗 🗏 📺 ☎. ᴁ ① ⅁ℬ
⊑ 45 – **57 ch** 850/1000.

🏨 **Relais Mercure Opéra Garnier** DY 69
4 r. de l'Isly ℰ 01 43 87 35 50, *Fax 01 43 87 03 29*
Ⓜ sans rest – 🛗 ⤢ 📺 ☎ 📞 ⚿ ᴁ ① ⅁ℬ
⊑ 69 – **139 ch** 1050/1390.

🏨 **Atlantic Hôtel** DX 20
44 r. Londres ℰ 01 43 87 45 40, *Fax 01 42 93 06 26*
sans rest – 🛗 📺 ☎. ᴁ ⅁ℬ ᴊᴄʙ. ⚸
⊑ 55 – **85 ch** 550/950.

🏠 **Comfort St-Augustin**   CY 30
9 r. Roy ☎ 01 42 93 32 17, *Fax 01 42 93 19 34*
sans rest – 📶 ☰ 📺 ☎. 𝔸𝔼 ⓞ GB JCB. ✻
⬜ 50 – **62 ch** 570/880.

🏠 **Flèche d'Or**   DX 7
29 r. Amsterdam ☎ 01 48 74 06 86, *Fax 01 48 74 06 04*
Ⓜ sans rest – 📶 ☰ 📺 ☎ 📞. 𝔸𝔼 ⓞ GB
⬜ 40 – **61 ch** 550/850.

🏠 **Arc Élysée**   BY 15
45 r. Washington ☎ 01 45 63 69 33, *Fax 01 45 63 76 25*
Ⓜ sans rest – 📶 ☰ 📺 ☎ 📞. 𝔸𝔼 ⓞ GB JCB
⬜ 50 – **23 ch** 805/911.

🏠 **Mayflower**   BY 47
3 r. Chateaubriand ☎ 01 45 62 57 46, *Fax 01 42 56 32 38*
sans rest – 📶 📺 ☎. 𝔸𝔼 GB
⬜ 60 – **24 ch** 690/970.

🏠 **West-End**   BZ 15
7 r. Clément-Marot ☎ 01 47 20 30 78, *Fax 01 47 20 34 42*
sans rest – 📶 ☰ 📺 ☎ 📞. 𝔸𝔼 ⓞ GB JCB
⬜ 65 – **50 ch** 850/1350.

🏠 **l'Élysée**   CY 9
12 r. Saussaies ☎ 01 42 65 29 25, *Fax 01 42 65 64 28*
sans rest – 📶 ☰ 📺 ☎ 📞. 𝔸𝔼 ⓞ GB JCB. ✻
⬜ 65 – **32 ch** 780/1280.

🏠 **Astoria**   DX 9
42 r. Moscou ☎ 01 42 93 63 53, *Fax 01 42 93 30 30*
sans rest – 📶 ✦ ☰ 📺 ☎ 📞. 𝔸𝔼 ⓞ GB JCB. ✻
⬜ 80 – **87 ch** 890/1090.

🏠 **Cordélia**   DY 56
11 r. Greffulhe ☎ 01 42 65 42 40, *Fax 01 42 65 11 81*
sans rest – 📶 📺 ☎. 𝔸𝔼 ⓞ GB. ✻
⬜ 55 – **30 ch** 740/850.

🏠 **Fortuny**   DY 6
35 r. de l'Arcade ☎ 01 42 66 42 08, *Fax 01 42 66 00 32*
sans rest – 📶 ☰ 📺 ☎. 𝔸𝔼 ⓞ GB JCB
⬜ 50 – **30 ch** 750/850.

🏠 **Lord Byron**   BY 21
5 r. Chateaubriand ☎ 01 43 59 89 98, *Fax 01 42 89 46 04*
sans rest – 📶 📺 ☎ 📞. 𝔸𝔼 ⓞ GB JCB. ✻
⬜ 60 – **25 ch** 860/970, 6 appart.

🏠 **Pavillon Montaigne**   CY 18
34 r. J. Mermoz ☎ 01 53 89 95 00, *Fax 01 42 89 33 00*
Ⓜ sans rest – 📶 ☰ 📺 ☎. 𝔸𝔼 ⓞ GB JCB
⬜ 65 – **17 ch** 695/950.

🏠 **New Orient**   CX 3
16 r. Constantinople ☎ 01 45 22 21 64, *Fax 01 42 93 83 23*
sans rest – 📶 📺 ☎. 𝔸𝔼 ⓞ GB
⬜ 39 – **30 ch** 395/605.

🏠 **Alison**   CY 4
21 r. de Surène ☎ 01 42 65 54 00, *Fax 01 42 65 08 17*
sans rest – 📶 📺 ☎. 𝔸𝔼 ⓞ GB JCB. ✻
⬜ 45 – **35 ch** 480/780.

🏠 **Newton Opéra**   DY 57
11 bis r. de l'Arcade ☎ 01 42 65 32 13, *Fax 01 42 65 30 90*
sans rest – 🛗 🔲 📺 ☎ 📞. 🆑 ⓪ ☷ ⌷. ⅏
☕ 50 – **31 ch** 850.

🏠 **Madeleine Haussmann**   DY 3
10 r. Pasquier ☎ 01 42 65 90 11, *Fax 01 42 68 07 93*
Ⓜ sans rest – 🛗 🔲 📺 ☎ 📞. 🆑 ⓪ ☷ ⌷
☕ 40 – **36 ch** 600.

🏠 **Ministère**   CY 63
31 r. Surène ☎ 01 42 66 21 43, *Fax 01 42 66 96 04*
sans rest – 🛗 📺 ☎ 📞. 🆑 ☷ ⌷
☕ 35 – **28 ch** 410/650.

XXXXX **Les Ambassadeurs** - Hôtel Crillon   DZ 24
❀❀ 10 pl. Concorde ☎ 01 44 71 16 16, *Fax 01 44 71 15 02*
« Cadre 18e siècle » – 🍽. 🆑 ⓪ ☷ ⌷. ⅏
Repas 360 (déj.)/650 et carte 520 à 800
Spéc. Confit de foie gras d'oie, gelée de griottes et brioche truffée. Médaillon
de homard à la civette, rattes et fleurette au caviar. Truffe glacée à la fleur de
thym, ganache au chocolat Guanaja.

XXXXX **Taillevent** (Vrinat)   BY 39
❀❀❀ 15 r. Lamennais ☎ 01 44 95 15 01, *Fax 01 42 25 95 18*
🍽. 🆑 ⓪ ☷ ⌷. ⅏
fermé 24 juil. au 24 août, sam., dim. et fériés – **Repas** (nombre de couverts
limité, prévenir) carte 540 à 880
Spéc. Boudin de homard à la nage. Ballottine d'agneau à la périgourdine.
Sablé aux épices et aux fruits.

XXXXX **Lasserre**   BZ 21
❀❀ 17 av. F.-D.-Roosevelt ☎ 01 43 59 53 43, *Fax 01 45 63 72 23*
« Toit ouvrant » – 🍽. 🆑 ⓪ ☷ ⌷. ⅏
fermé août, lundi midi et dim. – **Repas** carte 560 à 800
Spéc. Homard et langoustines en mousseline, jus de crustacés. Filet de veau
de lait rôti, gâteau de navets et jus au beurre de fèves. Succés aux griottines,
semoule d'amandes douces.

XXXXX **Lucas Carton** (Senderens)   DZ 23
❀❀❀ 9 pl. Madeleine ☎ 01 42 65 22 90, *Fax 01 42 65 06 23*
« Authentique décor 1900 » – 🍽. 🆑 ⓪ ☷ ⌷. ⅏
fermé 1er au 22 août, lundi midi, sam. midi et dim. – **Repas** 395 (déj.)
et carte 680 à 1 430
Spéc. Quenelle de brochet, asperges vertes de Villelaure, marinière de coquillages. Carré d'agneau de Sisteron rôti aux trois aubergines. Glace à la réglisse
et sa meringue à la menthe poivrée.

XXXXX **Ledoyen**   CZ 40
❀❀ carré Champs-Élysées (1er étage) ☎ 01 53 05 10 01, *Fax 01 47 42 55 01*
- voir aussi rest. *Le Cercle* – 🍽 🅿. 🆑 ⓪ ☷ ⌷. ⅏
fermé août, sam. et dim. – **Repas** 310 (déj.), 530/620 et carte 560 à 920
Spéc. Grosses langoustines bretonnes, émulsion d'agrumes à l'huile d'olive.
Cochon de lait parfumé d'épices de tandoori, barigoule d'artichauts. Mousse
légère à la rose, citron vert poêlé au miel.

XXXXX **Laurent**   CZ 22
✿✿ 41 av. Gabriel ☎ 01 42 25 00 39, *Fax 01 45 62 45 21*
🌿, « Agréable terrasse d'été » – 𝗔𝗘 ⓘ 𝗚𝗕. ✀
fermé dim. sauf le soir de juin à oct. et sam. midi – **Repas** 390/
680 et carte 560 à 950
Spéc. Homard entier en salade. Carré d'agneau persillé, pommes de terre
confites au jus. Variation sur le chocolat.

XXXXX **Bristol** - Hôtel Bristol   CY 44
✿ 112 r. Fg St-Honoré ☎ 01 53 43 43 40, *Fax 01 53 43 43 01*
🌿 – 🍽. 𝗔𝗘 ⓘ 𝗚𝗕 𝗝𝗖𝗕. ✀
Repas 360/680 et carte 650 à 780
Spéc. Galette ''sans pâte'' de peau de courgettes (juin à mi-sept.). Pavé de
loup piqué à l'anchois cuit sur la peau. Fruits de la passion soufflés servis dans
leur coque.

XXXXX **Régence** - Hôtel Plaza Athénée   BZ 2
✿ 25 av. Montaigne ☎ 01 53 67 65 00, *Fax 01 53 67 66 66*
🍽. 𝗔𝗘 ⓘ 𝗚𝗕 𝗝𝗖𝗕. ✀
fermé 16 juil. au 30 août, 1ᵉʳ au 10 janv., sam. et dim. – **Repas** 290 (déj.),
410/585 et carte 440 à 610
Spéc. Gelée d'oursins en coque au fondant de fenouil (oct. à avril). Maque-
reau de ligne cuit au plat, pommes parmentières au chardonnay. Rognon de
veau rôti à la broche au genièvre.

XXXX **Les Élysées** - Hôtel Vernet   AY 9
✿✿ 25 r. Vernet ☎ 01 44 31 98 98, *Fax 01 44 31 85 69*
« Belle verrière » – 🍽. 𝗔𝗘 ⓘ 𝗚𝗕 𝗝𝗖𝗕. ✀
fermé 26 juil. au 27 août, 20 au 30 déc., sam., dim. et fériés – **Repas** 330 (déj.),
480/840 et carte 550 à 840 ♈
Spéc. Epeautre cuisiné comme un risotto, fleurs de courgettes, écrevisses
et lard croustillant. Turbot doré aux câpres, pomme de terre écrasée et
truffe noire. Chausson feuilleté au chocolat amer, glace aux fèves de cacao
torréfiées.

XXXX **Pierre Gagnaire** - Hôtel Balzac   AY 26
✿✿✿ 6 r. Balzac ☎ 01 44 35 18 25, *Fax 01 44 35 18 37*
🍽. 𝗔𝗘 ⓘ 𝗚𝗕
fermé 14 juil. au 15 août, vacances de Noël, de fév., dim. midi et sam. – **Repas**
550 (déj.), 950/1500 et carte 700 à 980 ♈
Spéc. Grosses langoustines en scampi, feuilles croustillantes de légumes.
Poularde en deux services. Biscuit soufflé au chocolat.

XXXX **L'Astor** - Hôtel Astor   CY 68
✿✿ 11 rue d'Astorg ☎ 01 53 05 05 20, *Fax 01 53 05 05 30*
🍽. 𝗔𝗘 ⓘ 𝗚𝗕 𝗝𝗖𝗕
fermé août, sam. et dim. – **Repas** 298 bc (déj.)/520 bc et carte 420 à
550 ♈
Spéc. Ormeaux et Saint-Jacques en salade d'herbes aux cèpes (oct. à mars).
Saint-Pierre cuit entier, pommes boulangères aux truffes. Quenelles moel-
leuses de chocolat, crème coriandre au praliné.

XXXX **Chiberta**   AY 2
3 r. Arsène-Houssaye ☎ 01 53 53 42 00, *Fax 01 45 62 85 08*
🍽. 𝗔𝗘 ⓘ 𝗚𝗕 𝗝𝗖𝗕
fermé août, sam. midi et dim. – **Repas** 320/480 et carte 440 à 580 ♈

XXXX ❀ **La Marée**   AX 2
1 r. Daru ℘ 01 43 80 20 00, *Fax 01 48 88 04 04*
▤. 🆎 ⓪ ☖
fermé août, sam. midi et dim. – **Repas** - produits de la mer - carte 350 à 560
Spéc. Belons au Champagne (sept. à mai). Croustillant de langoustines, sauce
aigre-douce. Râble de lièvre à la caladoise (oct. à janv.).

XXXX ❀ **Clovis** - Hôtel Sofitel Arc de Triomphe
14 r. Beaujon ℘ 01 53 89 50 53, *Fax 01 53 89 50 51*
🆎 ⓪ ☖
fermé août, 24 déc. au 2 janv., sam. et dim. – **Repas** 270/
490 et carte 340 à 440 ♀
Spéc. Foie gras de canard en deux façons. Noix de Saint-Jacques poêlées en
demi-deuil (oct. à avril). Côte de veau épaisse rôtie au four, petits violets et
tomates.

XXXX **Fouquet's**   BY 65
99 av. Champs Élysées ℘ 01 47 23 70 60, *Fax 01 47 20 08 69*
🏠 – 🆎 ⓪ ☖ ⒿⒸⒷ
Repas 295 et carte 290 à 560 ♀.

XXX **Maison Blanche**   BZ 65
15 av. Montaigne (6ᵉ étage) ℘ 01 47 23 55 99, *Fax 01 47 20 09 56*
≤, 🏠, « Décor contemporain » – ▤. 🆎 ☖ ⒿⒸⒷ
fermé août, 2 au 9 janv., lundi midi, sam. midi et dim. – **Repas** carte 370 à 560.

XXX ❀ **Jardin** - Hôtel Royal Monceau   BY 25
37 av. Hoche ℘ 01 42 99 98 70, *Fax 01 42 99 89 94*
🏠 – ▤. 🆎 ⓪ ☖ ⒿⒸⒷ. ✗
fermé sam. et dim. sauf en août – **Repas** 290/440 et carte 430 à 700
Spéc. Loup de mer rôti en tronçon au caquelon. Lapin fermier en deux
cuissons aux truffes et artichauts. Dattes rafraîchies sur une gratinée
d'amandes fraîches (juin à nov.).

XXX ❀ **Copenhague**   AY 27
142 av. Champs-Élysées (1ᵉʳ étage) ℘ 01 44 13 86 26, *Fax 01 42 25 83 10*
🏠 – ▤. 🆎 ⓪ ☖ ⒿⒸⒷ. ✗
fermé 31 juil. au 29 août, 3 au 9 janv., sam. midi, dim. et fériés – **Repas** -
cuisine danoise - 260/285 et carte 300 à 460
- ***Flora Danica :*** Repas 175 bc /275
Spéc. Assiette gourmande ''Copenhague''. Noisettes de renne ''à notre
façon''. Crêpes aux mûres jaunes.

XXX **L'Obélisque**   DZ 8
6 r. Boissy d'Anglas ℘ 01 44 71 15 15, *Fax 01 44 71 15 02*
▤
fermé août et fériés – **Repas** 285 ♀, enf. 155.

XXX **Café Mosaïc**   BY 35
46 av. George V ℘ 01 47 20 18 09, *Fax 01 47 23 30 90*
« Décor contemporain » – ▤. 🆎 ⓪ ☖ ⒿⒸⒷ
Repas *(180)* - 220 (déj.)et carte 260 à 380 ♀.

XXX **Spoon**
14, rue Marignan ℘ 01 40 76 34 44, *Fax 01 40 76 34 37*
« Décor contemporain » – ▤. 🆎 ⓪ ☖ ⒿⒸⒷ
fermé sam. midi et dim. – **Repas** - cuisine et vins du monde - carte 250 à 350.

XXX **Marcande**   CY
52 r. Miromesnil ℰ 01 42 65 19 14, *Fax 01 40 76 03 27*
🍽 – AE GB
fermé 9 au 23 août, sam. et dim. – **Repas** 240 et carte 240 à 400.

XXXX **Yvan**   BY 1
1bis r. J. Mermoz ℰ 01 43 59 18 40, *Fax 01 42 89 30 95*
▤. AE ⓪ GB JCB
fermé sam. midi et dim. – **Repas** 188/318 et carte 270 à 390 ♌.

XXX **Indra**   BY 2
10 r. Cdt-Rivière ℰ 01 43 59 46 40, *Fax 01 44 07 31 19*
▤. AE ⓪ GB
fermé dim. – **Repas** - cuisine indienne - 195 (déj.), 220/300 et carte 180 à 240

XX **Luna**   CX 1
✿ 69 r. Rocher ℰ 01 42 93 77 61, *Fax 01 40 08 02 44*
▤. AE GB
fermé 15 au 22 août et dim. – **Repas** - produits de la mer - carte 310 à 450 ♌
Spéc. Galette de langoustines aux jeunes poireaux. Grosse sole de Noirmou
tier meunière. Le vrai baba ''de Zanzibar''.

XX **Tante Louise**   DY 3
41 r. Boissy-d'Anglas ℰ 01 42 65 06 85, *Fax 01 42 65 28 19*
▤. AE ⓪ GB JCB
fermé août, sam. et dim. – **Repas** 190 et carte 240 à 380 ♌.

XX **Cercle Ledoyen**   CZ 4
carré   Champs-Élysées   (rez-de-chaussée)   ℰ 01 53 05 10 02
Fax 01 47 42 55 01
🍽 – ▤. AE ⓪ GB JCB. ⌘
fermé dim. – **Repas** carte 230 à 290 ♌.

XX **El Mansour**   BZ
7 r. Trémoille ℰ 01 47 23 88 18
AE ⓪ GB. ⌘
fermé lundi midi et dim. – **Repas** - cuisine marocaine - carte 270 à 360 ♌.

XX **Sarladais**   DY 1
2 r. Vienne ℰ 01 45 22 23 62, *Fax 01 45 22 23 62*
▤. AE GB
fermé sam. midi, dim. et fériés – **Repas** 155 (dîner)/200 et carte 250 à 350.

XX **Grenadin**   CX 1
46 r. Naples ℰ 01 45 63 28 92, *Fax 01 45 61 24 76*
▤. AE GB JCB
fermé sam. midi et dim. – **Repas** 200/330.

XX **Pavillon Élysée**   CZ 2
10 av. Champs Élysées ℰ 01 42 65 85 10, *Fax 01 42 65 76 23*
🍽 – ▤. AE ⓪ GB JCB
fermé sam. midi et dim. – **Repas** 200/330 et carte 240 à 360 ♌.

XX **Hédiard**   DY
21 pl. Madeleine ℰ 01 43 12 88 99, *Fax 01 43 12 88 98*
▤. AE ⓪ GB
fermé dim. – **Repas** carte 250 à 300 ♌.

XX **Fermette Marbeuf 1900**　　　　　　　　　　　　　BZ 13
5 r. Marbeuf ℰ 01 53 23 08 00, Fax 01 53 23 08 09
« Décor 1900, céramiques et vitraux d'époque » – 🗏. **AE ① GB**
Repas 178/228 et carte 220 à 350 ℤ.

XX **Marius et Janette**　　　　　　　　　　　　　　BZ 33
❀ 4 av. George-V ℰ 01 47 23 41 88, Fax 01 47 23 07 19
🛋 – 🗏. **AE ① GB JCB**
Repas - produits de la mer - 300 bc et carte 360 à 580 ℤ.
Spéc. Homard grillé ou à la nage. Loup grillé à l'écaille. Merlan frit sauce
tartare.

XX **Androuët**　　　　　　　　　　　　　　　　　AY 8
6 r. Arsène Houssaye ℰ 01 42 89 95 00, Fax 01 42 89 68 44
🗏. **AE ① GB**
fermé sam. midi et dim. – **Repas** - fromages et cuisine fromagère - *(140)* - 210
(déj.), 250/300 et carte 260 à 390 ℤ.

XX **Suntory**　　　　　　　　　　　　　　　　　BY 14
13 r. Lincoln ℰ 01 42 25 40 27, Fax 01 45 63 25 86
🗏. **AE ① GB JCB**
Repas - cuisine japonaise - 145 (déj.), 380/630 et carte 230 à 450 ℤ.

XX **Shozan**　　　　　　　　　　　　　　　　　BZ 40
11 r. de la Trémoille ℰ 01 47 23 37 32, Fax 01 47 23 67 30
🗏. **AE ① GB JCB**
fermé 9 au 24 août, sam. midi et dim. – **Repas** - cuisine franco-japonaise - 230
(déj.)/380 et carte 320 à 420 ℤ.

XX **Stella Maris**　　　　　　　　　　　　　　　AY 5
4 r. Arsène Houssaye ℰ 01 42 89 16 22, Fax 01 42 89 16 01
AE ① GB JCB. 🚫
fermé 10 au 16 août, sam. midi et dim. – **Repas** - produits de la mer - *(175)* -
300/480 et carte 360 à 460.

XX **Stresa**　　　　　　　　　　　　　　　　　BZ 55
7 r. Chambiges ℰ 01 47 23 51 62
🗏. **AE ① GB**. 🚫
fermé août, 20 déc. au 3 janv., sam. soir et dim. – **Repas** - cuisine italienne -
(prévenir) carte 290 à 450.

XX **Kinugawa**　　　　　　　　　　　　　　　　BY 67
4 r. St-Philippe du Roule ℰ 01 45 63 08 07, Fax 01 42 60 45 21
🗏. **AE ① GB**. 🚫
fermé vacances de Noël et dim. – **Repas** - cuisine japonaise - carte 190 à 400 ℤ.

XX **Bistrot du Sommelier**　　　　　　　　　　　　CY 12
97 bd Haussmann ℰ 01 42 65 24 85, Fax 01 53 75 23 23
🗏. **AE GB**
fermé août, Noël au Jour de l'An, sam. et dim. – **Repas** carte 280 à 360 ℤ.

XX **Les Bouchons de François Clerc**　　　　　　　　BZ 25
7 r. Boccador ℰ 01 47 23 57 80, Fax 01 47 23 74 54
AE GB
fermé sam. midi et dim. – **Repas** 227.

XX **Village d'Ung et Li Lam**　　　　　　　　　　　CY 25
10 r. J. Mermoz ℰ 01 42 25 99 79, Fax 01 42 25 12 06
🗏. **AE ① GB**
Repas - cuisine chinoise et thaïlandaise - *(118)* - 138/188 ℤ.

XX **Le Pichet**   BY 6

68 r. P. Charron *ℰ* 01 43 59 50 34, *Fax 01 42 89 68 91*

▤. 🄰🄴 ⓞ ⒼⒷ

fermé sam. sauf le soir de sept. à avril et dim. – **Repas** carte 280 à 510.

XX **Bistro de l'Olivier**   AZ

13 r. Quentin Bauchart *ℰ* 01 47 20 17 00, *Fax 01 47 20 17 04*

▤. 🄰🄴 ⒼⒷ

fermé sam. midi et dim. – **Repas** (nombre de couverts limité, prévenir) *(130)*
190 ♀.

XX **L'Alsace**   BY 1

39 av. Champs-Élysées *ℰ* 01 53 93 97 00, *Fax 01 53 93 97 09*
(ouvert jour et nuit), 🏫, brasserie – ▤. 🄰🄴 ⓞ ⒼⒷ

Repas 178 et carte 170 à 360 ♀.

XX **Kok Ping**   AY 3

4 r. Balzac *ℰ* 01 42 25 28 85, *Fax 01 53 75 11 49*

▤. 🄰🄴 ⓞ ⒼⒷ. 🚫

fermé sam. midi – **Repas** - cuisine chinoise et thaïlandaise - 92 (déj.), 120
200 et carte 180 à 260 ♀.

XX **Les Persiennes**   BZ 4

28 r. Marbeuf *ℰ* 01 56 69 26 90, *Fax 01 53 75 39 89*

▤. 🄰🄴 ⒼⒷ

fermé 10 au 25 août, sam. midi et dim. – **Repas** - cuisine méridionale - *(98*
- carte 180 à 310 ♀.

X **Cap Vernet**   AY 37

82 av. Marceau *ℰ* 01 47 20 20 40, *Fax 01 47 20 95 36*

🏫 – ▤. 🄰🄴 ⓞ ⒼⒷ 🄹🄲🄱

Repas - produits de la mer - carte 210 à 280 ♀.

X **L'Appart'**   BY

9 r. Colisée *ℰ* 01 53 75 16 34, *Fax 01 53 76 15 39*

▤. 🄰🄴 ⒼⒷ 🄹🄲🄱

Repas *(120)* - 175 et carte 220 à 270.

X **Saveurs et Salon**   DY 14

3 r. Castellane *ℰ* 01 40 06 97 97, *Fax 01 40 06 98 06*

▤. ⒼⒷ

fermé août, sam. et dim. – **Repas** *(145)* - 185 et carte 200 à 300.

X **Ferme des Mathurins**   DY 5

17 r. Vignon *ℰ* 01 42 66 46 39, *Fax 01 42 66 00 27*

ⓞ ⒼⒷ 🄹🄲🄱

fermé août, dim. et fériés – Repas 160/210 et carte 180 à 310 ♀.

X **Boucoléon**   CX 19

10 r. Constantinople *ℰ* 01 42 93 73 33, *Fax 01 42 93 17 44*

ⒼⒷ

fermé 31 juil. au 22 août, 25 déc. au 2 janv., sam. et dim. – **Repas** (nombre de
couverts limité, prévenir) carte 140 à 160 ♀.

X **Rocher Gourmand**   CX 7

89 r. Rocher *ℰ* 01 40 08 00 36, *Fax 01 40 08 05 29*

ⒼⒷ

fermé août, sam. midi et dim. – **Repas** *(135)* - 175/220.

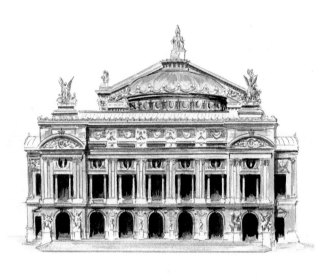

Opéra - Grands Boulevards
Gare de l'Est - Gare du Nord
République - Pigalle

9ᵉ et 10ᵉ arrondissements

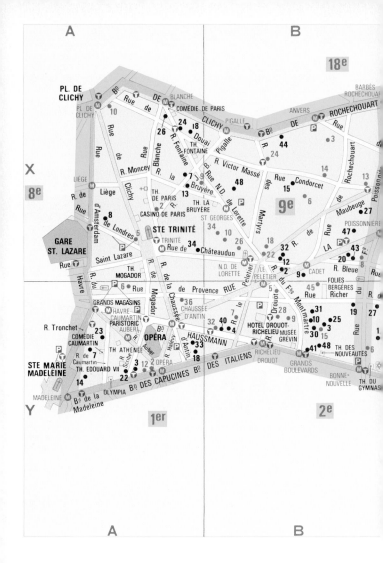

LES GUIDES MICHELIN :

Guides Rouges (hôtels et restaurants) :

Benelux - Deutschland - España Portugal - Main Cities Europe - France -
Great Britain and Ireland - Italia - Suisse

Guides Verts (paysages, monuments et routes touristiques) :

Allemagne - Autriche - Belgique Luxembourg - Canada - Espagne -
Grande Bretagne - Grèce - Hollande - Irlande - Italie - Londres -
Maroc - New York - Nouvelle Angleterre - Portugal - Le Québec -
Rome - Suisse

et la collection sur la France.

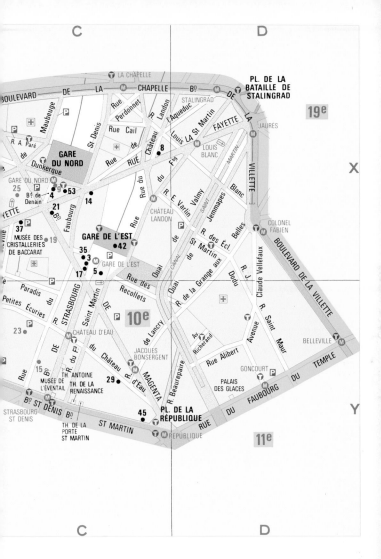

Grand Hôtel Inter-Continental   AY 3

2 r. Scribe (9e) ℰ 01 40 07 32 32, *Fax 01 42 66 12 51*
▸₆ – 🛗 ⤢ ▤ 📺 ☎ & 🚗 – 🅰 300. 🅰🅴 ⓪ 🆖 🅹🅲🅱. ⅍ rest
voir *Rest. Opéra* et *Brasserie Café de la Paix* ci-après
La Verrière ℰ 01 40 07 31 00 *(fermé le soir et sam.)* Repas 200/275 ☧ –
⬓ 140 – **488 ch** 1850/3700, 22 appart.

Scribe   AY 22

1 r. Scribe (9e) ℰ 01 44 71 24 24, *Fax 01 42 65 39 97*
Ⓜ – 🛗 ⤢ ▤ 📺 ☎ 📞 & – 🅰 50. 🅰🅴 ⓪ 🆖 🅹🅲🅱
voir rest. *Les Muses* ci-après
Jardin des Muses : Repas *(140)*-170 ☧ – ⬓ 130 – **206 ch** 2015/3250,
11 appart.

Ambassador   BY 40

16 bd Haussmann (9e) ℰ 01 44 83 40 40, *Fax 01 42 46 20 83*
🛗, ▤ ch, 📺 ☎ 📞 – 🅰 110. 🅰🅴 ⓪ 🆖 🅹🅲🅱
voir rest. *16 Haussmann* ci-après – ⬓ 120 – **288 ch** 1650/2200.

Millennium Commodore   BY 4

12 bd Haussmann (9e) ℰ 01 49 49 16 00, *Fax 01 49 49 17 00*
🛗 ⤢ 📺 ☎ – 🅰 25. 🅰🅴 ⓪ 🆖 🅹🅲🅱. ⅍ rest
Brasserie Haussmann ℰ 01 49 49 16 09 **Repas** *(145)* - 185 (dîner)
et carte 200 à 290 ☧ – ⬓ 145 – **163 ch** 2700/2900, 10 appart.

Terminus Nord   CX 4

12 bd Denain (10e) ℰ 01 42 80 20 00, *Fax 01 42 80 63 89*
Ⓜ sans rest – 🛗 ⤢ 📺 ☎ 📞 & – 🅰 80. 🅰🅴 ⓪ 🆖 🅹🅲🅱
⬓ 75 – **236 ch** 1035/1105.

Lafayette   BX 2

49 r. Lafayette (9e) ℰ 01 42 85 05 44, *Fax 01 49 95 06 60*
Ⓜ sans rest – 🛗 ⤢ 📺 ☎ 📞 &. 🅰🅴 ⓪ 🆖 🅹🅲🅱
⬓ 80 – **96 ch** 955/1125, 7 appart.

St-Pétersbourg   AY 23

33 r. Caumartin (9e) ℰ 01 42 66 60 38, *Fax 01 42 66 53 54*
🛗 ▤ 📺 ☎ 📞 – 🅰 25. 🅰🅴 ⓪ 🆖 🅹🅲🅱. ⅍ rest
Relais (fermé août, sam. et dim.) Repas *(98)*-148 ☧ – ⬓ 70 – **100 ch** 995/1100.

Brébant   BY 41

32 bd Poissonnière (9e) ℰ 01 47 70 25 55, *Fax 01 42 46 65 70*
🛗 ⤢, ▤ rest, 📺 ☎ – 🅰 25 à 100. 🅰🅴 ⓪ 🆖 🅹🅲🅱
Vieux Pressoir : Repas 98/198 ☧ – ⬓ 48 – **122 ch** 790/930.

Holiday Inn Paris Opéra   BY 13

38 r. Échiquier (10e) ℰ 01 42 46 92 75, *Fax 01 42 47 03 97*
🛗 ⤢ ▤ 📺 ☎ 📞. 🅰🅴 ⓪ 🆖 🅹🅲🅱. ⅍ ch
Repas *(fermé sam. midi et dim.)* 90/220 ⅋, enf. 50 – ⬓ 90 – **92 ch** 1090/
1550.

Richmond Opéra   AY 33

11 r. Helder (9e) ℰ 01 47 70 53 20, *Fax 01 48 00 02 10*
sans rest – 🛗 ▤ 📺 ☎. 🅰🅴 ⓪ 🆖 🅹🅲🅱. ⅍
⬓ 40 – **59 ch** 840/980.

Bergère Opéra   BY 30

34 r. Bergère (9e) ℰ 01 47 70 34 34, *Fax 01 47 70 36 36*
sans rest – 🛗 ▤ 📺 ☎ – 🅰 40. 🅰🅴 ⓪ 🆖 🅹🅲🅱. ⅍
⬓ 80 – **134 ch** 890/1090.

🏨 **Franklin** BX 12
19 r. Buffault (9e) ☎ 01 42 80 27 27, *Fax 01 48 78 13 04*
sans rest – 📶 ⇥ 📺 ☎ 👌. AE ⓞ ⒼⒷ JCB
🍽 75 – **68 ch** 865/990.

🏨 **Blanche Fontaine** AX 24
34 r. Fontaine (9e) ☎ 01 44 63 54 95, *Fax 01 42 81 05 52*
⅁ sans rest – 📶 ⇥ 🍽 📺 ☎ 🚗. AE ⓞ ⒼⒷ JCB. ❄
🍽 50 – **49 ch** 1390, 4 appart.

🏨 **Carlton's Hôtel** BX 44
55 bd Rochechouart (9e) ☎ 01 42 81 91 00, *Fax 01 42 81 97 04*
sans rest, « Sur le toit, terrasse panoramique avec ⩻ Paris » – 📶 📺 ☎. AE ⓞ
ⒼⒷ JCB
🍽 50 – **103 ch** 800/850.

🏨 **Anjou-Lafayette** BX 43
4 r. Riboutté (9e) ☎ 01 42 46 83 44, *Fax 01 48 00 08 97*
sans rest – 📶 📺 ☎ 👌. AE ⓞ ⒼⒷ JCB
🍽 50 – **39 ch** 510/690.

🏨 **Frantour Paris-Est** CX 42
4 r. 8 Mai 1945 (cour d'Honneur gare de l'Est)(10e) ☎ 01 44 89 27 00,
Fax 01 44 89 27 49
Ⓜ – 📶, 🍽 ch, 📺 ☎ 👌 – ⚑ 250. AE ⒼⒷ
Repas *(97)* - 130 ♀, enf. 39 – 🍽 55 – **45 ch** 545/1070.

🏨 **Albert 1er** CX 14
162 r. Lafayette (10e) ☎ 01 40 36 82 40, *Fax 01 40 35 72 52*
Ⓜ sans rest – 📶 🍽 📺 ☎ 👌. AE ⓞ ⒼⒷ JCB. ❄
🍽 45 – **57 ch** 650/750.

🏨 **Opéra Cadet** BX 9
24 r. Cadet (9e) ☎ 01 53 34 50 50, *Fax 01 53 34 50 60*
Ⓜ sans rest – 📶 🍽 📺 ☎ 👌 🚗. AE ⓞ ⒼⒷ JCB
🍽 70 – **82 ch** 880/1030, 3 appart.

🏨 **Touraine Opéra** AX 34
73 r. Taitbout (9e) ☎ 01 48 74 50 49, *Fax 01 42 81 26 09*
sans rest – 📶 ⇥ 📺 ☎. AE ⓞ ⒼⒷ JCB
🍽 75 – **39 ch** 865/990.

🏨 **Paix République** CY 45
2 bis bd St-Martin (10e) ☎ 01 42 08 96 95, *Fax 01 42 06 36 30*
sans rest – 📶 ⇥ 📺 ☎. AE ⓞ ⒼⒷ JCB. ❄
🍽 45 – **45 ch** 650/1200.

🏨 **Grand Hôtel Haussmann** AY 18
6 r. Helder (9e) ☎ 01 48 24 76 10, *Fax 01 48 00 97 18*
sans rest – 📶 🍽 📺 ☎. AE ⓞ ⒼⒷ JCB. ❄
🍽 49 – **59 ch** 600/830.

🏨 **Mercure Monty** BY 3
5 r. Montyon (9e) ☎ 01 47 70 26 10, *Fax 01 42 46 55 10*
sans rest – 📶 ⇥ 📺 ☎ – ⚑ 50. AE ⓞ ⒼⒷ
🍽 60 – **71 ch** 760/810.

🏨 **Corona** BY 48
8 cité Bergère (9e) ☎ 01 47 70 52 96, *Fax 01 42 46 83 49*
⅁ sans rest – 📶 📺 ☎ 👌. AE ⓞ ⒼⒷ JCB. ❄
🍽 45 – **56 ch** 750/1150, 4 appart.

🏨 **Français** CX 3

13 r. 8-Mai 1945 (10e) ✆ 01 40 35 94 14, *Fax 01 40 35 55 40*
sans rest – 🛗 TV ☎. AE ⓪ GB JCB
🖵 35 – **71 ch** 435/480.

🏨 **Pré** BX 4

10 r. P. Sémard (9e) ✆ 01 42 81 37 11, *Fax 01 40 23 98 28*
sans rest – 🛗 TV ☎. AE ⓪ GB. ❄
🖵 50 – **41 ch** 445/580.

🏨 **Résidence du Pré** BX 2

15 r. P. Sémard (9e) ✆ 01 48 78 26 72, *Fax 01 42 80 64 83*
sans rest – 🛗 TV ☎. AE ⓪ GB
🖵 50 – **40 ch** 445/530.

🏨 **Gotty** BY 2

11 r. Trévise (9e) ✆ 01 47 70 12 90, *Fax 01 47 70 21 26*
sans rest – 🛗 TV ☎. AE ⓪ GB JCB
🖵 50 – **44 ch** 650.

🏨 **Acadia** BY 3

4 r. Geoffroy Marie (9e) ✆ 01 40 22 99 99, *Fax 01 40 22 01 82*
Ⓜ sans rest – 🛗 ▤ TV ☎ ✆ ら. AE ⓪ GB JCB. ❄
🖵 85 – **36 ch** 850/1050.

🏨 **Axel** BY 1

15 r. Montyon (9e) ✆ 01 47 70 92 70, *Fax 01 47 70 43 37*
sans rest – 🛗 ✕ ▤ TV ☎. AE ⓪ GB JCB
🖵 52 – **38 ch** 750/870.

🏨 **Trinité Plaza** AX

41 r. Pigalle (9e) ✆ 01 42 85 57 00, *Fax 01 45 26 41 20*
sans rest – 🛗 TV ☎ ✆ ら. AE ⓪ GB JCB
🖵 30 – **42 ch** 620/720.

🏨 **Monterosa** AX 1

30 r. La Bruyère (9e) ✆ 01 48 74 87 90, *Fax 01 42 81 01 12*
Ⓜ sans rest – 🛗 ✕ TV ☎. AE ⓪ GB JCB
🖵 35 – **36 ch** 390/600.

🏨 **Printania** CY 2

19 r. Château d'Eau (10e) ✆ 01 42 01 84 20, *Fax 01 42 39 55 12*
sans rest – 🛗 TV ☎. AE ⓪ GB JCB. ❄
🖵 46 – **51 ch** 535/800.

🏨 **Moulin** AX 2

39 r. Fontaine (9e) ✆ 01 42 81 93 25, *Fax 01 40 16 09 90*
Ⓜ sans rest – 🛗 ✕ TV ☎ ✆. AE ⓪ GB JCB
🖵 75 – **50 ch** 835/1135.

🏨 **Celte La Fayette** BX 3

25 r. Buffault (9e) ✆ 01 49 95 09 49, *Fax 01 49 95 01 88*
sans rest – 🛗 TV ☎ ら. AE ⓪ GB JCB
🖵 55 – **50 ch** 580/750.

🏨 **Peyris** BY 1

10 r. Conservatoire (9e) ✆ 01 47 70 50 83, *Fax 01 40 22 95 91*
sans rest – 🛗 TV ☎. AE ⓪ GB
🖵 45 – **50 ch** 600/650.

🏨 **Gare du Nord** CX 5

33 r. St-Quentin (10e) ✆ 01 48 78 02 92, *Fax 01 45 26 88 31*
sans rest – 🛗 TV ☎. AE ⓪ GB. ❄
🖵 45 – **47 ch** 420/600.

🏨 **Sudotel Promotour** BY **27**
42 r. Petites-Écuries (10ᵉ) 𝒫 01 42 46 91 86, *Fax 01 40 22 90 85*
sans rest – 📶 📺 ☎ ⚴. 🆎 ⓪ GB JCB
🛏 60 – **45 ch** 650/930.

🏨 **Athènes** AX **8**
21 r. d'Athènes (9ᵉ) 𝒫 01 48 74 00 55, *Fax 01 42 81 04 75*
sans rest – 📶 📺 ☎. 🆎 GB JCB. ⚙
🛏 53 – **36 ch** 670/790.

🏨 **Capucines** AY **14**
6 r. Godot de Mauroy (9ᵉ) 𝒫 01 47 42 25 05, *Fax 01 42 68 05 05*
sans rest – 📶 📺 ☎. 🆎 ⓪ GB JCB
🛏 38 – **45 ch** 520/600.

🏨 **Amiral Duperré** AX **18**
32 r. Duperré (9ᵉ) 𝒫 01 42 81 55 33, *Fax 01 44 63 04 73*
sans rest – 📶 ⤢ 📺 ☎ ⚴. 🆎 ⓪ GB JCB
🛏 45 – **52 ch** 540/750.

🏨 **Riboutté-Lafayette** BX **20**
5 r. Riboutté (9ᵉ) 𝒫 01 47 70 62 36, *Fax 01 48 00 91 50*
sans rest – 📶 📺 ☎. 🆎 GB JCB
🛏 35 – **24 ch** 490.

🏨 **Suède** CX **21**
106 bd Magenta (10ᵉ) 𝒫 01 40 36 10 12, *Fax 01 40 36 11 98*
sans rest – 📶 ⤢ 📺 ☎. 🆎 ⓪ GB JCB
🛏 45 – **52 ch** 540/600.

🏨 **Ibis Gare de l'Est** CX **8**
197 r. Lafayette (10ᵉ) 𝒫 01 44 65 70 00, *Fax 01 44 65 70 07*
sans rest – 📶 ⤢ 🖥 📺 ☎ ⚴ ⚴ 🚗. 🆎 ⓪ GB
🛏 40 – **165 ch** 430/480.

🏨 **Modern'Est** CX **3**
91 bd Strasbourg (10ᵉ) 𝒫 01 40 37 77 20, *Fax 01 40 37 17 55*
sans rest – 📶 🖥 📺 ☎. GB
🛏 35 – **30 ch** 390/470.

🏨 **Alba** BX **15**
34 ter r. La Tour d'Auvergne (9ᵉ) 𝒫 01 48 78 80 22, *Fax 01 42 85 23 13*
🍽 sans rest – 📶 cuisinette ⤢ 📺 ☎ ⚴. 🆎 ⓪ GB JCB. ⚙
🛏 40 – **24 ch** 500/1400.

🏨 **Trois Poussins** BX **48**
15 r. Clauzel (9ᵉ) 𝒫 01 53 32 81 81, *Fax 01 53 32 81 82*
sans rest – 📶 ⤢ 📺 ☎ ⚴ ⚴. 🆎 GB. ⚙
🛏 45 – **40 ch** 480/830.

🏨 **Ibis Lafayette** CX **37**
122 r. Lafayette (10ᵉ) 𝒫 01 45 23 27 27, *Fax 01 42 46 73 79*
sans rest – 📶 ⤢ 📺 ☎ ⚴ ⚴. 🆎 ⓪ GB
🛏 39 – **70 ch** 430/480.

🏨 **St-Laurent** CX **5**
5 r. St-Laurent (10ᵉ) 𝒫 01 42 09 59 79, *Fax 01 42 09 83 50*
Ⓜ sans rest – 📶 🖥 📺 ☎ ⚴. 🆎 ⓪ GB JCB
🛏 50 – **44 ch** 570/700.

🏨 **Champagne-Mulhouse** CX **17**
87 bd Strasbourg (10ᵉ) 𝒫 01 42 09 12 28, *Fax 01 42 09 48 12*
sans rest – 📶 ⤢ 📺 ☎. 🆎 ⓪ GB JCB
🛏 45 – **31 ch** 600.

Montréal   AY 7
23 r. Godot-de-Mauroy (9e) ☎ 01 42 65 99 54, *Fax 01 49 24 07 33*
sans rest – 🛗 ❌ 📺 ☎. 🆎 ⓪ 🟦 ᴶᶜᴮ
☕ 40 – **12 ch** 500/550, 6 appart.

Rest. Opéra - Grand Hôtel Inter-Continental   AY 2
🕸️ pl. Opéra (9e) ☎ 01 40 07 30 10, *Fax 01 40 07 33 86*
« Cadre Second Empire » – 🍽️. 🆎 ⓪ 🟦 ᴶᶜᴮ. ❌
fermé 17 juil. au 30 août, 18 déc. au 2 janv., 20 au 28 fév., sam. et dim. – **Repas**
240 (déj.), 345/585 et carte 460 à 630 🍷
Spéc. Huîtres de Marennes, nage crémée à la parisienne aux grains de caviar.
Noix de ris de veau aux pistaches, jus de rôti au citron confit et bois de
réglisse. Petits babas bouchons caramélisés au miel, crème fouettée à la
vanille.

Les Muses - Hôtel Scribe   AY 22
🕸️ 1 r. Scribe (9e) ☎ 01 44 71 24 26, *Fax 01 44 71 24 64*
🍽️. 🆎 ⓪ 🟦 ᴶᶜᴮ
fermé août, sam., dim. et fériés – **Repas** 260/330 et carte 330 à 370
Spéc. Parmentier fumé de foie gras de canard. Noix de Saint-Jacques croustillantes, risotto aux cèpes (sept. à mai). Macaron moelleux aux fruits de la
passion et son caviar de mangues.

Table d'Anvers (Conticini)   BX 3
🕸️ 2 pl. d'Anvers (9e) ☎ 01 48 78 35 21, *Fax 01 45 26 66 67*
🍽️. 🆎 🟦 ᴶᶜᴮ
fermé sam. midi et dim. – **Repas** 190 (déj.), 250/450 et carte 490 à 690 🍷
Spéc. Brochette de thon au gingembre et rouleaux de printemps grillés.
Ruffian de foie gras, aubergines et mousserons, caramel au beurre salé.
Les croquettes au chocolat de Philippe.

Charlot ''Roi des Coquillages''   AX 10
12 pl. Clichy (9e) ☎ 01 53 20 48 00, *Fax 01 53 20 48 09*
🍽️. 🆎 ⓪ 🟦
Repas - produits de la mer - 178 et carte 240 à 410.

Au Chateaubriant   CX 19
23 r. Chabrol (10e) ☎ 01 48 24 58 94, *Fax 01 42 47 09 75*
collection de tableaux – 🍽️. 🆎 🟦 ᴶᶜᴮ
fermé août, dim. et lundi – **Repas** - cuisine italienne - *(128)*
165 et carte 240 à 420 🍷.

Brasserie Café de la Paix - Grand Hôtel Inter-Continental   AY 12
12 bd Capucines (9e) ☎ 01 40 07 30 20, *Fax 01 40 07 33 86*
🍽️. 🆎 ⓪ 🟦 ᴶᶜᴮ. ❌
Repas *(136)* - 176 et carte 260 à 380 🍷, enf. 70.

Julien   CY 15
16 r. Fg St-Denis (10e) ☎ 01 47 70 12 06, *Fax 01 42 47 00 65*
« Brasserie ''Belle Époque'' » – 🍽️. 🆎 ⓪ 🟦
Repas 132 bc/189 bc et carte 180 à 250.

Grand Café Capucines   AY 4
4 bd Capucines (9e) ☎ 01 43 12 19 00, *Fax 01 43 12 19 09*
(ouvert jour et nuit), brasserie, « Décor ''Belle Époque'' » – 🍽️. 🆎 ⓪ 🟦
Repas 178 et carte 190 à 370 🍷.

XX **Grange Batelière** BY 28
16 r. Grange Batelière (9e) ℰ 01 47 70 85 15, Fax 01 47 70 85 15
🍽. AE GB
fermé 1er au 21 août, sam. midi, dim. et fériés – **Repas** *(160)* - 190/
300 et carte 250 à 360 ♀.

XX **Quercy** BX 14
36 r. Condorcet (9e) ℰ 01 48 78 30 61, Fax 01 48 78 16 29
AE ⓪ GB JCB
fermé août, dim. et fériés – **Repas** *(128)* - 152 et carte 170 à 320.

XX **Bistrot Papillon** BX 8
6 r. Papillon (9e) ℰ 01 47 70 90 03, Fax 01 48 24 05 59
🍽. AE ⓪ GB
fermé 3 au 11 avril, 7 au 29 août, sam. midi et dim. – **Repas**
150 et carte 200 à 320.

XX **Au Petit Riche** BY 7
25 r. Le Peletier (9e) ℰ 01 47 70 68 68, Fax 01 48 24 10 79
bistrot, « Cadre fin 19e siècle » – 🍽. AE ⓪ GB JCB
fermé dim. – **Repas** 140 (dîner), 165/180 et carte 180 à 340.

XX **Brasserie Flo** CY 23
7 cour Petites-Écuries (10e) ℰ 01 47 70 13 59, Fax 01 42 47 00 80
« Cadre 1900 » – 🍽. AE ⓪ GB
Repas 132 bc/179 bc et carte 180 à 250.

XX **Terminus Nord** CX 9
23 r. Dunkerque (10e) ℰ 01 42 85 05 15, Fax 01 40 16 13 98
brasserie – 🍽. AE ⓪ GB
Repas 132 bc/179 bc et carte 180 à 250.

XX **16 Haussmann** - Hôtel Ambassador BY 32
16 bd Haussmann ℰ 01 48 00 06 38, Fax 01 48 00 06 38
🍽
fermé sam. et dim. – **Repas** *(165)* - 180 ♀.

XX **Paprika** BX 24
28 av. Trudaine (9e) ℰ 01 44 63 02 91, Fax 01 44 63 09 62
🍽. GB
fermé août et dim. – **Repas** - cuisine hongroise - 75 (déj.), 120/
180 et carte 190 à 330 ♀.

XX **Saintongeais** BX 22
62 r. Fg Montmartre (9e) ℰ 01 42 80 39 92, Fax 01 42 80 39 92
AE ⓪ GB
fermé 15 au 25 août, sam. et dim. – **Repas** 135/168 et carte 170 à 280.

XX **Wally Le Saharien** BX 6
36 r. Rodier (9e) ℰ 01 42 85 51 90, Fax 01 45 86 08 35
🍽. GB. ✗
fermé lundi midi et dim. – **Repas** - cuisine nord-africaine - 155 (déj.), 240/
290 et carte 150 à 240 ♀.

X **Pré Cadet** BY 45
10 r. Saulnier (9e) ℰ 01 48 24 99 64
🍽. AE ⓪ GB
fermé 1er au 8 mai, 1er au 22 août, Noël au Jour de l'An, sam. midi et dim. –
Repas (nombre de couverts limité, prévenir) 150 et carte 200 à 290 ♀.

----- ☶ **Paludier** AX 5

5 r. Clichy (9e) 🕰 01 48 74 32 13, *Fax 01 48 74 32 13*

🗄. **AE** **GB**

fermé sam. et dim. – **Repas** 158/250 bc et carte 170 à 210.

----- ☶ **L'Oenothèque** BX 10

20 r. St-Lazare (9e) 🕰 01 48 78 08 76, *Fax 01 40 16 10 27*

🗄. **AE** **O** **GB**

fermé 9 au 22 août, sam. et dim. – **Repas** 180 et carte 200 à 350 ‼.

----- ☶ **Chez Jean** BX 26

8 r. St-Lazare (9e) 🕰 01 48 78 62 73, *Fax 01 48 78 35 30*

GB

fermé 8 au 15 août, sam. midi et dim. – **Repas** 175 ‼.

----- ☶ **Bistro de Gala** BY 5

45 r. Fg Montmartre (9e) 🕰 01 40 22 90 50, *Fax 01 40 22 90 50*

🗄. **AE** **GB**

fermé dim. – **Repas** 165 ‼.

----- ☶ **I Golosi** BY 9

6 r. Grange Batelière (9e) 🕰 01 48 24 18 63, *Fax 01 45 23 18 96*

« Décor de style vénitien » – 🗄. **GB**

fermé août, sam. soir et dim. – **Repas** - cuisine italienne - carte 150 à 250 ‼.

----- ☶ **Aux Deux Canards** BY 6

8 r. Fg Poissonnière (10e) 🕰 01 47 70 03 23

AE **O** **GB**

fermé 20 juil. au 20 août, sam. midi et dim. – **Repas** carte 160 à 280.

----- ☶ **Bistro des Deux Théâtres** AX 2

18 r. Blanche (9e) 🕰 01 45 26 41 43, *Fax 01 48 74 08 92*

🗄. **AE** **GB**

Repas 169 bc.

----- ☶ **Chez Michel** CX 25

10 r. Belzunce (10e) 🕰 01 44 53 06 20, *Fax 01 44 53 61 31*

GB

fermé août, Noël au jour de l'An, dim. et lundi – **Repas** 180 ‼.

----- ☶ **Casa Olympe** BX 34

48 r. St-Georges (9e) 🕰 01 42 85 26 01, *Fax 01 45 26 49 33*

🗄. **O**. ✂

fermé août et 24 déc. au 2 janv. – **Repas** 190.

----- ☶ **Petite Sirène de Copenhague** AX 9

47 r. N.-D. de Lorette (9e) 🕰 01 45 26 66 66

GB

fermé 27 juil. au 16 août, 25 au 31 janv., dim. et lundi – **Repas** - cuisine danoise - (prévenir) 120 et carte 180 à 270 ‼.

----- ☶ **Relais Beaujolais** BX 18

3 r. Milton (9e) 🕰 01 48 78 77 91

bistrot – **GB**

fermé août, sam. et dim. – **Repas** 150/300 et carte 150 à 220 ‼.

----- ☶ **Petit Batailley** BY 15

26 r. Bergère (9e) 🕰 01 47 70 85 81

AE **O** **GB** **JCB**

fermé 24 juil. au 25 août, 23 déc. au 3 janv., sam. midi, dim. et fériés – **Repas** 150 et carte 180 à 270.

X **L'Alsaco Winstub**   BX 13
10 r. Condorcet (9e) ☎ 01 45 26 44 31
AE **GB**
fermé août, sam. midi et dim. – **Repas** 87 (déj.), 95/190 bc ♀.

X **Chez Catherine**   AY 36
65 r. Provence (9e) ☎ 01 45 26 72 88, *Fax 01 42 80 96 88*
bistrot – **GB**
fermé août, 1er au 10 janv., sam., dim. et fériés – **Repas** carte 170 à 270 ♀.

X **L'Excuse Mogador**   AY 6
21 r. Joubert (9e) ☎ 01 42 81 98 19
GB
fermé août, 24 au 31 déc., lundi soir, vend. soir, sam. et dim. – **Repas** 80 (déj.),
98/100 et carte 100 à 200 ♀.

Bastille - Nation ————————————
Gare de Lyon - Bercy ————————————
Gare d'Austerlitz ————————————
Place d'Italie ————————————

12ᵉ et 13ᵉ arrondissements

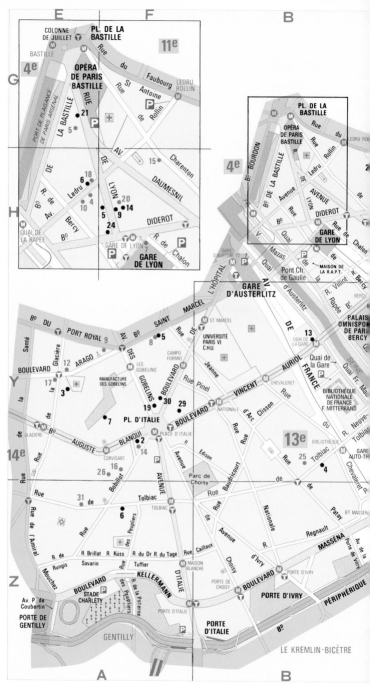

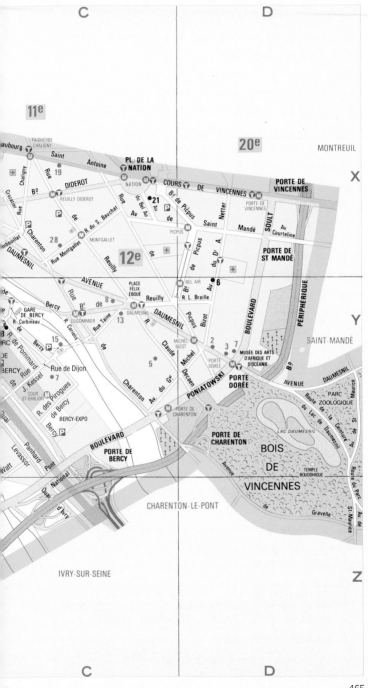

Holiday Inn Bastille — FH 5
11 r. Lyon (12e) ℘ 01 53 02 20 00, *Fax 01 53 02 20 01*
Ⓜ – ⬆, ▤ ch, 📺 ☎ 📞 – ⅍ 80. AE ① GB JCB
⬜ 80 – **125 ch** 890/1130.

Novotel Bercy — CY 2
85 r. Bercy (12e) ℘ 01 43 42 30 00, *Fax 01 43 45 30 60*
Ⓜ, 🍴 – ⬆ ⤢ ▤ 📺 ☎ 📞 ♿ 🚗 – ⅍ 80. AE ① GB
Repas *(99)* - carte environ 160, enf. 50 – ⬜ 72 – **129 ch** 860/910.

Holiday Inn Tolbiac — BY 4
21 r. Tolbiac (13e) ℘ 01 45 84 61 61, *Fax 01 45 84 43 38*
Ⓜ sans rest – ⬆ ⤢ ▤ 📺 ☎ 📞 – ⅍ 25. AE ① GB JCB
⬜ 70 – **71 ch** 970.

Mercure Pont de Bercy — BY 13
6 bd Vincent Auriol (13e) ℘ 01 45 82 48 00, *Fax 01 45 82 19 16*
Ⓜ sans rest – ⬆ ▤ 📺 ☎ 📞 ♿ – ⅍ 60. AE ① GB JCB
⬜ 65 – **90 ch** 990.

Mercure Blanqui — AY 2
25 bd Blanqui (13e) ℘ 01 45 80 82 23, *Fax 01 45 81 45 84*
Ⓜ sans rest – ⬆ ⤢ ▤ 📺 ☎ 📞 ♿. AE ① GB JCB
⬜ 60 – **50 ch** 950.

Pavillon Bastille — EG 21
65 r. Lyon (12e) ℘ 01 43 43 65 65, *Fax 01 43 43 96 52*
Ⓜ sans rest, « Élégant décor contemporain » – ⬆ ⤢ ▤ 📺 ☎ 📞 ♿. AE ①
GB JCB
⬜ 70 – **24 ch** 815/955.

Paris Bastille — EG 27
67 r. Lyon (12e) ℘ 01 40 01 07 17, *Fax 01 40 01 07 27*
Ⓜ sans rest – ⬆ ▤ 📺 ☎ ♿ – ⅍ 25. AE ① GB JCB
⬜ 75 – **37 ch** 800/1000.

Nation — DY 6
33 av. Dr A. Netter (12e) ℘ 01 40 04 90 90, *Fax 01 40 04 99 20*
Ⓜ sans rest – ⬆ ⤢ ▤ 📺 ☎ 🚗. AE ① GB
⬜ 75 – **49 ch** 905.

Ibis Gare de Lyon — EH 6
43 av. Ledru-Rollin (12e) ℘ 01 53 02 30 30, *Fax 01 53 02 30 31*
Ⓜ sans rest – ⬆ ⤢ 📺 ☎ 📞 ♿ 🚗 – ⅍ 25. AE ① GB
⬜ 39 – **119 ch** 450/460.

Relais de Lyon — BX 23
64 r. Crozatier (12e) ℘ 01 43 44 22 50, *Fax 01 43 41 55 12*
sans rest – ⬆ 📺 ☎ 🚗. AE ① GB. ⌺
⬜ 40 – **34 ch** 350/480.

Relais Mercure Bercy — CY 18
77 r. Bercy (12e) ℘ 01 53 46 50 50, *Fax 01 53 46 50 99*
Ⓜ, 🍴 – ⬆ ⤢ ▤ rest, 📺 ☎ 📞 ♿ 🚗 – ⅍ 160. AE ① GB JCB
Repas *(69)* - 98/130 ⌺, enf. 45 – ⬜ 50 – **364 ch** 605/635.

Résidence Vert Galant — AY 7
43 r. Croulebarbe (13e) ℘ 01 44 08 83 50, *Fax 01 44 08 83 69*
🍃 sans rest – 📺 ☎ 📞. AE ① GB. ⌺
⬜ 40 – **15 ch** 400/500.

🏛 **Slavia**　　　　　　　　　　　　　　　　　　　　　　　AY 5
51 bd St-Marcel (13ᵉ) 🕻 01 43 37 81 25, *Fax 01 45 87 05 03*
sans rest – 🛗 📺 ☎ 📞. 🄰🄴 ⓄⒹ 🅶🅱 🄹🄲🄱. ⚒
🛏 38 – **37 ch** 365/400, 6 appart.

🏛 **Terminus-Lyon**　　　　　　　　　　　　　　　　　　　FH 24
19 bd Diderot (12ᵉ) 🕻 01 43 43 24 03, *Fax 01 43 44 09 00*
sans rest – 🛗 📺 ☎. 🄰🄴 ⓄⒹ 🅶🅱 🄹🄲🄱. ⚒
🛏 48 – **60 ch** 530/580.

🏨 **Manufacture**　　　　　　　　　　　　　　　　　　　　AY 19
8 r. Philippe de Champagne (13ᵉ) 🕻 01 45 35 45 25, *Fax 01 45 35 45 40*
Ⓜ sans rest – 🛗 ▤ 📺 ☎ 📞. 🅶🅱
🛏 42 – **57 ch** 420/750.

🏨 **Ibis Place d'Italie**　　　　　　　　　　　　　　　　　AY 29
25 av. Stephen Pichon (13ᵉ) 🕻 01 44 24 94 85, *Fax 01 44 24 20 70*
Ⓜ sans rest – 🛗 ✼ 📺 ☎ 📞 ♿. 🄰🄴 ⓄⒹ 🅶🅱
🛏 40 – **58 ch** 420/460.

🏨 **Ibis Italie Tolbiac**　　　　　　　　　　　　　　　　　AZ 6
177 r. Tolbiac (13ᵉ) 🕻 01 45 80 16 60, *Fax 01 45 80 95 80*
Ⓜ sans rest – 🛗 ✼ 📺 ☎ 📞 ♿. 🄰🄴 ⓄⒹ 🅶🅱
🛏 39 – **60 ch** 390/430.

🏨 **Touring H. Magendie**　　　　　　　　　　　　　　　　AY 3
6 r. Corvisart 🕻 01 43 36 13 61, *Fax 01 43 36 47 48*
Ⓜ sans rest – 🛗 📺 ☎ ♿ 🚗 – 🏛 30. 🅶🅱
🛏 26 – **112 ch** 340/390.

🏨 **Nouvel H.**　　　　　　　　　　　　　　　　　　　　　CX 21
24 av. Bel Air (12ᵉ) 🕻 01 43 43 01 81, *Fax 01 43 44 64 13*
sans rest – 📺 ☎ 📞. 🄰🄴 ⓄⒹ 🅶🅱
🛏 42 – **28 ch** 370/570.

🏨 **Arts**　　　　　　　　　　　　　　　　　　　　　　　AY 30
8 r. Coypel (13ᵉ) 🕻 01 47 07 76 32, *Fax 01 43 31 18 09*
sans rest – 🛗 📺 ☎. 🄰🄴 ⓄⒹ 🅶🅱 🄹🄲🄱. ⚒
🛏 30 – **37 ch** 285/360.

🏨 **Viator**　　　　　　　　　　　　　　　　　　　　　　FH 9
1 r. Parrot (12ᵉ) 🕻 01 43 43 11 00, *Fax 01 43 43 10 89*
sans rest – 🛗 📺 ☎. 🄰🄴 🅶🅱. ⚒
🛏 35 – **45 ch** 330/380.

🍴🍴🍴 **Au Pressoir** (Seguin)　　　　　　　　　　　　　DY 2
❀　257 av. Daumesnil (12ᵉ) 🕻 01 43 44 38 21, *Fax 01 43 43 81 77*
▤. 🄰🄴 🅶🅱 🄹🄲🄱
fermé août, sam. et dim. – **Repas** carte 390 à 510
Spéc. Millefeuille de champignons aux truffes. Filets de rougets rôtis, aubergines et citron. Lièvre à la royale (oct.-nov.).

🍴🍴🍴 **Train Bleu**　　　　　　　　　　　　　　　　　　FH 7
Gare de Lyon (12ᵉ) 🕻 01 43 43 09 06, *Fax 01 43 43 97 96*
brasserie, « Cadre 1900 - fresques évoquant le voyage de Paris à la Méditerra-
née » – 🄰🄴 ⓄⒹ 🅶🅱 🄹🄲🄱
Repas (1ᵉʳ étage) 250 bc et carte 220 à 460, enf. 75.

XXX **L'Oulette** CY 15
15 pl. Lachambeaudie (12e) ℘ 01 40 02 02 12, *Fax 01 40 02 04 77*
🏠 – AE ⓞ GB
fermé sam. midi et dim. – **Repas** 165/250 bc et carte 290 à 340 ♈.

XX **Au Trou Gascon** CY 13
❀ 40 r. Taine (12e) ℘ 01 43 44 34 26, *Fax 01 43 07 80 55*
▤ AE ⓞ GB JCB
fermé août, Noël au Jour de l'An, sam. midi et dim. – **Repas** (nombre de
couverts limité, prévenir) 200 (déj.)/320 bc et carte 290 à 380
Spéc. Chipirons sautés ''façon pibale'' (juin à sept.). Petit pâté chaud de cèpes
au jus de persil (saison). Volaille de Chalosse rôtie, jus clair.

XX **Frégate** EH 4
30 av. Ledru-Rollin (12e) ℘ 01 43 43 90 32
▤ GB
fermé août, sam. et dim. – **Repas** - produits de la mer - 160/
320 et carte 290 à 400 ♈.

XX **Gourmandise** DY 3
271 av. Daumesnil (12e) ℘ 01 43 43 94 41, *Fax 01 43 43 94 41*
AE GB JCB
fermé 2 au 10 mai, 1er au 23 août, lundi soir et dim. – **Repas** (130) - 170/
199 bc et carte 260 à 380, enf. 90.

XX **Petit Marguery** AY 9
9 bd. Port-Royal (13e) ℘ 01 43 31 58 59
bistrot – AE ⓞ GB
fermé août, 24 déc. au 3 janv., dim. et lundi – **Repas** 165 (déj.)/215 ♈.

XX **Traversière** FH 15
🐌 40 r. Traversière (12e) ℘ 01 43 44 02 10, *Fax 01 43 44 64 20*
AE ⓞ GB JCB
fermé août, dim. soir et lundi – Repas (100) - 120 (déj.)/170 et carte 260 à
340 ♈, enf. 70.

XX **Les Marronniers** AY 17
53 bis bd Arago (13e) ℘ 01 47 07 58 57
▤ GB
fermé août, dim. soir et lundi – **Repas** 155 et carte 180 à 350 ♈.

XX **Sologne** CY 8
164 av. Daumesnil (12e) ℘ 01 43 07 68 97, *Fax 01 43 44 66 23*
▤ AE GB
fermé sam. midi et dim. – **Repas** 165 et carte 200 à 370.

X **Bistrot de la Porte Dorée** DY 7
5 bd Soult (12e) ℘ 01 43 43 80 07, *Fax 01 43 42 32 66*
▤ GB
Repas 185.

X **Jean-Pierre Frelet** CX 28
🐌 25 r. Montgallet (12e) ℘ 01 43 43 76 65
▤ GB
fermé août, sam. midi et dim. – Repas (98) - 140 (dîner seul.)et carte 170 à 250.

※ **Quincy**   EH 10
28 av. Ledru-Rollin (12e) ℘ 01 46 28 46 76, *Fax 01 46 28 46 76*
bistrot – 🍽
fermé 15 août au 15 sept., 15 au 28 fév., sam., dim. et lundi – **Repas** carte 220 à 420.

※ **L'Escapade en Touraine**   FH 20
24 r. Traversière (12e) ℘ 01 43 43 14 96
ⒼⒷ
fermé août, sam., dim. et fériés – **Repas** 110/140 et carte 150 à 300.

※ **Anacréon**   AY 8
53 bd St-Marcel (13e) ℘ 01 43 31 71 18, *Fax 01 43 31 94 94*
🍽. ⒶⒺ ⓪ ⒼⒷ ⒿⒸⒷ
fermé août, 8 au 14 mars, dim. et lundi – Repas *(150)* - 120 (déj.)/180.

※ **Chez Jacky**   BY 25
109 r. du Dessous-des-Berges (13e) ℘ 01 45 83 71 55, *Fax 01 45 86 57 73*
🍽. ⒼⒷ
fermé août, sam. et dim. – **Repas** 188 et carte 220 à 360 ⌾.

※ **Temps des Cerises**   CX 19
216 r. Fg St-Antoine (12e) ℘ 01 43 67 52 08, *Fax 01 43 67 60 91*
🍽. ⒶⒺ ⓪ ⒼⒷ ⒿⒸⒷ
fermé 9 au 16 août et lundi – **Repas** 100/230 et carte 210 à 330 ⌾.

※ **L'Avant Goût**   AY 14
26 r. Bobillot (13e) ℘ 01 53 80 24 00
bistrot – ⒼⒷ
fermé 1er au 23 août, 2 au 10 janv., dim. et lundi – Repas (nombre de couverts limité, prévenir) *(59 bc)* - 135/180 ⌾.

※ **A la Biche au Bois**   EH 18
45 av. Ledru-Rollin (12e) ℘ 01 43 43 34 38
ⒶⒺ ⓪ ⒼⒷ
fermé mi-juil. à mi-août, Noël au Jour de l'An, sam. et dim. – Repas 110/125 et carte 120 à 220 ⌾.

※ **St-Amarante**   EG 5
4 r. Biscornet (12e) ℘ 01 43 43 00 08, *Fax 01 45 35 57 48*
bistrot – ⒼⒷ
fermé 24 juil. au 24 août, dim. et lundi – **Repas** (nombre de couverts limité, prévenir) carte 150 à 220 ⌾.

※ **Chez Françoise**   AY 16
12 r. Butte aux Cailles (13e) ℘ 01 45 80 12 02, *Fax 01 45 65 13 67*
bistrot – ⒶⒺ ⓪ ⒼⒷ ⒿⒸⒷ, ✲
fermé 5 août au 1er sept., 25 déc. au 2 janv. et dim. – **Repas** 69/146 et carte 120 à 300 ⌾.

※ **Rhône**   AY 12
40 bd Arago (13e) ℘ 01 47 07 33 57
☂ – ⒼⒷ
fermé août, sam., dim. et fêtes – **Repas** 75/115 et carte 140 à 240.

※ **Chez Paul**   AY 26
22 r. Butte aux Cailles (13e) ℘ 01 45 89 22 11
bistrot – ⒼⒷ. ✲
Repas carte 170 à 250.

✕ **Michel**   AZ 31
20 r. Providence (13ᵉ) ℘ 01 45 89 99 27, *Fax 01 45 89 99 27*
⊕⊟
fermé 8 au 29 août et dim. – **Repas** *(105)* - 120/195 et carte 230 à 360 ℤ.

✕ **Les Zygomates**   CY 5
7 r. Capri (12ᵉ) ℘ 01 40 19 93 04, *Fax 01 44 73 46 63*
bistrot – ⊕⊟. ⊗
fermé août, sam. midi et dim. – **Repas** 80 (déj.)/130 et carte 160 à 230.

Montparnasse ────────────
Denfert-Rochereau - Alésia ──────
Porte de Versailles ──────────
Vaugirard - Beaugrenelle ──────

14ᵉ et 15ᵉ arrondissements

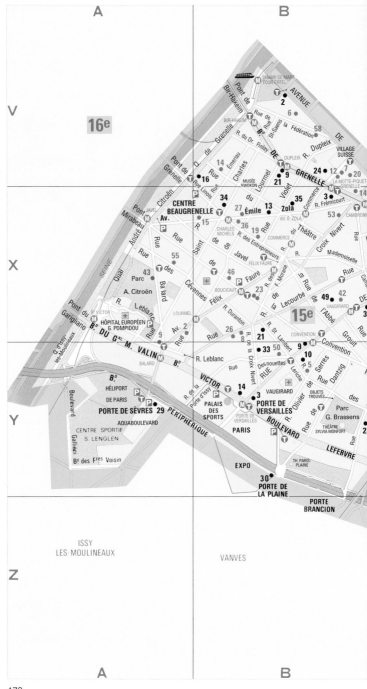

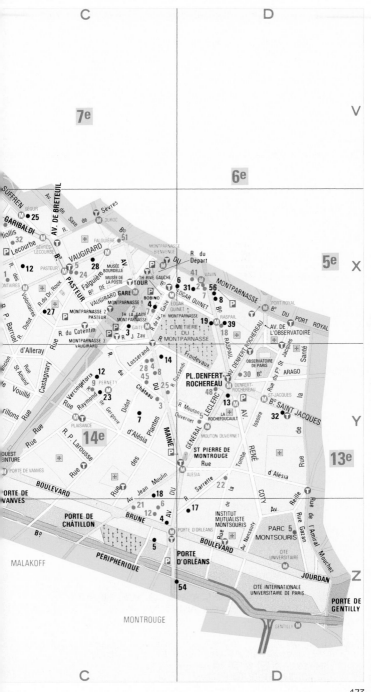

C   D

7e

V

6e

5e   X

SUFFREN

SÉGUR ● **25** Ⓜ

GARIBALDI

iollis   ● **32**

Ⓟ Lecourbe

SÈVRES LECOURBE Ⓜ Sèvres de Saxe Ⓜ DUROC

● **12** Ⓜ PASTEUR ● **5** FALGUÈRE ● **51**

R. des ONTAIRES

VAUGIRARD

R. de Vaugirard

PASTEUR Falguière Ⓜ **28** MUSÉE BOURDELLE

24 MUSÉE DE LA POSTE Ⓜ **TOUR**

Ⓜ **BOBINO**

R. Volontaires R. du Dr. Roux

R. P. Barrault Dutot R. Dutot

● **27** MONTPARNASSE 2 PASTEUR

R. du Cotentin

VAUGIRARD GARE Montparnasse ● **4**

Ⓟ MONTPARNASSE 3 VAUGIRARD

Ⓟ **TH LA GAÎTÉ MONTPARNASSE** GAÎTÉ

Ⓟ ● **3** R J Zay

MONTPARNASSE BIENVENÜE Ⓜ

R du Départ

AV. DE BRETEUIL

AV. DE BRETEUIL

TH RIVE GAUCHE Bᵈ ● **6** ● **41** VAVIN **MONTPARNASSE**

EDGAR QUINET ● **31** ● **2** ● **56**

EDGAR QUINET ● **8**

Ⓜ ● **19** **39** Bᵈ RASPAIL PORT ROYAL

CIMETIÈRE DU MONTPARNASSE ● **18**

R MONTPARNASSE

AV. DU PORT ROYAL

AV. DE L'OBSERVATOIRE

OBSERVATOIRE DE PARIS Ⓜ

Bᵈ ARAGO

ST-JACQUES R. du Fᵍ St Jacques Santé

● **30** Bᵈ

d'Alleray

R. du Château

Losserand ● **14**

● **28** ● **4**

45 ● **8**

● **9** PERNETY

Vercingétorix

R. Raymond ● **23**

● **12**

● **25**

Château ● **3**

Gassendi

Froidevaux

PL. DENFERT-ROCHEREAU

DENFERT-ROCHEREAU Ⓜ

R. Mouton ● **13** Ⓟ

Duvernet LA ROCHEFOUCAULD

Ⓜ Bᵈ **SAINT JACQUES**

● **32** Ⓜ

Issoire de la

ancien St Amand

le Vouillé Castagnary

rillons Rue Rue

R. de Gergovie

● **7**

d'Alésia

R. P. Larousse

14e

MAINE

Plantes

GÉNÉRAL LECLERC

AV. RENÉ

Mouton Duvernet

ST PIERRE DE MONTROUGE Rue

d'Alésia

la

Tombe

● **22**

COTY

Rue de l'Amiral Mouchez

Rue Gazan

13e   Y

OUEST CEINTURE Ⓜ PORTE DE VANVES

des

Rue Moulin

ALÉSIA

Ⓟ

● **17**

Sarrette

R.

INSTITUT MUTUALISTE MONTSOURIS

BOULEVARD

Rue de Nansouty

PORTE DE VANVES

BOULEVARD BRUNE

Av. Jean Moulin

● **18**

● **21** ● **6**

12 ● **4** AV. DU

Ⓜ PORTE D'ORLÉANS

PARC MONTSOURIS ● **5**

CITÉ UNIVERSITAIRE Ⓜ

PORTE DE CHÂTILLON

Bᵈ

● **5**

Ⓟ

PORTE D'ORLÉANS

BOULEVARD

JOURDAN Ⓜ

MALAKOFF

PÉRIPHÉRIQUE

● **54**

CITÉ INTERNATIONALE UNIVERSITAIRE DE PARIS

PORTE DE GENTILLY

MONTROUGE

GENTILLY Ⓜ

C   D

Hilton　　　　　　　　　　　　　　　　　　　　　　　　　　BV 2
18 av. Suffren (15e) ℰ 01 44 38 56 00, *Fax 01 44 38 56 10*
🏤 – 🛗 ⇔ 🗐 📺 ☎ 📞 ఉ ⌷ – ⚗ 400. 🆎 ⓪ 🆚 ᴶᴄᴮ
Pacific Eiffel : Repas *(128)* 170 et carte 190 à 350, ♀, enf. 75 – 🍵 140 – **453 ch**
2000/2650, 9 appart.

Nikko　　　　　　　　　　　　　　　　　　　　　　　　　BV 16
61 quai Grenelle (15e) ℰ 01 40 58 20 00, *Fax 01 40 58 24 44*
Ⓜ, ≼, ℻, 🔲 – 🛗 ⇔ 🗐 📺 ☎ 📞 ఉ ⌷ – ⚗ 600. 🆎 ⓪ 🆚 ᴶᴄᴮ
voir rest. *Les Célébrités* ci-après
Brasserie Pont Mirabeau : Repas 180 ♀, enf. 85
Benkay cuisine japonaise **Repas** 145(déj.) et carte 230 à 420 – 🍵 110 –
755 ch 1900/2700, 9 appart.

Sofitel Forum Rive Gauche　　　　　　　　　　　　　DY 32
17 bd St-Jacques (14e) ℰ 01 40 78 79 80, *Fax 01 45 88 43 93*
Ⓜ, centre de conférences, ℻ – 🛗 ⇔ 🗐 📺 ☎ 📞 ఉ ⌷ – ⚗ 25 à 1 200.
🆎 ⓪ 🆚 ᴶᴄᴮ
Café Français (déj. seul.) *(fermé 24 juil. au 22 août, sam. et dim.)* Repas 169 ♀
La Table et la Forme (menu basses calories) *(fermé 17 juil. au 15 août)* Repas
(85)- carte 160 à 210, ⅃
– *Patio* *(déj. seul.)* **Repas** 135, ♀, enf. 51 – 🍵 115 – **772 ch** 1300/1550,
13 appart.

Sofitel Porte de Sèvres　　　　　　　　　　　　　　　AY 29
8 r. L. Armand (15e) ℰ 01 40 60 30 30, *Fax 01 45 57 04 22*
Ⓜ, ≼, ℻, 🔲 – 🛗 ⇔ 🗐 📺 ☎ 📞 ఉ ⌷ – ⚗ 450. 🆎 ⓪ 🆚 ᴶᴄᴮ
voir rest. *Relais de Sèvres* ci-après
Brasserie : Repas *(110)-*140 ♀, enf.60 – 🍵 100 – **524 ch** 1600/2200, 14 appart.

Méridien Montparnasse　　　　　　　　　　　　　　　CX 3
19 r. Cdt Mouchotte (14e) ℰ 01 44 36 44 36, *Fax 01 44 36 49 00*
≼, 🏤 – 🛗 ⇔ 🗐 📺 ☎ 📞 ఉ – ⚗ 25. 🆎 ⓪ 🆚 ᴶᴄᴮ
voir rest. *Montparnasse 25* ci-après
Justine ℰ 01 44 36 44 00, fax 01 44 36 49 03 **Repas** 160/340 ♀, enf. 110 –
🍵 120 – **916 ch** 2400/2600, 37 appart.

Novotel Porte d'Orléans　　　　　　　　　　　　　　DZ 54
15-19 bd R. Rolland (14e) ℰ 01 41 17 26 00, *Fax 01 41 17 26 26*
Ⓜ – 🛗 ⇔ 🗐 📺 ☎ 📞 ఉ ⌷ – ⚗ 100. 🆎 ⓪ 🆚
Repas *(96)* -134 ♀, enf. 50 – 🍵 70 – **150 ch** 780/1200.

Novotel Vaugirard　　　　　　　　　　　　　　　　　BX 37
257 r. Vaugirard (15e) ℰ 01 40 45 10 00, *Fax 01 40 45 10 10*
Ⓜ, 🏤, ℻ – 🛗 ⇔ 🗐 📺 ☎ 📞 ఉ ⌷ – ⚗ 300. 🆎 ⓪ 🆚 ᴶᴄᴮ
Transatlantique : Repas *(125)-*175, ♀, enf. 50 – 🍵 75 – **184 ch** 1025/1100,
3 appart.

Mercure Montparnasse　　　　　　　　　　　　　　　CX 4
20 r. Gaîté (14e) ℰ 01 43 35 28 28, *Fax 01 43 27 98 64*
Ⓜ – 🛗 ⇔, 🗐 rest, 📺 ☎ 📞 ఉ ⌷ – ⚗ 50. 🆎 ⓪ 🆚 ᴶᴄᴮ
Bistrot de la Gaîté : Repas *(96)-*135/180 ♀, enf. 55 – 🍵 78 – **181 ch** 1120,
4 appart.

L'Aiglon　　　　　　　　　　　　　　　　　　　　　　　DX 19
232 bd Raspail (14e) ℰ 01 43 20 82 42, *Fax 01 43 20 98 72*
sans rest – 🛗 📺 ☎. 🆎 ⓪ 🆚 ᴶᴄᴮ
🍵 40 – **38 ch** 610/780, 9 appart.

🏨 **Mercure Porte de Versailles** BY **14**
69 bd Victor (15e) ☎ 01 44 19 03 03, *Fax 01 48 28 22 11*
Ⓜ – 🛗 ⇔ ▤ 📺 ☎ 📞 ♿ 🚗 – 🔏 250. 🄰🄴 ⓪ 🄶🄱
Repas 115/170 ♈ – 🖙 80 – **91 ch** 1500/1600.

🏨 **Mercure Tour Eiffel** BV **9**
64 bd Grenelle (15^e) ☎ 01 45 78 90 90, *Fax 01 45 78 95 55*
Ⓜ sans rest – 🛗 ⇔ 📺 ☎ 📞 ♿ 🚗 – 🔏 25. 🄰🄴 ⓪ 🄶🄱 🄹🄲🄱
🖙 72 – **76 ch** 990.

🏨 **Raspail Montparnasse** DX **56**
203 bd Raspail (14^e) ☎ 01 43 20 62 86, *Fax 01 43 20 50 79*
sans rest – 🛗 ▤ 📺 ☎ 📞. 🄰🄴 ⓪ 🄶🄱 🄹🄲🄱. 🕸
🖙 50 – **38 ch** 520/890.

🏨 **Lenox Montparnasse** DX **31**
15 r. Delambre (14^e) ☎ 01 43 35 34 50, *Fax 01 43 20 46 64*
sans rest – 🛗 📺 ☎. 🄰🄴 ⓪ 🄶🄱 🄹🄲🄱
🖙 50 – **46 ch** 560/690, 6 appart.

🏨 **Bailli de Suffren** CX **25**
149 av. Suffren (15^e) ☎ 01 47 34 58 61, *Fax 01 45 67 75 82*
sans rest – 🛗 ⇔ 📺 ☎ 📞. 🄰🄴 ⓪ 🄶🄱 🄹🄲🄱. 🕸
🖙 65 – **25 ch** 685/815.

🏨 **Delambre** DX **6**
35 r. Delambre (14^e) ☎ 01 43 20 66 31, *Fax 01 45 38 91 76*
Ⓜ sans rest – 🛗 📺 ☎ 📞 ♿. 🄰🄴 🄶🄱
🖙 45 – **30 ch** 460/550.

🏨 **Apollinaire** CX **8**
39 r. Delambre (14^e) ☎ 01 43 35 18 40, *Fax 01 43 35 30 71*
sans rest – 🛗 📺 ☎. 🄰🄴 ⓪ 🄶🄱
🖙 45 – **36 ch** 585/680.

🏨 **Tour Eiffel Dupleix** BV **21**
11 r. Juge (15e) ☎ 01 45 78 29 29, *Fax 01 45 78 60 00*
Ⓜ sans rest – 🛗 ⇔ 📺 ☎ 📞. 🄰🄴 ⓪ 🄶🄱 🄹🄲🄱
🖙 43 – **40 ch** 490/690.

🏨 **Mercure Paris XV** BX **21**
6 r. St-Lambert (15e) ☎ 01 45 58 61 00, *Fax 01 45 54 10 43*
Ⓜ sans rest – 🛗 ⇔ 📺 ☎ 📞 ♿ 🚗 – 🔏 30. 🄰🄴 ⓪ 🄶🄱
🖙 60 – **56 ch** 695/730.

🏨 **Alizé Grenelle** BX **13**
87 av. É. Zola (15e) ☎ 01 45 78 08 22, *Fax 01 40 59 03 06*
sans rest – 🛗 📺 ☎ 📞. 🄰🄴 ⓪ 🄶🄱 🄹🄲🄱
🖙 45 – **50 ch** 530/570.

🏨 **Orléans Palace Hôtel** CZ **5**
185 bd Brune (14e) ☎ 01 45 39 68 50, *Fax 01 45 43 65 64*
sans rest – 🛗 📺 ☎ – 🔏 25. 🄰🄴 ⓪ 🄶🄱 🄹🄲🄱
🖙 55 – **92 ch** 660/810.

🏨 **Alésia Montparnasse** CY **23**
84 r. R. Losserand (14e) ☎ 01 45 42 16 03, *Fax 01 45 42 11 60*
sans rest – 🛗 ⇔ 📺 ☎ 📞. 🄰🄴 ⓪ 🄶🄱 🄹🄲🄱
🖙 45 – **45 ch** 520/580.

🏨 **Abaca Messidor** BY **9**
330 r. Vaugirard (15e) ☎ 01 48 28 03 74, *Fax 01 48 28 75 17*
sans rest, 🌳 – 🛗 ⇔ ▤ 📺 ☎ 📞. 🄰🄴 ⓪ 🄶🄱
🖙 70 – **72 ch** 545/890.

🏨 **Beaugrenelle St-Charles**   BX 34
82 r. St-Charles (15e) ℘ 01 45 78 61 63, *Fax 01 45 79 04 38*
sans rest – 🛗 📺 ☎ 📞. 🆎 ⓪ ⒢⒝ ⒥⒞⒝
🖵 45 – **51 ch** 500/570.

🏨 **Arès**   BV 24
7 r. Gén. de Larminat (15e) ℘ 01 47 34 74 04, *Fax 01 47 34 48 56*
sans rest – 🛗 📺 ☎ 📞. 🆎 ⓪ ⒢⒝ ⒥⒞⒝
🖵 45 – **42 ch** 550/850.

🏨 **Versailles**   BY 33
213 r. Croix-Nivert (15e) ℘ 01 48 28 48 66, *Fax 01 45 30 16 22*
sans rest – 🛗 📺 ☎. 🆎 ⓪ ⒢⒝
🖵 50 – **41 ch** 495/690.

🏨 **Terminus Vaugirard**   BY 3
403 r. Vaugirard (15e) ℘ 01 48 28 18 72, *Fax 01 48 28 56 34*
sans rest – 🛗 ✢ 📺 ☎ – 🏛 25. ⒢⒝. ✗
fermé 17 au 26 déc.
🖵 50 – **90 ch** 550/700.

🏨 **Daguerre**   CY 14
94 r. Daguerre (14e) ℘ 01 43 22 43 54, *Fax 01 43 20 66 84*
Ⓜ sans rest – 🛗 📺 ☎ 📞 ♿. 🆎 ⓪ ⒢⒝ ⒥⒞⒝. ✗
🖵 42 – **30 ch** 420/650.

🏨 **Lilas Blanc**   BX 3
5 r. Avre (15e) ℘ 01 45 75 30 07, *Fax 01 45 78 66 65*
Ⓜ sans rest – 🛗 ✢ 📺 ☎. 🆎 ⓪ ⒢⒝
🖵 35 – **32 ch** 380/455.

🏨 **Ibis Brancion**   BY 23
105 r. Brancion (15e) ℘ 01 42 50 86 00, *Fax 01 42 50 99 63*
Ⓜ sans rest – 🛗 ✢ 📺 ☎ 📞 ♿. 🆎 ⓪ ⒢⒝
🖵 39 – **71 ch** 410/450.

🏨 **Acropole**   CZ 4
199 bd Brune (14e) ℘ 01 45 39 64 17, *Fax 01 45 42 18 21*
sans rest – 🛗 📺 ☎. 🆎 ⓪ ⒢⒝. ✗
🖵 30 – **43 ch** 356/402.

🏨 **Sèvres-Montparnasse**   CX 28
153 r. Vaugirard (15e) ℘ 01 47 34 56 75, *Fax 01 40 65 01 86*
sans rest – 🛗 📺 ☎. 🆎 ⓪ ⒢⒝. ✗
🖵 40 – **35 ch** 420/540.

🏨 **Istria**   DX 39
29 r. Campagne Première (14e) ℘ 01 43 20 91 82, *Fax 01 43 22 48 45*
sans rest – 🛗 📺 ☎ 📞. 🆎 ⓪ ⒢⒝ ⒥⒞⒝. ✗
🖵 40 – **26 ch** 500/600.

🏨 **Lion**   DY 13
1 av. Gén. Leclerc (14e) ℘ 01 40 47 04 00, *Fax 01 43 20 38 18*
sans rest – 🛗 ✢ 📺 ☎. 🆎 ⓪ ⒢⒝ ⒥⒞⒝
🖵 40 – **33 ch** 390/570.

🏨 **Apollon Montparnasse**   CY 12
91 r. Ouest (14e) ℘ 01 43 95 62 00, *Fax 01 43 95 62 10*
sans rest – 🛗 📺 ☎ 📞. 🆎 ⓪ ⒢⒝ ⒥⒞⒝
🖵 35 – **33 ch** 395/470.

🏨 **Ariane Montparnasse** CY 7
35 r. Sablière (14e) ℰ 01 45 45 67 13, *Fax 01 45 45 39 49*
sans rest – 🛗 ✂ 📺 ☎ 📞. 🆎 ⓪ ☺ Ⓙⓒⓑ
☕ 38 – **30 ch** 395/460.

🏨 **Carladez Cambronne** BX 7
3 pl. Gén. Beuret (15e) ℰ 01 47 34 07 12, *Fax 01 40 65 95 68*
sans rest – 🛗 📺 ☎ 📞. 🆎 ⓪ ☺ Ⓙⓒⓑ
☕ 38 – **26 ch** 395/445.

🏨 **Parc** DZ 17
60 r. Beaunier (14e) ℰ 01 45 40 77 02, *Fax 01 45 40 81 99*
sans rest – 🛗 📺 ☎. 🆎 ☺ Ⓙⓒⓑ
☕ 35 – **24 ch** 360/395.

🏨 **Modern Hôtel Val Girard** BX 49
14 r. Pétel (15e) ℰ 01 48 28 53 96, *Fax 01 48 28 69 94*
sans rest – 🛗 📺 ☎. 🆎 ☺ Ⓙⓒⓑ
☕ 35 – **39 ch** 400/480.

🏨 **Châtillon Hôtel.** CY 18
11 square Châtillon (14e) ℰ 01 45 42 31 17, *Fax 01 45 42 72 09*
sans rest – 🛗 📺 ☎. ☺. ✂
☕ 35 – **31 ch** 335/450.

🏨 **Aberotel** CX 12
24 r. Blomet (15e) ℰ 01 40 61 70 50, *Fax 01 40 61 08 31*
sans rest – 🛗 ✂ 📺 ☎ 📞 ♿. 🆎 ⓪ ☺ Ⓙⓒⓑ
☕ 50 – **28 ch** 450/750.

🏨 **de la Paix** DX 8
225 bd Raspail (14e) ℰ 01 43 20 35 82, *Fax 01 43 35 32 63*
sans rest – 🛗 📺 ☎ 📞. 🆎 ☺. ✂
☕ 35 – **39 ch** 420/540.

🏨 **Fondary** BX 35
30 r. Fondary (15e) ℰ 01 45 75 14 75, *Fax 01 45 75 84 42*
sans rest – 🛗 📺 ☎. 🆎 ☺
☕ 38 – **20 ch** 390/425.

🏨 **Résidence St-Lambert** BY 10
5 r. E. Gibez (15e) ℰ 01 48 28 63 14, *Fax 01 45 33 45 50*
sans rest – 🛗 📺 ☎. 🆎 ⓪ ☺ Ⓙⓒⓑ
☕ 42 – **48 ch** 490/590.

🏨 **Pasteur** CX 27
33 r. Dr Roux (15e) ℰ 01 47 83 53 17, *Fax 01 45 66 62 39*
sans rest – 🛗 📺 ☎. ☺
fermé août
☕ 40 – **19 ch** 315/450.

XXXX **Les Célébrités** - Hôtel Nikko BV 16
✿ 61 quai Grenelle (15e) ℰ 01 40 58 20 00, *Fax 01 40 58 24 44*
≼ – ☰. 🆎 ⓪ ☺ Ⓙⓒⓑ
fermé août – **Repas** 290/420 et carte 340 à 630
Spéc. Galantine de volaille de Bresse au foie gras. Tronçon de turbot de
St-Guénolé rôti. Epaule d'agneau de Lozère confite.

177

XXXX **Montparnasse 25** - Hôtel Méridien Montparnasse   CX 3
     ❀ 19 r. Cdt Mouchotte (14e) ✆ 01 44 36 44 25, *Fax 01 44 36 49 03*
       🍴 **P** AE ① GB JCB ❄
       fermé août, 20 au 30 déc., sam., dim. et fériés – **Repas** 240 (déj.), 300/
       390 et carte 350 à 500 ⌾
       Spéc. Lapin du Poitou et foie gras en fine gelée. Blanc de Saint-Pierre doré
       aux épices, marinière de petits coquillages. Noix de ris de veau rôti au parfum
       d'arabica.

XXXX **Relais de Sèvres** - Hôtel Sofitel Porte de Sèvres   AY 29
     ❀ 8 r. L. Armand (15e) ✆ 01 40 60 30 30, *Fax 01 40 57 04 22*
       AE ① GB JCB ❄
       fermé 24 juil. au 22 août, 24 déc. au 2 janv., sam., dim. et fériés – **Repas**
       250/385 bc et carte 310 à 400
       Spéc. Galette croustillante de champignons et rillons. Fricassée de filets de
       sole à la ventrèche, jus de poulet et son risotto. Gros macaron au pralin,
       sorbet cacao.

XXX **Morot Gaudry**   BV 20
     6 r. Cavalerie (15e) (8e étage) ✆ 01 45 67 06 85, *Fax 01 45 67 55 72*
     ≤, 🏛 – ⏐🕻 🍴, AE ① GB
     fermé 8 au 22 août, sam. et dim. – **Repas** 180/340 et carte 350 à 460 ⌾.

XXX **Le Duc**   DX 18
     ❀ 243 bd Raspail (14e) ✆ 01 43 20 96 30, *Fax 01 43 20 46 73*
       🍴 AE ① GB JCB
       fermé sam. midi, dim. et lundi – **Repas** - produits de la mer - 260 (déj.)
       et carte 300 à 470
       Spéc. Poissons crus. Soupe tiède de homard (oct. à mai). Langoustines rôties
       au gingembre.

XXX **Pavillon Montsouris**   DZ 5
     20 r. Gazan (14e) ✆ 01 45 88 38 52, *Fax 01 45 88 63 40*
     ≤, 🏛, « Pavillon 1900 en bordure du parc » – **P**. GB. ❄
     Repas 198.

XXX **Dôme**   DX 2
     108 bd Montparnasse (14e) ✆ 01 43 35 25 81, *Fax 01 42 79 01 19*
     brasserie – 🍴. AE ① GB JCB
     Repas - produits de la mer - carte 280 à 420.

XXX **Chen-Soleil d'Est**   BV 14
     ❀ 15 r. Théâtre (15e) ✆ 01 45 79 34 34, *Fax 01 45 79 07 53*
       🍴. AE GB JCB
       fermé dim. – **Repas** - cuisine chinoise - 190 bc (déj.), 250/450
       et carte 370 à 420
       Spéc. Dégustation de ravioli à la vapeur. Demi-canard pékinois en 3 services.
       Boules de neige parfumées à la noix de coco.

XXX **Moniage Guillaume**   DY 22
     88 r. Tombe-Issoire (14e) ✆ 01 43 22 96 15, *Fax 01 43 27 11 79*
     AE ① GB JCB
     fermé dim – **Repas** - produits de la mer - *(185)* - 245 et carte 280 à 430 ⌾.

XX **Lous Landès**   CY 25
     157 av. Maine (14e) ✆ 01 45 43 08 04, *Fax 01 45 45 91 35*
     🍴. AE ① GB JCB
     fermé août, sam. midi et dim. – **Repas** 195 et carte 270 à 390.

XX **Lal Qila** BX 36
88 av. É. Zola (15e) ℰ 01 45 75 68 40, *Fax 01 45 79 68 61*
« Décor original » – 🗏. **AE** **GB** **JCB**
Repas - cuisine indienne - 59 (déj.), 129/250 et carte 170 à 230.

XX **Yves Quintard** BX 42
99 r. Blomet (15e) ℰ 01 42 50 22 27, *Fax 01 42 50 22 27*
🗏. **GB** **JCB**
fermé 15 au 30 août, sam. midi et dim. – **Repas** 135 (déj.), 185/250.

XX **Vishnou** CX 2
13 r. Cdt Mouchotte (14e) ℰ 01 45 38 92 93, *Fax 01 44 07 31 19*
AE **O** **GB**
fermé dim. – **Repas** - cuisine indienne - 150 bc (déj.), 175/
220 et carte 170 à 240.

XX **La Dînée** AY 9
85 r. Leblanc (15e) ℰ 01 45 54 20 49, *Fax 01 40 60 73 76*
AE **GB**
fermé 8 au 23 août, sam. midi et dim. – **Repas** 210/450 bc ℤ.

XX **Chaumière des Gourmets** DY 48
22 pl. Denfert-Rochereau (14e) ℰ 01 43 21 22 59, *Fax 01 43 21 26 08*
AE **GB**
fermé août, sam. midi et dim. – **Repas** 170/400 ℤ.

XX **Vin et Marée** CY 4
108 av. Maine (14e) ℰ 01 43 20 29 50, *Fax 01 43 27 84 11*
🗏. **AE** **GB** **JCB**
Repas - produits de la mer - carte 180 à 280 ℤ.

XX **Coupole** DX 41
102 bd Montparnasse (14e) ℰ 01 43 20 14 20, *Fax 01 43 35 46 14*
« Brasserie parisienne des années 20 » – 🗏. **AE** **O** **GB**
Repas 98 bc (déj.), 132/179 et carte 180 à 250.

XX **Aux Senteurs de Provence** BX 26
295 r. Lecourbe (15e) ℰ 01 45 57 11 98, *Fax 01 45 58 66 84*
AE **O** **GB** **JCB**
fermé 8 au 22 août, sam. midi et dim. – **Repas** - produits de la mer - *(110)* -
148 et carte 190 à 340.

XX **Philippe Detourbe** CX 24
8 r. Nicolas Charlet (15e) ℰ 01 42 19 08 59, *Fax 01 45 67 09 13*
🗏. **GB**
fermé août, sam. midi et dim. – **Repas** 180 (déj.)/220.

XX **Monsieur Lapin** CY 28
11 r. R. Losserand (14e) ℰ 01 43 20 21 39, *Fax 01 43 21 84 86*
🗏.
fermé août, mardi midi et lundi – Repas (nombre de couverts limité, prévenir) 170/300 et carte 250 à 400.

XX **Mille Colonnes** CX 7
20 bis r. Gaîté (14e) ℰ 01 40 47 08 34, *Fax 01 40 64 37 49*
🍴 – 🗏. **AE** **O** **GB** **JCB**
fermé 24 juil. au 22 août, sam. midi et dim. – **Repas** *(130)* - 165 ℤ.

XX **Bistro 121** BX 23
121 r. Convention (15e) ℰ 01 45 57 52 90, *Fax 01 45 57 14 69*
🗏. **AE** **O** **GB** **JCB**
Repas *(121)* - 182 et carte 250 à 320 ℤ.

XX **L'Ammonite** BX 1(
19 r. Duranton (15e) ℰ 01 45 58 43 17, *Fax 01 45 58 42 65*
bistrot – AE ⓪ GB JCB
fermé 25 juil. au 15 août, sam. midi et dim. – **Repas** 148 (déj.), 180/
250 et carte 210 à 290 ♀.

XX **Erawan** BV 5(
76 r. Fédération (15e) ℰ 01 47 83 55 67, *Fax 01 47 34 85 98*
▤. AE GB. ✗
fermé août et dim. – **Repas** - cuisine thaïlandaise - *(75)* - 116/
175 et carte 150 à 270.

XX **Caroubier** CY 8
🐴 122 av. Maine (14e) ℰ 01 43 20 41 49
▤. GB
fermé 21 juil. au 30 août – Repas - cuisine nord-africaine - 140/
198 bc et carte 150 à 190 ♀, enf. 50.

XX **Napoléon et Chaix** AX 43
46 r. Balard (15e) ℰ 01 45 54 09 00, *Fax 01 45 58 00 78*
▤. AE GB
fermé août, 2 au 10 janv., sam. midi et dim. – **Repas** 170 et carte 200 à 320 ♀.

XX **Les Vendanges** CZ 6
40 r. Friant (14e) ℰ 01 45 39 59 98, *Fax 01 45 39 74 13*
AE GB JCB
fermé août, sam. midi et dim. – **Repas** *(150)* - 200 ♀.

XX **Clos Morillons** BY 13
50 r. Morillons (15e) ℰ 01 48 28 04 37, *Fax 01 48 28 70 77*
AE GB JCB
fermé sam. midi et dim. – **Repas** 175/295 et carte 270 à 300 ♀.

XX **Copreaux** CX 11
15 r. Copreaux (15e) ℰ 01 43 06 83 35
▤. GB
fermé août, sam. midi et dim. – **Repas** 119/175 et carte 175 à 270 ♨.

XX **Gauloise** BV 12
59 av. La Motte-Picquet (15e) ℰ 01 47 34 11 64, *Fax 01 40 61 09 70*
☂ – AE GB JCB
Repas *(125)* - 155/350 bc et carte 190 à 420 ♀, enf. 75.

XX **Filoche** BX 14
34 r. Laos (15e) ℰ 01 45 66 44 60
▤. GB. ✗
fermé 25 juil. au 31 août, 22 déc. au 4 janv., sam. et dim. – **Repas** *(146)* - 169.

XX **L'Etape** BX 46
89 r. Convention (15e) ℰ 01 45 54 73 49, *Fax 01 45 58 20 91*
▤. AE GB
fermé 8 au 22 août, dim. sauf le midi en hiver et sam. midi – **Repas** 130/170 ♀.

X **Fontana Rosa** CX 57
28 bd Garibaldi (15e) ℰ 01 45 66 97 84
AE GB
Repas - cuisine italienne - *(89)* - 120 (déj.)et carte 240 à 330 ♀.

X **L'Épopée** BX 27
89 av. É. Zola (15e) ℰ 01 45 77 71 37
AE GB JCB
fermé août, sam. midi et dim. – **Repas** *(150)* - 185 ♀.

XX **Les Cévennes** AX 55
55 r. Cévennes (15e) ✆ 01 45 54 33 76, Fax 01 44 26 46 95
▤, GB, ⚞
fermé 1er au 20 août, sam. midi et dim. – **Repas** 175/300 et carte environ 350.

XX **Gastroquet** BY 50
10 r. Desnouettes (15e) ✆ 01 48 28 60 91, Fax 01 45 33 23 70
AE GB
fermé août, sam. et dim. – **Repas** *(125)* - 155.

XX **Père Claude** BV 7
51 av. La Motte-Picquet (15e) ✆ 01 47 34 03 05, Fax 01 40 56 97 84
▤, AE ① GB
Repas 110 (déj.)/165 et carte 230 à 330.

XX **de la Tour** BV 6
6 r. Desaix (15e) ✆ 01 43 06 04 24, Fax 01 43 56 03 32
AE GB
fermé août, sam. midi et dim. – **Repas** 125 (déj.)/190 et carte 240 à 300.

XX **Bistrot du Dôme** DX 7
1 r. Delambre (14e) ✆ 01 43 35 32 00, Fax 01 48 04 00 59
▤, AE GB
Repas - produits de la mer - carte 190 à 280 ♈.

XX **Petit Plat** BX 15
49 av. É. Zola (15e) ✆ 01 45 78 24 20, Fax 01 45 78 23 13
▤, GB
fermé 1er au 17 août, dim. et lundi – **Repas** 135 et carte 190 à 240 ♈.

XX **A la Bonne Table** CZ 12
42 r. Friant (14e) ✆ 01 45 39 74 91, Fax 01 45 43 66 92
AE GB
fermé 14 juil. au 15 août, sam. midi et dim. – **Repas** 146 ♈.

XX **Contre-Allée** DY 30
83 av. Denfert-Rochereau (14e) ✆ 01 43 54 99 86, Fax 01 43 25 05 28
AE GB
fermé dim. – **Repas** 150/190.

XX **L'Armoise** BX 19
67 r. Entrepreneurs (15e) ✆ 01 45 79 03 31, Fax 01 45 79 44 69
▤, GB
fermé 1er au 21 août, sam. midi et dim. – **Repas** *(108)* - 148 ⅋.

XX **Quercy** DY 5
5 r. Mouton-Duvernet (14e) ✆ 01 45 39 39 61, Fax 01 45 39 39 61
GB
fermé août, dim. soir et lundi – **Repas** *(79)* - 99 (déj.), 119/179 et carte 180 à 270 ♈.

XX **Troquet** CX 32
21 r. F. Bonvin (15e) ✆ 01 45 66 89 00, Fax 01 45 66 89 83
GB
fermé août, dim. et lundi – Repas 130 (déj.), 160/175 ♈.

XX **Les P'tits Bouchons de François Clerc** CX 51
32 bd Montparnasse (15e) ✆ 01 45 48 52 03, Fax 01 45 48 52 17
bistrot – AE GB
fermé sam. midi et dim. – **Repas** *(80)* - 174.

✕ Murier BY
42 r. Olivier de Serres (15e) ℰ 01 45 32 81 82
GB
fermé août, sam. midi et dim. – Repas *(95)* - 125 ⍩.

✕ Bistro d'Hubert CX
41 bd Pasteur (15e) ℰ 01 47 34 15 50, *Fax 01 45 67 03 09*
AE GB
Repas *(145 (déj.))* - 195.

✕ L'Os à Moelle AX
3 r. Vasco de Gama (15e) ℰ 01 45 57 27 27, *Fax 01 45 57 27 27*
bistrot – GB
fermé août, dim. et lundi – Repas 155 (déj.)/190.

✕ Château Poivre CY 4
145 r. Château (14e) ℰ 01 43 22 03 68
AE GB JCB
fermé 8 au 21 août, 24 déc. au 3 janv. et dim. – Repas 89 et carte 150 à 270 ⍩

✕ Régalade CZ 2
49 av. J. Moulin (14e) ℰ 01 45 45 68 58, *Fax 01 45 40 96 74*
bistrot – 🍽. GB. ✒
fermé août, sam. midi, dim. et lundi – Repas (prévenir) 170.

✕ Les Gourmands CY
101 r. Ouest (14e) ℰ 01 45 41 40 70, *Fax 01 45 41 17 66*
AE GB
fermé août, dim. et lundi – Repas *(105)* - 145/185.

✕ St-Vincent BX 5
26 r. Croix-Nivert (15e) ℰ 01 47 34 14 94, *Fax 01 45 66 02 80*
bistrot – 🍽. AE GB
fermé 10 au 20 août, sam. midi et dim. – Repas carte 180 à 260 ⍩.

✕ Petit Mâchon BX 1
123 r. Convention (15e) ℰ 01 45 54 08 62
bistrot – GB
fermé août, vacances de fév. et dim. – Repas 95 (déj.), 145
230 et carte 180 à 300 ⍩.

✕ L'Agape BX
281 r. Lecorbe (15e) ℰ 01 45 58 19 29
GB
fermé août, sam. midi et dim. – Repas *(95)* - 120 ⍩.

✕ L'Amuse Bouche CY
186 r. Château (14e) ℰ 01 43 35 31 61, *Fax 01 45 38 96 60*
GB
fermé août, lundi midi et dim. – Repas (nombre de couverts limité, prévenir
(145) - 178 ⍩.

✕ Les Coteaux BX
26 bd Garibaldi (15e) ℰ 01 47 34 83 48
bistrot – GB
fermé août, lundi soir, sam. et dim. – Repas 130.

Trocadéro - Passy _____

Bois de Boulogne _____

Auteuil - Étoile _____

16ᵉ arrondissement

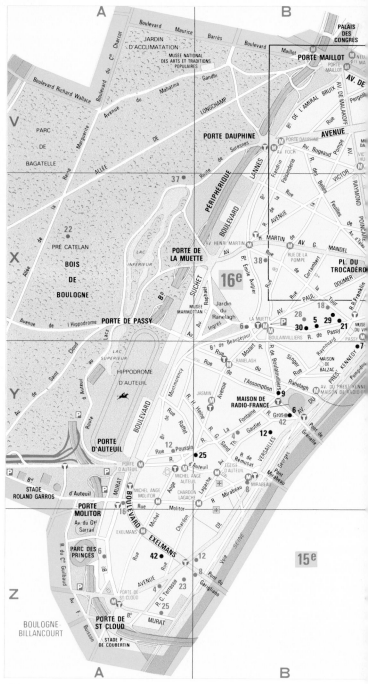

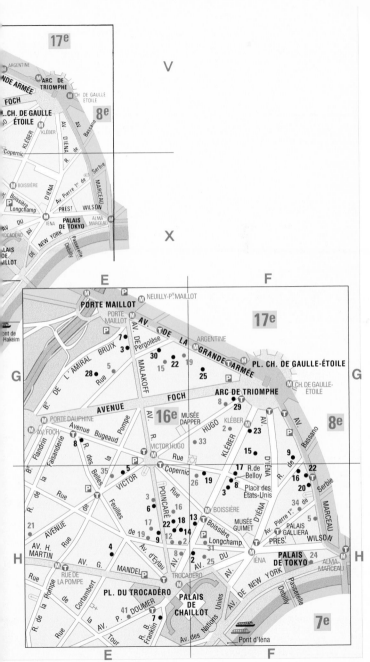

ʼaphaël   FG 23

7 av. Kléber ⊠ 75116 ℘ 01 44 28 00 28, Fax 01 45 01 21 50

🏤, « Élégant cachet ancien et terrasse panoramique avec ⩽ Paris » – 📶 ⣧⣿
🗐 📺 ☎ ✆ – 🔬 50. 🅰🅴 ⓪ 🆖 🅹🅲🅱

Salle à Manger ℘ 01 44 00 00 17 *(fermé août, sam., dim. et fériés)* Repas
300 bc (déj.) et carte 340 à 410 ♀ – ⌷ 175 – **62 ch** 2340/2820, 25 appart.

🏨 **Parc**   EH 6

55 av. R. Poincaré ⊠ 75116 ℘ 01 44 05 66 66, Fax 01 44 05 66 00

Ⓜ 🍃, 🏤, « Atmosphère de belle demeure anglaise » – 📶 ⣧⣿ 🗐 📺 ☎ ✆
🦽 – 🔬 30 à 250. 🅰🅴 ⓪ 🆖

voir rest. **Alain Ducasse** ci-après

Relais du Parc ℘ 01 44 05 66 10 **Repas** carte 230 à 370 ♀ – ⌷ 140 – **116 ch**
2100/3100, 3 duplex.

🏨 **St-James Paris**   EG 8

43 av. Bugeaud ⊠ 75116 ℘ 01 44 05 81 81, Fax 01 44 05 81 82

🍃, 🏤, « Bel hôtel particulier du 19ᵉ siècle », 𝐿₆, 🛋 – 📶 🗐 📺 ☎ ✆ 🅿 –
🔬 25. 🅰🅴 ⓪ 🆖 🅹🅲🅱

Repas *(fermé week-ends et fériés)* (résidents seul.) 250 et carte 290 à 450 –
⌷ 110 – **20 ch** 1850/2500, 20 appart., 8 duplex.

🏨 **Baltimore**   FH 13

88 bis av. Kléber ⊠ 75116 ℘ 01 44 34 54 54, Fax 01 44 34 54 44

Ⓜ, « Belle décoration intérieure » – 📶 ⣧⣿ 🗐 📺 ☎ ✆ – 🔬 80. 🅰🅴 ⓪ 🆖
🅹🅲🅱

Bertie's ℘ 01 44 34 54 34 - cuisine britannique *(fermé sam. et dim.)* **Repas**
(190)-220 et carte 230 à 340 – ⌷ 140 – **105 ch** 2170/3500.

🏨 **K. Palace**   FH 2

81 av. Kléber ⊠ 75116 ℘ 01 44 05 75 75, Fax 01 44 05 74 74

Ⓜ sans rest, « Architecture et décoration contemporaine », 𝐿₆ – 📶 ⣧⣿ 🗐
📺 ☎ ✆ 🦽 🚗. 🅰🅴 ⓪ 🆖 🅹🅲🅱
⌷ 130 – **82 ch** 1990/2890.

🏛 **Trocadero Dokhan's**   EH 22

117 r. Lauriston ⊠ 75116 ℘ 01 53 65 66 99, Fax 01 53 65 66 88

sans rest, « Élégante décoration et beau mobilier » – 📶 ⣧⣿ 🗐 📺 ☎ ✆. 🅰🅴
⓪ 🆖 🅹🅲🅱. ⌀
⌷ 120 – **41 ch** 2300, 4 appart.

🏛 **Square**   BY 6

3 r. Boulainvilliers ⊠ 75016 ℘ 01 44 14 91 90, Fax 01 44 14 91 99

Ⓜ sans rest, « Architecture et décoration contemporaines » – 📶 🗐 📺 ☎ ✆
🦽 🚗. 🅰🅴 ⓪ 🆖 🅹🅲🅱. ⌀
voir rest **Zébra Square** ci-après
⌷ 90 – **22 ch** 1400/2600.

🏛 **Pergolèse**   EG 30

3 r. Pergolèse ⊠ 75116 ℘ 01 53 64 04 04, Fax 01 53 64 04 40

Ⓜ sans rest, « Décor contemporain » – 📶 ⣧⣿ 🗐 📺 ☎ ✆. 🅰🅴 ⓪ 🆖 🅹🅲🅱
⌷ 80 – **40 ch** 1000/1800.

🏛 **Élysées Régencia**   FH 22

41 av. Marceau ⊠ 75116 ℘ 01 47 20 42 65, Fax 01 49 52 03 42

Ⓜ sans rest, « Belle décoration » – 📶 ⣧⣿ 🗐 📺 ☎ ✆. 🅰🅴 ⓪ 🆖 🅹🅲🅱. ⌀
⌷ 115 – **41 ch** 1560/2000.

Villa Maillot — EG 3
143 av. Malakoff ⊠ 75116 ℘ 01 53 64 52 52, *Fax 01 45 00 60 61*
Ⓜ sans rest – ⧉ ▤ 📺 ☎ ✆ ᵶ – 🔏 25. 🜇 ⓪ ᴳᴮ ᴶᶜᴮ
⌷ 110 – **39 ch** 1580/1800, 3 appart.

Garden Élysée — EH 14
12 r. St-Didier ⊠ 75116 ℘ 01 47 55 01 11, *Fax 01 47 27 79 24*
Ⓜ ⤳ sans rest – ⧉ ⤝ ▤ 📺 ☎ ✆ ᵶ. 🜇 ⓪ ᴳᴮ ᴶᶜᴮ. ⅋
⌷ 100 – **48 ch** 1200/1800.

Majestic — FG 15
29 r. Dumont d'Urville ⊠ 75116 ℘ 01 45 00 83 70, *Fax 01 45 00 29 48*
sans rest – ⧉ ⤝ ▤ 📺 ☎. 🜇 ⓪ ᴳᴮ ᴶᶜᴮ
⌷ 70 – **27 ch** 1300/1900, 3 appart.

Libertel Auteuil — BY 12
8 r. F. David ⊠ 75016 ℘ 01 40 50 57 57, *Fax 01 40 50 57 50*
Ⓜ sans rest – ⧉ ⤝ ▤ 📺 ☎ ✆ ᵶ ⟿ – 🔏 35. 🜇 ⓪ ᴳᴮ
⌷ 75 – **94 ch** 1025/1400.

Argentine — FG 25
1 r. Argentine ⊠ 75116 ℘ 01 45 02 76 76, *Fax 01 45 02 76 00*
Ⓜ sans rest – ⧉ ⤝ 📺 ☎ ✆ ᵶ. 🜇 ⓪ ᴳᴮ ᴶᶜᴮ
⌷ 75 – **40 ch** 1300/1620.

Élysées Sablons — EH 4
32 r. Greuze ⊠ 75116 ℘ 01 47 27 10 00, *Fax 01 47 27 47 10*
Ⓜ sans rest – ⧉ ⤝ 📺 ☎ ᵶ. 🜇 ⓪ ᴳᴮ ᴶᶜᴮ. ⅋
⌷ 75 – **41 ch** 1025/1350.

Élysées Bassano — FH 16
24 r. Bassano ⊠ 75116 ℘ 01 47 20 49 03, *Fax 01 47 23 06 72*
sans rest – ⧉ ⤝ 📺 ☎ ✆. 🜇 ⓪ ᴳᴮ ᴶᶜᴮ
⌷ 75 – **40 ch** 950/1290.

Alexander — EH 5
102 av. V. Hugo ⊠ 75116 ℘ 01 45 53 64 65, *Fax 01 45 53 12 51*
sans rest – ⧉ 📺 ☎ ✆. 🜇 ⓪ ᴳᴮ ᴶᶜᴮ. ⅋
⌷ 95 – **62 ch** 990/1690.

Frémiet — BY 7
6 av. Frémiet ⊠ 75016 ℘ 01 45 24 52 06, *Fax 01 42 88 77 46*
sans rest – ⧉ 📺 ☎ ✆. 🜇 ⓪ ᴳᴮ ᴶᶜᴮ
⌷ 60 – **36 ch** 600/1200.

Élysées Union — FH 3
44 r. Hamelin, ⊠ 75116 ℘ 01 45 53 14 95, *Fax 01 47 55 94 79*
sans rest – ⧉ cuisinette 📺 ☎ ✆. 🜇 ⓪ ᴳᴮ ᴶᶜᴮ
⌷ 45 – **28 ch** 820/940, 13 appart.

Résidence Impériale — EG 7
155 av. Malakoff ⊠ 75116 ℘ 01 45 00 23 45, *Fax 01 45 01 88 82*
Ⓜ sans rest – ⧉ ⤝ ▤ 📺 ☎. 🜇 ⓪ ᴳᴮ
⌷ 55 – **37 ch** 790/890.

Kléber — FH 8
7 r. Belloy ⊠ 75116 ℘ 01 47 23 80 22, *Fax 01 49 52 07 20*
sans rest – ⧉ ⤝ ▤ 📺 ☎ ✆. 🜇 ⓪ ᴳᴮ ᴶᶜᴮ
⌷ 65 – **23 ch** 950/1290.

Floride Étoile — EH 18
14 r. St-Didier ⊠ 75116 ℘ 01 47 27 23 36, *Fax 01 47 27 82 87*
sans rest – ⧉ 📺 ☎ ✆ – 🔏 30. 🜇 ⓪ ᴳᴮ ᴶᶜᴮ. ⅋
⌷ 60 – **60 ch** 850/980.

🏨 **Jardins du Trocadéro** EH
35 r. Franklin ⊠ 75116 ℰ 01 53 70 17 70, *Fax 01 53 70 17 80*
Ⓜ sans rest – |♯| ⇚ ▤ ▥ ☎ ✆. ᴁ ⓪ ⒢⒝. ⍉
▱ 75 – **18 ch** 790/1450.

🏨 **Passy Eiffel** BX 2
10 r. Passy ⊠ 75016 ℰ 01 45 25 55 66, *Fax 01 42 88 89 88*
sans rest – |♯| ▥ ☎ ✆. ᴁ ⓪ ⒢⒝ ⒥⒞⒝
▱ 50 – **48 ch** 580/900.

🏨 **Sévigné** FH 1
6 r. Belloy ⊠ 75116 ℰ 01 47 20 88 90, *Fax 01 40 70 98 73*
sans rest – |♯| ▥ ☎ ✆. ᴁ ⓪ ⒢⒝ ⒥⒞⒝
▱ 50 – **30 ch** 650/770.

🏨 **Régina de Passy** AY 12
6 r. Tour ⊠ 75116 ℰ 01 45 24 43 64, *Fax 01 40 50 70 62*
sans rest – |♯| ▥ ☎ ✆ – ▵ 30. ᴁ ⓪ ⒢⒝. ⍉
▱ 60 – **63 ch** 560/870.

🏨 **Résidence Foch** EG 28
10 r. Marbeau ⊠ 75116 ℰ 01 45 00 46 50, *Fax 01 45 01 98 68*
sans rest – |♯| ▥ ☎. ᴁ ⓪ ⒢⒝
▱ 55 – **25 ch** 670/800.

🏨 **Victor Hugo** FH 1
19 r. Copernic ⊠ 75116 ℰ 01 45 53 76 01, *Fax 01 45 53 69 93*
sans rest – |♯| ▤ ▥ ☎ ✆. ᴁ ⓪ ⒢⒝ ⒥⒞⒝. ⍉
▱ 65 – **75 ch** 690/860.

🏨 **Chambellan Morgane** FG
6 r. Keppler ⊠ 75116 ℰ 01 47 20 35 72, *Fax 01 47 20 95 69*
sans rest – |♯| ▥ ☎ ✆. ᴁ ⓪ ⒢⒝ ⒥⒞⒝
▱ 55 – **20 ch** 700/900.

🏨 **Étoile Maillot** EG 22
10 r. Bois de Boulogne (angle r. Duret) ⊠ 75116 ℰ 01 45 00 42 60
Fax 01 45 00 55 89
sans rest – |♯| ▥ ☎. ᴁ ⓪ ⒢⒝ ⒥⒞⒝
▱ 45 – **28 ch** 570/850.

🏨 **Royal Élysées** FG 2
6 av. V. Hugo ⊠ 75116 ℰ 01 45 00 05 57, *Fax 01 45 00 13 88*
sans rest – |♯| ▤ ▥ ☎ ✆. ᴁ ⓪ ⒢⒝ ⒥⒞⒝
▱ 50 – **35 ch** 1107/1214.

🏨 **Résidence Marceau** FH 20
37 av. Marceau ⊠ 75116 ℰ 01 47 20 43 37, *Fax 01 47 20 14 76*
sans rest – |♯| ▥ ☎. ᴁ ⓪ ⒢⒝ ⒥⒞⒝. ⍉
▱ 35 – **30 ch** 550/650.

🏨 **Hameau de Passy** BX 30
48 r. Passy ⊠ 75016 ℰ 01 42 88 47 55, *Fax 01 42 30 83 72*
Ⓜ ⌲ sans rest – ▥ ☎ ✆. ᴁ ⓪ ⒢⒝ ⒥⒞⒝
▱ 30 – **32 ch** 530/570.

🏨 **Eiffel Kennedy** BY 9
12 r. Boulainvilliers ⊠ 75016 ℰ 01 45 24 45 75, *Fax 01 42 30 83 32*
sans rest – |♯| ⇚ ▤ ▥ ☎. ᴁ ⓪ ⒢⒝ ⒥⒞⒝
▱ 50 – **30 ch** 700/800.

🏨 **Gavarni** BX 29
5 r. Gavarni ⊠ 75116 ℘ 01 45 24 52 82, *Fax 01 40 50 16 95*
sans rest – |$| 📺 ☎ 📞. 🆎 ⓪ ☺ JCB. ❄
⊑ 35 – **30 ch** 395/530.

🏨 **Queen's Hôtel** BY 25
4 r. Bastien Lepage ⊠ 75016 ℘ 01 42 88 89 85, *Fax 01 40 50 67 52*
sans rest – |$| ⇤ 📺 ☎ 📞. 🆎 ⓪ ☺ JCB. ❄
⊑ 40 – **22 ch** 390/590.

🏨 **Nicolo** BX 5
3 r. Nicolo ⊠ 75116 ℘ 01 42 88 83 40, *Fax 01 42 24 45 41*
sans rest – |$| 📺 ☎ 📞. 🆎 ☺ JCB
⊑ 40 – **28 ch** 415/460.

🏨 **Longchamp** EH 19
68 r. Longchamp ⊠ 75116 ℘ 01 47 27 13 48, *Fax 01 47 55 68 26*
sans rest – |$| 📺 ☎ 📞. 🆎 ⓪ ☺ JCB
⊑ 50 – **23 ch** 680/750.

🏨 **Palais de Chaillot** EH 9
35 av. R. Poincaré ⊠ 75116 ℘ 01 53 70 09 09, *Fax 01 53 70 09 08*
sans rest – |$| 📺 ☎ 📞. 🆎 ⓪ ☺ JCB. ❄
⊑ 42 – **28 ch** 470/620.

🏨 **Boileau** AZ 42
81 r. Boileau ⊠ 75016 ℘ 01 42 88 83 74, *Fax 01 45 27 62 98*
sans rest – 📺 ☎ 📞 – ▵ 15. 🆎 ⓪ ☺ JCB
⊑ 40 – **30 ch** 390/480.

XXXXX **Alain Ducasse** EH 3
❀❀❀ 59 av. R. Poincaré ⊠ 75116 ℘ 01 47 27 12 27, *Fax 01 47 27 31 22*
« Bel hôtel particulier de style ''Art Nouveau'' » – ▤. 🆎 ⓪ ☺ JCB. ❄
fermé 16 juil. au 17 août, 24 déc. au 4 janv., sam. et dim. – **Repas** 950/
1520 et carte 770 à 1 040
Spéc. Pâtes mi-séchées, crémées et truffées aux ris de veau, crêtes et
rognons de coqs. Pièce de boeuf Rossini, pommes soufflées. Coupe
glacée selon saison.

XXXX **Faugeron** EH 2
❀❀ 52 r. Longchamp ⊠ 75116 ℘ 01 47 04 24 53, *Fax 01 47 55 62 90*
« Décor élégant » – ▤. 🆎 ☺ JCB. ❄
fermé août, 23 déc. au 3 janv., sam. sauf le soir d'oct. à avril et dim. – **Repas**
320 (déj.), 470/550 et carte 490 à 720 ⅋
Spéc. Oeufs coque à la purée de truffe. Truffes (janv. à mars). Gibier (15 oct. au
10 janv.).

XXXX **Maison Prunier** FG 8
❀ 16 av. V. Hugo ⊠ 75116 ℘ 01 44 17 35 85, *Fax 01 44 17 90 10*
« Cadre ''Art Déco'' » – ▤. 🆎 ⓪ ☺ JCB
fermé 18 juil. au 16 août, lundi midi et dim. – **Repas** - produits de la mer
- carte 400 à 660 ⅋
Spéc. Soupe crémeuse de homard aux haricots blancs et chorizo. Gros filets
de sole cuits au beurre demi-sel et aux herbes fraîches. Petits pots de crème
Emile Prunier.

XXXX **Vivarois** (Peyrot)   EH 2
☊☊ 192 av. V. Hugo ⊠ 75116 ℘ 01 45 04 04 31, Fax 01 45 03 09 84
📥. **AE** **①** **GB** **JCB**
fermé août, sam. et dim. – **Repas** 355 (déj.) et carte 430 à 650 ♀
Spéc. Salade de légumes à la coriandre. Bar au caviar d'aubergine. Ris de veau
braisé aux champignons des bois.

XXX **Jamin** (Guichard)   FH 3
☊☊ 32 r. Longchamp ⊠ 75116 ℘ 01 45 53 00 07, Fax 01 45 53 00 15
📥. **AE** **①** **GB**
fermé 1ᵉʳ au 25 août, sam. et dim. – **Repas** 300 (déj.)/410 et carte 390 à 550
Spéc. Velouté aux langoustines de petite pêche (avril à oct.). Filet de bar au
pistaches, crème légère de langoustines et coques. Carré d'agneau grillé au
herbes potagères, petits légumes glacés à l'huile d'olive.

XXX **Relais d'Auteuil** (Pignol)   AY 1
☊☊ 31 bd. Murat ⊠ 75016 ℘ 01 46 51 09 54, Fax 01 40 71 05 03
📥. **AE** **①** **GB** **JCB**
fermé 1ᵉʳ au 21 août, sam. midi et dim. – **Repas** 260 (déj.), 490
590 et carte 420 à 600
Spéc. Amandine de foie gras. Dos de bar à la croûte poivrée. Madeleines au
miel de bruyère, glace miel et noix.

XXX **Pergolèse** (Corre)   EG
☊ 40 r. Pergolèse ⊠ 75116 ℘ 01 45 00 21 40, Fax 01 45 00 81 31
📥. **AE** **GB**
fermé août, sam. et dim. – **Repas** 235/390 et carte 310 à 480
Spéc. Saint-Jacques en robe des champs (oct. à fév.). Côte de veau de lait en
casserole aux champignons. Moelleux au chocolat, glace vanille.

XXX **Tsé-Yang**   FH 3
25 av. Pierre 1ᵉʳ de Serbie ⊠ 75016 ℘ 01 47 20 70 22, Fax 01 49 52 03 68
« Cadre élégant » – 📥. **AE** **①** **GB** **JCB**. ✂
Repas - cuisine chinoise - 180 (déj.), 200/300 et carte 250 à 310.

XXX **Port Alma** (Canal)   FH 2
☊ 10 av. New York ⊠ 75116 ℘ 01 47 23 75 11, Fax 01 47 20 42 92
📥. **AE** **①** **GB**
fermé août et dim. – **Repas** - produits de la mer - 200 et carte 300 à 440
Spéc. Gaspacho de homard (mai-sept.). Bar en croûte de sel de Guérande
Soufflé au chocolat.

XXX **Pavillon Noura**   FH
21 av. Marceau ⊠ 75116 ℘ 01 47 20 33 33, Fax 01 47 20 60 31
📥. **AE** **①** **GB**. ✂
Repas - cuisine libanaise - 168 (déj.), 280/350 et carte 160 à 220.

XX **Zébra Square**   BY 4
3 pl. Clément Ader ⊠ 75016 ℘ 01 44 14 91 91, Fax 01 45 20 46 41
« Décor moderne original » – **AE** **①** **GB** **JCB**
Repas *(115)* - carte 180 à 330 ♀.

XX **Marius**   AZ
82 bd Murat ⊠ 75016 ℘ 01 46 51 67 80, Fax 01 47 43 10 24
⛪ – **AE** **GB**
fermé 1ᵉʳ au 22 août, sam. midi et dim. – **Repas** carte 200 à 290 ♀.

XX **Giulio Rebellato**   EH 3
136 r. Pompe ⊠ 75116 ℘ 01 47 27 50 26
📥. **AE** **GB**. ✂
fermé 20 juil. au 20 août – **Repas** - cuisine italienne - 190 (déj.
et carte 280 à 380.

XX **Al Mounia** FH 25
16 r. Magdebourg ⊠ 75116 ℰ 01 47 27 57 28
« Décor mauresque » – 🍽. 🅰🅴 ᴳᴮ, 🚯
fermé 14 juil. au 31 août et dim. – **Repas** - cuisine marocaine - (le soir, prévenir) carte 200 à 260.

XX **San Francisco** BY 8
1 r. Mirabeau ⊠ 75016 ℰ 01 46 47 75 44, *Fax 01 46 47 84 89*
🅰🅴 ⓪ ᴳᴮ
fermé dim. – **Repas** - cuisine italienne - carte 240 à 310 ♀.

XX **Bellini** EG 19
28 r. Lesueur ⊠ 75116 ℰ 01 45 00 54 20, *Fax 01 45 00 11 74*
🍽. 🅰🅴 ᴳᴮ
fermé sam. midi et dim. – **Repas** - cuisine italienne - *(150)* - 180 (déj.)/185 et carte 210 à 340 ♀.

XX **Paul Chêne** EH 17
123 r. Lauriston ⊠ 75116 ℰ 01 47 27 63 17, *Fax 01 47 27 53 18*
🍽. 🅰🅴 ⓪ ᴳᴮ
fermé 7 au 29 août, 24 déc. au 1ᵉʳ janv., sam. midi et dim. – **Repas** 200/250 et carte 200 à 400.

XX **Conti** FH 26
❀ 72 r. Lauriston ⊠ 75116 ℰ 01 47 27 74 67, *Fax 01 47 27 37 66*
🍽. 🅰🅴 ⓪ ᴳᴮ
fermé 2 au 21 août, 24 déc. au 3 janv., sam., dim. et fériés – **Repas** - cuisine italienne - 198 (déj.) et carte 310 à 420
Spéc. Tortellini au crabe (avril à oct.). Agneau de lait au romarin et anchois truffés (fév. à mai). Figues rôties farcies aux amaretti (sept. et oct.).

XX **Vinci** FG 33
23 r. P. Valéry ⊠ 75116 ℰ 01 45 01 68 18, *Fax 01 45 01 60 37*
🍽. ᴳᴮ
fermé 1ᵉʳ au 21 août, sam., dim. et fériés – **Repas** - cuisine italienne - 165 ♀.

XX **Tang** BX 38
125 r. de la Tour ⊠ 75116 ℰ 01 45 04 35 35, *Fax 01 45 04 58 19*
🅰🅴 ᴳᴮ. 🚯
fermé 26 juil. au 25 août et lundi – **Repas** - cuisine chinoise et thaïlandaise - 200 (déj.)/250 et carte 250 à 360.

XX **Chez Géraud** BX 28
31 r. Vital ⊠ 75016 ℰ 01 45 20 33 00, *Fax 01 45 20 46 60*
« Fresque en faïence de Longwy » – 🅰🅴 ᴳᴮ
fermé août, dim. soir et sam. – **Repas** 180 et carte 220 à 340 ♀.

XX **Fontaine d'Auteuil** BY 4
35bis r. La Fontaine ⊠ 75016 ℰ 01 42 88 04 47, *Fax 01 42 88 95 12*
🍽. 🅰🅴 ⓪ ᴳᴮ
fermé 1ᵉʳ au 23 août, sam. midi et dim. – **Repas** 175 ♀.

XX **Petite Tour** BX 18
11 r. de la Tour ⊠ 75116 ℰ 01 45 20 09 31
🅰🅴 ⓪ ᴳᴮ ᴶᶜᴮ
fermé 1ᵉʳ au 24 août et dim. – **Repas** carte 260 à 480.

XX **Detourbe Duret** EG 15
23 r. Duret ⊠ 75116 ℰ 01 45 00 10 26, *Fax 01 45 00 10 16*
🍽. 🅰🅴 ᴳᴮ
fermé 24 juil. au 24 août, sam. midi et dim. – **Repas** *(125)* - 160 (déj.)/220 et carte 180 à 300 ♀.

X **A et M Le Bistrot**   AZ 25
136 bd Murat ✉ 75016 ✆ 01 45 27 39 60, *Fax 01 45 27 69 71*
🍽 – **AE** ⊞
fermé 7 au 23 août, sam. midi et dim. – **Repas** carte 170 à 210.

X **Vin et Marée**   AZ 23
2 r. Daumier ✉ 75016 ✆ 01 46 47 91 39, *Fax 01 46 47 69 07*
AE ⊞
Repas - produits de la mer - carte 170 à 270 ⌢.

X **Butte Chaillot**   EH 8
110 bis av. Kléber ✉ 75116 ✆ 01 47 27 88 88, *Fax 01 47 04 85 70*
▤, **AE** ⓞ ⊞ Jᴄʙ
Repas 150/195 et carte 220 à 310 ⌢.

X **Cuisinier François**   AZ 4
19 r. Le Marois ✉ 75016 ✆ 01 45 27 83 74, *Fax 01 45 27 83 74*
AE ⊞ Jᴄʙ
fermé août, vacances de fév., dim. et lundi – Repas 160 et carte 270 à 430 ⌢.

X **Les Ormes**   BZ 12
8 r. Chapu ✉ 75016 ✆ 01 46 47 83 98, *Fax 01 46 47 83 98*
⊞
fermé 1ᵉʳ au 23 août, lundi midi, dim. et fériés – **Repas** 190 (dîner)/
200 bc (déj.) ⌢.

X **Gare**   BX 6
19 chaussée de la Muette ✉ 75016 ✆ 01 42 15 15 31, *Fax 01 42 15 15 23*
🍽, « Décor original dans une gare de 1854 » – **AE** ⊞
Repas carte 150 à 270 ⌢.

X **Bistrot de l'Étoile Lauriston**   FG 2
19 r. Lauriston ✉ 75016 ✆ 01 40 67 11 16, *Fax 01 45 00 99 87*
▤, **AE** ⓞ ⊞ Jᴄʙ
fermé sam. midi et dim. – **Repas** 165 et carte 200 à 260 ⌢.

X **Rosimar**   AY 12
26 r. Poussin ✉ 75016 ✆ 01 45 27 74 91, *Fax 01 45 27 34 10*
▤, **AE** ⊞ Jᴄʙ
fermé août, 24 au 30 déc., sam. midi, dim. et fériés – **Repas** - cuisine
espagnole- *(100)* - 175 et carte 180 à 310 🍷.

X **Scheffer**   EH 41
22 r. Scheffer ✉ 75116 ✆ 01 47 27 81 11
bistrot – **AE** ⊞
fermé 24 déc. au 1ᵉʳ janv., dim. et fériés – **Repas** carte 140 à 210 ⌢.

X **Mathusalem**   AZ 8
5 bis bd Exelmans ✉ 75016 ✆ 01 42 88 10 73, *Fax 01 42 88 42 43*
bistrot – ⊞
fermé sam., dim. et fériés – **Repas** *(98)* - 133 ⌢.

X **Brasserie de la Poste**   EH 12
54 r. Longchamp ✉ 75116 ✆ 01 47 55 01 31
AE ⊞
Repas 125/185 et carte 160 à 300 ⌢.

X **Victor**   EH 16
101 bis r. Lauriston ✉ 75116 ✆ 01 47 27 72 21
bistrot – ▤, **AE** ⊞
fermé 1ᵉʳ au 23 août, sam. midi, dim. et fériés – **Repas** carte 200 à 270 ⌢.

au Bois de Boulogne :

XXXX **Pré Catelan** AX 22
❀❀ rte Suresnes ✉ 75016 ☎ 01 44 14 41 14, *Fax 01 45 24 43 25*
🌳, « Pavillon Napoléon III », ☞ – 🍴 **P.** **AE** **①** **GB** **JCB**
fermé vacances de fév., dim. soir et lundi – **Repas** 295 (déj.), 550/
690 et carte 430 à 800
Spéc. Feuilles sèches de poireau, poulette d'escargots de Champagne aux
champignons poêlés (avril à oct.). Saint-Pierre poêlé, pétales de brocoli, bouillon aux câpres. Etuvée de petites bananes, bugnes au sucre, crème glacée
rhum-raisin.

XXXX **Grande Cascade**
❀ allée de Longchamp (face hippodrome) ✉ 75016 ☎ 01 45 27 33 51,
Fax 01 42 88 99 06
🌳, « Pavillon Napoléon III » – **P.** **AE** **①** **GB** **JCB**
fermé 20 déc. au 20 janv. – **Repas** 295/600 et carte 460 à 720
Spéc. Pâté en croûte. Macaroni aux truffes noires, foie gras et céleri. Caneton
de Challans rôti aux épices, navets et échalotes confits.

XXX **Terrasse du Lac** AX 37
Pavillon Royal - rte Suresnes ✉ 75116 ☎ 01 40 67 11 56, *Fax 01 45 00 31 24*
≤, 🌳 – **P.** **AE** **GB** **JCB**
*fermé 24 déc. au 3 janv., dim. soir du 3 mai au 30 sept., week-ends et le soir
d'oct. à avril* – **Repas** 210/380 et carte 260 à 370 ∑.

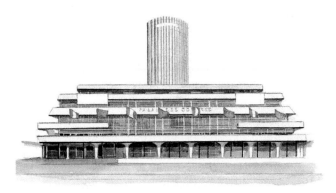

Palais des Congrès
Wagram - Ternes
Batignolles

17ᵉ arrondissement

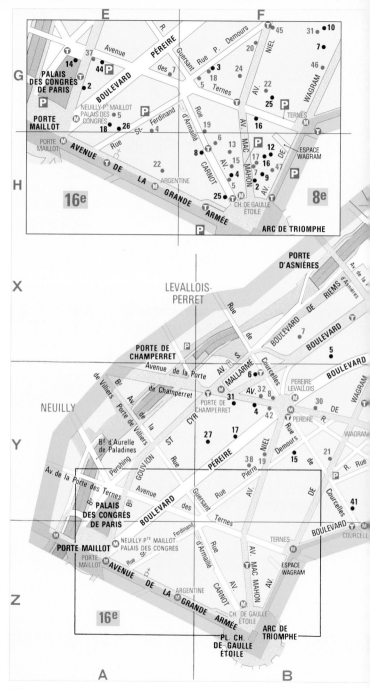

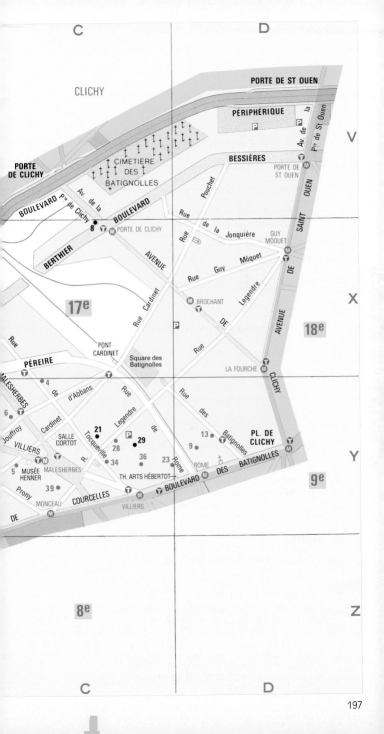

Meridien Étoile EG
81 bd Gouvion St-Cyr ℘ 01 40 68 34 34, Fax 01 40 68 31 31
M – |♦| ⅓⟶ ▤ 📺 ☎ ✆ ⅙ – 🏛 50 à 1 500. AE ① GB JCB
Café Arlequin ℘ 01 40 68 30 85 **Repas** 169 ♈
Yamato ℘ 01 40 68 30 41, cuisine japonaise (fermé août, 1er au 7 janv., sam
midi, dim. et lundi) **Repas** (120)-, 175 et carte environ 230 – ⅏ 115 – **1 005 c**
2400/2900, 20 appart.

Concorde La Fayette EG 1
3 pl. Gén. Koenig ℘ 01 40 68 50 68, Fax 01 40 68 50 43
M, « Bar panoramique au 33e étage ≤ Paris » – |♦| ⅓⟶ ▤ 📺 ☎ ✆
🏛 40 à 2 000. AE ① GB JCB
voir rest. **L'Étoile d'Or** ci-après
- L'Arc-en-Ciel (buffet) ℘01 40 68 51 25 (fermé juil., août et vacances de fév
Repas 168/278, ♈, enf. 60
Les Saisons (rest.-salon de thé) ℘01 40 68 51 19 **Repas** (130)-159 ♈, enf. 60
⅏ 135 – **943 ch** 1850/2400, 27 appart.

Splendid Étoile FH 2
1 bis av. Carnot ℘ 01 45 72 72 00, Fax 01 45 72 72 01
sans rest – |♦| 📺 ☎ ✆. AE ① GB. ⅙⅞
⅏ 90 – **53 ch** 1000/1300, 4 appart.

Balmoral FH
6 r. Gén. Lanrezac ℘ 01 43 80 30 50, Fax 01 43 80 51 56
sans rest – |♦| ⅓⟶ ▤ 📺 ☎ ✆. AE ① GB
⅏ 45 – **57 ch** 600/895.

Regent's Garden FG
6 r. P. Demours ℘ 01 45 74 07 30, Fax 01 40 55 01 42
sans rest, « Jardin » – |♦| 📺 ☎ ✆. AE ① GB JCB. ⅙⅞
⅏ 50 – **39 ch** 710/1030.

Banville BY
166 bd Berthier ℘ 01 42 67 70 16, Fax 01 44 40 42 77
sans rest, « Atmosphère élégante » – |♦| ▤ 📺 ☎ ✆. AE ① GB JCB
⅏ 65 – **38 ch** 760/1050.

Villa Alessandra FG 25
9 pl. Boulnois ℘ 01 56 33 24 24, Fax 01 56 33 24 30
M ⅊ sans rest – |♦| ⅓⟶ ▤ 📺 ☎ ✆ ⅙ ⅌. AE ① GB JCB. ⅙⅞
⅏ 80 – **49 ch** 890/1210.

Magellan BY 27
17 r. J.B.-Dumas ℘ 01 45 72 44 51, Fax 01 40 68 90 36
⅊ sans rest, ⅌ – |♦| 📺 ☎ ✆. AE ① GB. ⅙⅞
⅏ 40 – **75 ch** 610/650.

Champerret Elysées BY 4
129 av. Villiers ℘ 01 47 64 44 00, Fax 01 47 63 10 58
sans rest – |♦| ⅓⟶ ▤ 📺 ☎ ✆. AE ① GB JCB
⅏ 60 – **45 ch** 585/675.

Tilsitt Étoile FH 16
23 r. Brey ℘ 01 43 80 39 71, Fax 01 47 66 37 63
M sans rest – |♦| ▤ 📺 ☎ ✆. AE ① GB JCB. ⅙⅞
⅏ 60 – **39 ch** 610/850.

🏨 **de Neuville**   BX 5
3 r. Verniquet ℰ 01 43 80 26 30, *Fax 01 43 80 38 55*
sans rest – 🛗 📺 ☎. 🆎 ⓪ 🆚 🏧
☑ 55 – **28 ch** 750.

🏨 **Cheverny**   BY 31
7 Villa Berthier ℰ 01 42 12 44 00, *Fax 01 47 63 26 62*
sans rest – 🛗 🍽 📺 ☎ 📞 – 🏋 40. 🆎 ⓪ 🆚 🏧. 🕸
☑ 60 – **48 ch** 610/810.

🏨 **Mercure Étoile**   FG 16
27 av. Ternes ℰ 01 47 66 49 18, *Fax 01 47 63 77 91*
Ⓜ sans rest – 🛗 ↭ 🍽 📺 ☎ 📞. 🆎 ⓪ 🆚 🏧
☑ 72 – **56 ch** 900.

🏨 **Quality Inn Pierre**   BY 15
25 r. Th.-de-Banville ℰ 01 47 63 76 69, *Fax 01 43 80 63 96*
Ⓜ sans rest – 🛗 ↭ 📺 ☎ ♿ – 🏋 30. 🆎 ⓪ 🆚 🏧
☑ 75 – **50 ch** 850/1500.

🏨 **Ternes Arc de Triomphe**   EG 44
97 av. Ternes ℰ 01 53 81 94 94, *Fax 01 53 81 94 95*
Ⓜ sans rest – 🛗 ↭ 🍽 📺 ☎ 📞 ♿. 🆎 ⓪ 🆚 🏧
☑ 70 – **39 ch** 690/1150.

🏨 **Neva**   FH 12
14 r. Brey ℰ 01 43 80 28 26, *Fax 01 47 63 00 22*
Ⓜ sans rest – 🛗 🍽 📺 ☎ 📞 ♿. 🆎 ⓪ 🆚 🏧. 🕸
☑ 45 – **31 ch** 685/780.

🏨 **Étoile St-Ferdinand**   EG 26
36 r. St-Ferdinand ℰ 01 45 72 66 66, *Fax 01 45 74 12 92*
sans rest – 🛗 📺 ☎ 📞. 🆎 ⓪ 🆚 🏧. 🕸
☑ 60 – **42 ch** 950/1300.

🏨 **Monceau**   FG 7
7 r. Rennequin ℰ 01 47 63 07 52, *Fax 01 47 66 84 44*
sans rest – 🛗 ↭ 📺 ☎ 📞. 🆎 ⓪ 🆚 🏧
☑ 75 – **25 ch** 1150/1250.

🏨 **Harvey**   EG 18
7 bis r. Débarcadère ℰ 01 55 37 20 00, *Fax 01 40 68 03 56*
sans rest – 🛗 🍽 📺 ☎ 📞. 🆎 ⓪ 🆚 🏧
☑ 40 – **32 ch** 590/720.

🏨 **Monceau Étoile**   CY 21
64 r. de Levis ℰ 01 42 27 33 10, *Fax 01 42 27 59 58*
sans rest – 🛗 📺 ☎. 🆎 ⓪ 🆚
☑ 45 – **26 ch** 600/650.

🏨 **Étoile Park Hôtel**   FH 2
10 av. Mac Mahon ℰ 01 42 67 69 63, *Fax 01 43 80 18 99*
sans rest – 🛗 📺 ☎ 📞. 🆎 ⓪ 🆚 🏧
fermé 24 déc. au 2 janv.
☑ 52 – **28 ch** 490/710.

🏨 **Royal Magda**   FH 9
7 r. Troyon ℰ 01 47 64 10 19, *Fax 01 47 64 02 12*
sans rest – 🛗 📺 ☎ 📞. 🆎 ⓪ 🆚. 🕸
☑ 45 – **26 ch** 650/730, 11 appart.

Monceau Élysées
108 r. Courcelles ✆ 01 47 63 33 08, *Fax 01 46 22 87 39*
sans rest – ⊞ 🖵 ☎. 🅰🅴 ⓿ 🇬🇧
🖵 50 – **29 ch** 650/770.
BY **4**

Astrid
27 av. Carnot ✆ 01 44 09 26 00, *Fax 01 44 09 26 01*
sans rest – ⊞ 🖵 ☎ 📞. 🅰🅴 ⓿ 🇬🇧 🇯🇨🇧
🖵 50 – **40 ch** 495/795.
FH

Comfort Hôtel Villiers Étoile
6 r. Lebouteux ✆ 01 40 53 05 05, *Fax 01 40 53 05 06*
Ⓜ sans rest – ⊞ ⤧ 🖵 ☎ 📞 &. 🅰🅴 ⓿ 🇬🇧 🇯🇨🇧
🖵 60 – **55 ch** 600/800.
CY **2**

Étoile Péreire
146 bd Péreire ✆ 01 42 67 60 00, *Fax 01 42 67 02 90*
🐾 sans rest – ⊞ 🖵 ☎ 📞. 🅰🅴 ⓿ 🇬🇧 🇯🇨🇧. ⤴
🖵 54 – **21 ch** 590/1090, 5 duplex.
BY **1**

Flaubert
19 r. Rennequin ✆ 01 46 22 44 35, *Fax 01 43 80 32 34*
sans rest – ⊞ 🖵 ☎ &. 🅰🅴 ⓿ 🇬🇧
🖵 40 – **37 ch** 480/650.
FG **1**

Campanile
4 bd Berthier ✆ 01 46 27 10 00, *Fax 01 46 27 00 57*
🏠 – ⊞ ⤧ ▤ 🖵 ☎ 📞 & 🚗 – 🔬 15 à 40. 🅰🅴 ⓿ 🇬🇧
Repas *(78)* - 94/109 🍷, enf. 39 – 🖵 39 – **246 ch** 550.
CX **8**

XXXX **Guy Savoy**
❀❀ 18 r. Troyon ✆ 01 43 80 40 61, *Fax 01 46 22 43 09*
▤. 🅰🅴 ⓿ 🇬🇧 🇯🇨🇧
fermé sam. midi et dim. – **Repas** 880 et carte 630 à 850 ♀
Spéc. Crème légère de lentilles et langoustines. Côte de veau rôtie
purée de pommes de terre à la truffe. Menu autour de la truffe (10 janv. au
15 mars).
FH **1**

XXXX **L'Étoile d'Or** - Hôtel Concorde La Fayette
❀ 3 pl. Gén. Koenig (1er étage) ✆ 01 40 68 51 28, *Fax 01 40 68 50 43*
▤. 🅰🅴 ⓿ 🇬🇧 🇯🇨🇧
fermé 31 juil. au 30 août, 20 fév. au 7 mars, sam., dim. et fériés – **Repas**
270 et carte 310 à 580 ♀
Spéc. Foie gras frais de canard aux quatre épices, compotée de fruits secs
Joue de boeuf en ravigote. Soufflé chaud au chocolat.
EG **14**

XXXX **Michel Rostang**
❀❀ 20 r. Rennequin ✆ 01 47 63 40 77, *Fax 01 47 63 82 75*
« Cadre élégant » – ▤. 🅰🅴 ⓿ 🇬🇧 🇯🇨🇧
fermé 1er au 15 août, sam. midi, lundi midi et dim. – **Repas** 350 (déj.)
650/870 et carte 590 à 970 ♀
Spéc. Brochettes de langoustines au romarin, grappes de tomates
farcies. Canette au sang en deux services. Carte des truffes (15 déc. au
15 mars).
FG **3**

XXX **Apicius** (Vigato)   BY 32
❀❀ 122 av. Villiers ✆ 01 43 80 19 66, *Fax 01 44 40 09 57*
🟦. 🆎 ⓸ 🔾🅱 🎴🅱🅱
fermé août, sam. et dim. – **Repas** 620 et carte 370 à 590
Spéc. Foie gras de canard poêlé en aigre-doux aux radis noirs confits. Tronçon de homard bleu au four. Grand dessert tout chocolat.

XXX **Faucher**   BY 21
❀   123 av. Wagram ✆ 01 42 27 61 50, *Fax 01 46 22 25 72*
🏠 – 🆎 🔾🅱 🎴🅱🅱
fermé sam. midi et dim. – **Repas** carte 280 à 510 ♈
Spéc. Oeuf au plat, foie gras chaud et coppa grillée. Ris de veau croustillant,
pommes ''Nikko''. Moelleux de chocolat tiède, glace à la menthe.

XXX **Sormani** (Fayet)   FH 5
❀   4 r. Gén. Lanrezac ✆ 01 43 80 13 91, *Fax 01 40 55 07 37*
🟦. 🔾🅱
fermé 1er au 22 août, sam., dim. et fériés – **Repas** - cuisine italienne - 250 (déj.)
et carte 320 à 430 ♈
Spéc. Risotto ''Primavera'' (1er avril-30 juin). Salade de cèpes crus, parmesan
et truffes blanches (1er sept.-15 nov.). Fritto Misto de légumes et de fruits de
mer.

XXX **Pétrus**   BY 8
    12 pl. Mar. Juin ✆ 01 43 80 15 95, *Fax 01 43 80 06 96*
🟦. 🆎 ⓸ 🔾🅱
fermé 1er au 15 août – **Repas** - produits de la mer - 250 et carte 350 à 510 ♈.

XXX **Amphyclès** (Groult)   EG 7
❀   78 av. Ternes ✆ 01 40 68 01 01, *Fax 01 40 68 91 88*
🟦. 🆎 ⓸ 🔾🅱 🎴🅱🅱
fermé sam. midi et dim. – **Repas** 280 (déj.), 580/680 bc et carte 410 à 590 ♈
Spéc. Omble chevalier et anguille fumée en brochette. Araignée de mer,
tourteau et homard. Poularde de Bresse "vapeur" en risotto aux herbes.

XXX **Manoir Detourbe**   FG 18
    6 r. P. Demours ✆ 01 45 72 25 25, *Fax 01 45 74 80 98*
🟦. 🆎 ⓸ 🔾🅱
fermé dim. – **Repas** (menu unique au dîner) 180 (déj.)/220 ♈.

XXX **Augusta**   CY 4
    98 r. Tocqueville ✆ 01 47 63 39 97, *Fax 01 47 63 39 97*
🟦. 🔾🅱
fermé 2 au 23 août, sam. sauf le soir d'oct. à avril et dim. – **Repas** - produits
de la mer - carte 320 à 550.

XXX **Timgad**   EG 4
❀   21 r. Brunel ✆ 01 45 74 23 70, *Fax 01 40 68 76 46*
« Décor mauresque » – 🟦. 🆎 ⓸ 🔾🅱. 🚫
Repas - cuisine marocaine - carte 230 à 380
Spéc. Couscous. Tagine. Pastilla.

XX **Petit Colombier** (Fournier)   FH 6
❀   42 r. Acacias ✆ 01 43 80 28 54, *Fax 01 44 40 04 29*
🟦. 🆎
fermé 1er au 18 août, dim. sauf le soir du 15 sept. au 1er mai et sam. – **Repas**
190 (déj.)/360 et carte 280 à 460 ♈
Spéc. Oeufs rôtis à la broche aux truffes fraîches (15 déc. au 15 mars). Grand
pot-au-feu à l'ancienne (nov. à mars). Pigeonneau fermier et sa farce fine à la
croque au sel, sauce Périgueux.

XX Les Béatilles (Bochaton)   FG 2
✿ 11 bis r. Villebois-Mareuil ☎ 01 45 74 43 80, Fax 01 45 74 43 81
■. AE GB
fermé 2 au 22 août, 24 déc. au 3 janv., sam. et dim. – **Repas** 18C
310 et carte 260 à 360 ♀
Spéc. Filets de maquereaux, champignons et bigorneaux. Croustillant d
pied de porc, jus de persil et mesclun. Tarte tiède de noix et chocolat, crèm
glacée à la vanille.

XX Braisière (Vaxelaire)   CY
✿ 54 r. Cardinet ☎ 01 47 63 40 37, Fax 01 47 63 04 76
AE GB
fermé 8 au 16 mai, août, sam. et dim. – **Repas** 185 et carte 280 à 370
Spéc. Saint-Jacques aux pommes de terre et fleur de sel de Ré (oct. à avril
Foie gras poêlé aux aubergines confites. Ris de veau entier au jus de veau e
pommes de terre au foie gras.

XX Dessirier   BY 4
9 pl. Mar. Juin ☎ 01 42 27 82 14, Fax 01 47 66 82 07
■. AE ① GB
Repas - produits de la mer - 208 et carte 290 à 490.

XX Graindorge   FH 1
15 r. Arc de Triomphe ☎ 01 47 54 00 28, Fax 01 47 54 00 28
AE GB JCB
fermé 9 au 22 août, sam. midi et dim. – **Repas** *(138)* - 168 (déj.), 188
250 et carte 220 à 330.

XX L'Atelier Gourmand   CY 3
20 r. Tocqueville ☎ 01 42 27 03 71, Fax 01 42 27 03 71
■ GB
fermé 2 au 23 août, sam. sauf le soir du 1er sept. au 14 juin et dim. – **Repa**
(135) - 175 ♀.

XX Paolo Petrini   EG
6 r. Débarcadère ☎ 01 45 74 25 95, Fax 01 45 74 12 95
■. AE GB JCB. ⌀
fermé 2 au 23 août et sam. midi – **Repas** - cuisine italienne - 13●
(déj.)/190 et carte 200 à 360 ♀.

XX Truite Vagabonde   DY 1
17 r. Batignolles ☎ 01 43 87 77 80, Fax 01 43 87 31 50
⌂ – AE GB
fermé dim. soir – **Repas** 179 ♀.

XX Ballon des Ternes   EG 3
103 av. Ternes ☎ 01 45 74 17 98, Fax 01 45 72 18 84
brasserie – AE GB JCB
fermé 26 juil. au 26 août – **Repas** carte 180 à 310 ♀.

XX Auberge des Dolomites   FG 4
38 r. Poncelet ☎ 01 42 27 94 56, Fax 01 47 66 38 54
AE GB
fermé 30 juil. au 30 août, sam. midi et dim. – **Repas** *(110)* - 138.
188 et carte 200 à 356 ♀.

XX Taïra   EH 22
10 r. Acacias ☎ 01 47 66 74 14, Fax 01 47 66 74 14
■. AE ① GB
fermé 15 au 25 août, vacances de fév., sam. midi et dim. – **Repas** - produits de
la mer - 180/330 et carte environ 320.

XX Beudant   CY 23
97 r. des Dames ☎ 01 43 87 11 20, Fax 01 43 87 27 35
■. AE ① GB JCB
fermé 8 au 26 août, sam. midi et dim. – **Repas** 165/300 et carte 210 à 340 ♀.

XX **Les Marines**
27 av. Niel ✆ 01 47 63 04 24, *Fax 01 44 15 92 20*
▤. AE ⓓ GB
fermé dim. – **Repas** - produits de la mer - carte 240 à 350.

XX **Chez Léon** CY 28
32 r. Legendre ✆ 01 42 27 06 82, *Fax 01 46 22 63 67*
bistrot – ⓓ GB
fermé août, sam. et dim. – Repas (nombre de couverts limité, prévenir) 120/185 et carte 160 à 290 ♀.

XX **Les Blés Coupés** FG 5
4 r. P. Demours ✆ 01 45 74 42 41, *Fax 01 45 74 80 98*
▤. AE ⓓ GB
Repas 175.

X **Rôtisserie d'Armaillé** FG 19
6 r. Armaillé ✆ 01 42 27 19 20, *Fax 01 40 55 00 93*
▤. AE ⓓ GB JCB
fermé 1er au 15 août, sam. midi et dim. – **Repas** *(165)* - 218.

X **Bistrot de l'Étoile Niel** BY 19
75 av. Niel ✆ 01 42 27 88 44, *Fax 01 42 27 32 12*
▤. AE ⓓ GB JCB
Repas *(130)* - 160/200 (déj.)et carte 200 à 300 ♀.

X **Soupière** CY 15
154 av. Wagram ✆ 01 42 27 00 73
▤. AE GB
fermé 7 au 22 août, sam. midi et dim. – **Repas** 138/295 et carte 190 à 240.

X **Petite Auberge** BY 38
38 r. Laugier ✆ 01 47 63 85 51, *Fax 01 47 63 85 81*
AE GB
fermé août, lundi midi et dim. – **Repas** (nombre de couverts limité, prévenir) 170.

X **Caves Petrissans** FG 45
30 bis av. Niel ✆ 01 42 27 52 03, *Fax 01 40 54 87 56*
☂, bistrot – AE GB
fermé 2 au 22 août, sam., dim. et fériés – Repas 170 et carte 210 à 280 ♀.

X **L'Impatient** CY 36
14 passage Geffroy Didelot ✆ 01 43 87 28 10
GB
fermé 1er au 15 août, 28 fév. au 5 mars, lundi soir, sam. et dim. – **Repas** 102 (déj.), 120/285 et carte 240 à 320 ♀.

X **Troyon** FH 47
4 r. Troyon ✆ 01 40 68 99 40, *Fax 01 40 68 99 57*
AE GB
fermé 10 au 31 août, sam. midi et dim. – **Repas** (prévenir) 198 ♀.

X **Café d'Angel** FH 15
16 r. Brey ✆ 01 47 54 03 33, *Fax 01 47 54 03 33*
bistrot – GB
fermé 1er au 21 août, 24 déc. au 5 janv., sam. et dim. – Repas *(80)* - 95 (déj.), 145/180 ♀.

X **L'Ampère** CY 6
1 r. Ampère ✆ 01 47 63 72 05, *Fax 01 47 63 37 33*
bistrot – AE GB
fermé sam. midi et dim. – **Repas** *(99)* - carte 160 à 220 ♀.

✕ **Chez Ballot**   CY 3
14 r. Thann ℰ 01 42 27 25 43
GB
fermé août, sam., dim. et fériés – **Repas** *(95)* - 148 et carte 150 à 250.

✕ **Bistrot de l'Étoile Troyon**   FH
13 r. Troyon ℰ 01 42 67 25 95, *Fax 01 46 22 43 09*
▤. AE ⓪ GB JCB
fermé 25 juil. au 25 août, sam. midi et dim. – **Repas** (prévenir
175 et carte 210 à 280 ♈.

✕ **Bistro du 17e**   BY 3
108 av. Villiers ℰ 01 47 63 32 77, *Fax 01 42 27 67 66*
▤. AE GB
Repas 169 bc.

✕ **Petit Gervex**   BX
2 r. Gervex ℰ 01 43 80 53 63, *Fax 01 40 53 93 53*
☂ – GB
fermé 1er au 23 août, dim. soir et sam. – **Repas** *(115)* - 150 et carte 150 à 210.

✕ **Petite Provence**   DY
69 rue des Dames ℰ 01 45 22 03 03
GB
fermé 5 août au 1er sept., sam. midi et lundi – **Repas** - spécialités provençale
et de poissons (nombre de couverts limité, prévenir) *(105)* - 13
et carte 210 à 310 ♈.

✕ **L'Huîtrier**   FG 2
16 r. Saussier-Leroy ℰ 01 40 54 83 44, *Fax 01 40 54 83 86*
AE GB
fermé août, dim. soir et lundi – **Repas** - produits de la mer - carte 180 à 380 ♈

Montmartre - La Villette _____
Buttes Chaumont _____
Belleville - Père Lachaise _____

18e, 19e et 20e arrondissements

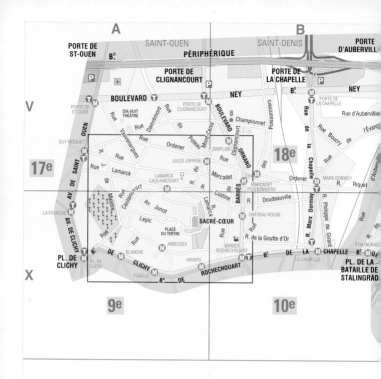

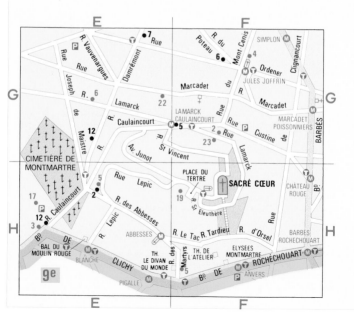

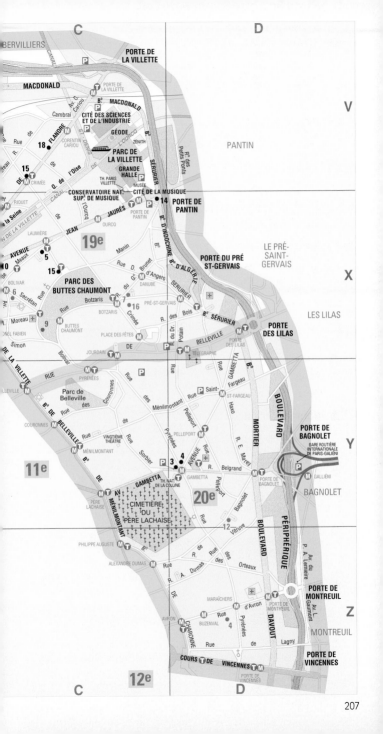

Terrass'Hôtel   EH

12 r. J. de Maistre (18e) *𝄋* 01 46 06 72 85, *Fax 01 42 52 29 11*
$\boxed{M}$, 斎, « Terrasse sur le toit, ≤ Paris » – 淵 ⇥ ☰ rest, $\boxed{TV}$ ☎ ✆
益 25 à 100. $\boxed{AE}$ ⑩ ☒ ⓙⒸⒷ
Terrasse *𝄋*01 44 92 34 00 **Repas** 130 bc/168 ⅃ – ☲ 75 – **88 ch** 880/1470
13 appart.

Holiday Inn   CX 1

216 av. J. Jaurès (19e) *𝄋* 01 44 84 18 18, *Fax 01 44 84 18 20*
$\boxed{M}$, 斎, 𝄐 – 淵 ⇥ ☰ $\boxed{TV}$ ☎ ✆ & $\boxed{P}$ – 益 15 à 140. $\boxed{AE}$ ⑩ ☒ ⓙⒸⒷ. ℀ res
Repas *(89)* - 120/150 et carte 150 à 240, enf. 45 – ☲ 75 – **176 ch** 1550/1750
6 appart.

Mercure Montmartre   EH 1

3 r. Caulaincourt (18e) *𝄋* 01 44 69 70 70, *Fax 01 44 69 70 71*
sans rest – 淵 ⇥ ☰ $\boxed{TV}$ ☎ ✆ & – 益 20 à 70. $\boxed{AE}$ ⑩ ☒
☲ 70 – **308 ch** 920/1110.

Holiday Inn Garden Court   EG 1

23 r. Damrémont (18e) *𝄋* 01 44 92 33 40, *Fax 01 44 92 09 30*
$\boxed{M}$ sans rest – 淵 ⇥ ☰ $\boxed{TV}$ ☎ & – 益 20. $\boxed{AE}$ ⑩ ☒ ⓙⒸⒷ
☲ 95 – **54 ch** 1250.

Parc des Buttes Chaumont   CX 1

1 pl. Armand Carrel (19e) *𝄋* 01 42 08 08 37, *Fax 01 42 45 66 91*
sans rest – 淵 ☰ $\boxed{TV}$ ☎ ✆ $\boxed{AE}$ ⑩ ☒
☲ 55 – **45 ch** 450/700.

Clarine   CV 1

147 av. Flandre (19e) *𝄋* 01 44 72 46 46, *Fax 01 44 72 46 47*
$\boxed{M}$ – 淵 ⇥ ☰ rest, $\boxed{TV}$ ☎ ✆ & 🚗 – 益 70. $\boxed{AE}$ ⑩ ☒ ⓙⒸⒷ
Repas 65/75 et carte 100 à 170 ⅃, enf. 34 – ☲ 38 – **207 ch** 380.

Roma Sacré Coeur   FG

101 r. Caulaincourt (18e) *𝄋* 01 42 62 02 02, *Fax 01 42 54 34 92*
sans rest – 淵 $\boxed{TV}$ ☎. $\boxed{AE}$ ⑩ ☒ ⓙⒸⒷ
☲ 37 – **57 ch** 400/570.

Palma   DY

77 av. Gambetta (20e) *𝄋* 01 46 36 13 65, *Fax 01 46 36 03 27*
sans rest – 淵 $\boxed{TV}$ ☎. $\boxed{AE}$ ⑩ ☒ ⓙⒸⒷ
☲ 35 – **32 ch** 340/390.

Crimée   CV 1

188 r. Crimée (19e) *𝄋* 01 40 36 75 29, *Fax 01 40 36 29 57*
sans rest – 淵 ☰ $\boxed{TV}$ ☎. $\boxed{AE}$ ☒ ⓙⒸⒷ
☲ 35 – **31 ch** 280/350.

Laumière   CX

4 r. Petit (19e) *𝄋* 01 42 06 10 77, *Fax 01 42 06 72 50*
sans rest – 淵 $\boxed{TV}$ ☎. ☒
☲ 36 – **54 ch** 290/390.

Super Hôtel   DY

208 r. Pyrénées (20e) *𝄋* 01 46 36 97 48, *Fax 01 46 36 26 10*
sans rest – 淵 $\boxed{TV}$ ☎. $\boxed{AE}$ ☒ ⓙⒸⒷ
fermé août
☲ 35 – **32 ch** 250/520.

Abricôtel CX **10**
15 r. Lally Tollendal (19e) ℘ 01 42 08 34 49, *Fax 01 42 40 83 95*
sans rest – |≨| TV ☎ ✆ &. AE ① GB ⅏
⌑ 33 – **39 ch** 300/400.

Eden Hôtel FG **6**
90 r. Ordener (18e) ℘ 01 42 64 61 63, *Fax 01 42 64 11 43*
sans rest – |≨| TV ☎ ✆. AE ① GB JCB
⌑ 35 – **35 ch** 395/440.

Damrémont EG **7**
110 r. Damrémont (18e) ℘ 01 42 64 25 75, *Fax 01 46 06 74 64*
sans rest – |≨| ⨝ TV ☎ ✆. AE ① GB JCB
⌑ 40 – **35 ch** 440/490.

XXX **Beauvilliers** (Carlier) FG **2**
⌘ 52 r. Lamarck (18e) ℘ 01 42 54 54 42, *Fax 01 42 62 70 30*
« Décor original, terrasse » – 🍽. AE ① GB JCB. ⅏
fermé lundi midi et dim. – **Repas** 185 (déj.)/400 bc et carte 410 à 580
Spéc. Papillotes de langoustines au basilic. Rognonnade de veau au jus de
truffes. Entremets aux chocolats, croustillant-praliné.

XXX **Pavillon Puebla** CX **9**
Parc Buttes-Chaumont, entrée : av Bolivar, r. Botzaris (19e) ℘ 01 42 08 92 62,
Fax 01 42 39 83 16
🌳, « Agréable situation dans le parc » – P. AE GB
fermé 8 au 23 août, dim. et lundi – **Repas** 190/260 et carte 330 à 500.

XX **Cottage Marcadet** EG **22**
151 bis r. Marcadet (18e) ℘ 01 42 57 71 22
🍽. GB. ⅏
Repas *(120)* - 160 (déj.)/215 bc et carte 250 à 350.

XX **Les Allobroges** DZ **4**
71 r. Grands-Champs (20e) ℘ 01 43 73 40 00
AE GB
fermé 27 mai au 3 juin, août, dim., lundi et fériés – **Repas** 97/
174 et carte 210 à 380.

XX **Relais des Buttes** CX **16**
86 r. Compans (19e) ℘ 01 42 08 24 70, *Fax 01 42 03 20 44*
🌳 – GB
fermé 8 au 29 août, sam. midi et dim. – **Repas** 178 et carte 210 à 340 ⅀.

XX **Chaumière** CX **6**
46 av. Secrétan (19e) ℘ 01 42 06 54 69, *Fax 01 42 06 28 12*
🍽. AE ① GB
fermé lundi en juil.-août et dim. soir – **Repas** 143/198 bc et carte 180 à 370.

XX **Au Clair de la Lune** FH **19**
9 r. Poulbot (18e) ℘ 01 42 58 97 03, *Fax 01 42 55 64 74*
AE GB JCB
fermé 22 mars au 8 avril, 23 août au 13 sept., lundi midi et dim. – **Repas**
165 et carte 210 à 350.

X **Eric Frechon** CX **7**
10 r. Gén. Brunet (19e) ℘ 01 40 40 03 30, *Fax 01 40 40 03 30*
🍽. GB
fermé août, dim. et lundi – **Repas** 210 ⅀.

X **Poulbot Gourmet** FG 2
39 r. Lamarck (18e) 𝒫 01 46 06 86 00, *Fax 01 46 06 86 00*
GB
fermé dim. sauf le midi d'oct. à mai – **Repas** *(115)* - 180 et carte 210 à 330.

X **L'Oriental** FH
76 r. Martyrs (18e) 𝒫 01 42 64 39 80, *Fax 01 42 64 39 80*
AE GB. ❄
fermé 24 juil. au 20 août et dim. – **Repas** - cuisine nord-africaine - 85
210 et carte 140 à 220 ☂.

X **Marie-Louise** BV
52 r. Championnet (18e) 𝒫 01 46 06 86 55
bistrot – GB
fermé 1er au 23 août, lundi soir et dim. – **Repas** 130 et carte 250 à 300.

X **Bouclard** EH 1
1 r. Cavallotti (18e) 𝒫 01 45 22 60 01, *Fax 01 45 22 00 48*
bistrot – AE GB
fermé lundi midi, sam. midi et dim. – **Repas** 120 (déj.)et carte 210 à 350.

X **Village Kabyle** FG
4 r. Aimé Lavy (18e) 𝒫 01 42 55 03 34, *Fax 01 42 86 08 35*
GB. ❄
fermé lundi midi et dim. – **Repas** - cuisine nord-africaine - 200
250 et carte 150 à 190 ☂.

X **Aucune Idée ?** DY 1
2 pl. St-Blaise (20e) 𝒫 01 40 09 70 67, *Fax 01 43 56 12 34*
AE GB JCB
fermé 1er au 7 mars, 2 au 16 août, dim. soir et lundi – **Repas** 135 (déj.)
165/175 et carte 160 à 290 ☂.

X **L'Étrier** EG
154 r. Lamarck (18e) 𝒫 01 42 29 14 01
bistrot – ▤. GB
fermé 2 au 23 août, dim. et lundi – **Repas** (nombre de couverts limité
prévenir) *(72)* - 82 (déj.), 160/250 et carte environ 250 ☂.

X **Rughetta** EH
41 r. Lepic (18e) 𝒫 01 42 23 41 70, *Fax 01 42 23 41 70*
bistrot – GB. ❄
fermé août, Noël au Jour de l'An, vacances de fév. et lundi – **Repas** - cuisine
italienne - (nombre de couverts limité, prévenir) 110 et carte 150 à 220 ♨.

Environs

40 km autour de Paris

Hôtels ————————————————

Restaurants ————————————————

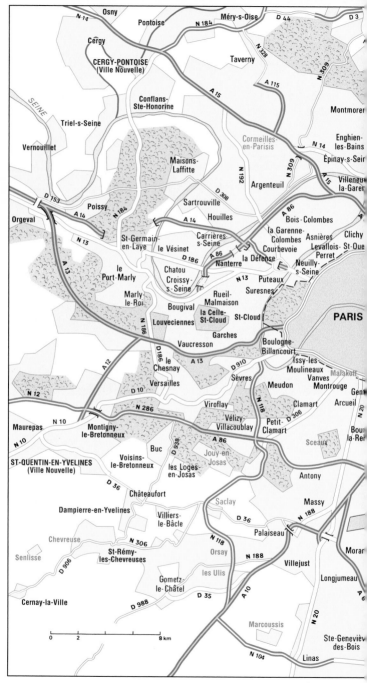

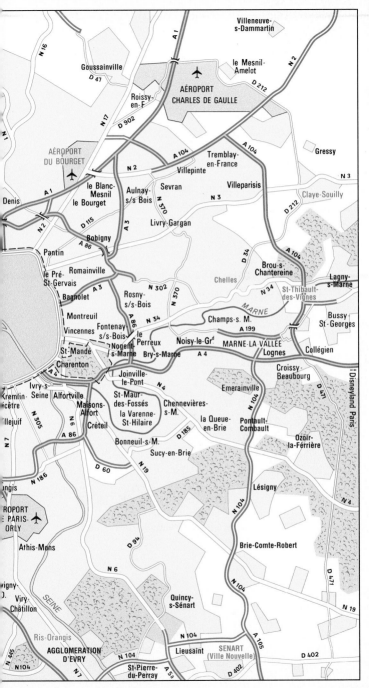

213

Légende

$\boxed{P}$ ⟨SP⟩	Préfecture – Sous-préfecture
93300	Numéro de code postal
101 ⑭	Numéro de la carte Michelin et numéro de pli
AJ 27	Repère du carroyage des plans Michelin Banlieue de Paris 18, 20, 22, 24, 25
36252 h. alt. 102	Population et altitude
Voir	Curiosités décrites dans les guides Verts Michelin
★★★	Vaut le voyage
★★	Mérite un détour
★	Intéressant
	Plans des Environs
• •	Hôtel-Restaurant
═══	Autoroute
▬ ═	Grande voie de circulation
▬ Pasteur	Rue piétonne – Rue commerçante
✉	Bureau principal de poste restante et téléphone
H POL. 🛡	Hôtel de ville – Police – Gendarmerie

Key

$\boxed{P}$ ⟨SP⟩	Prefecture – Sub-prefecture
93300	Local postal number
101 ⑭	Number of appropriate Michelin map and fold
AJ 27	Grid reference on Michelin plans of Paris suburbs «Banlieue de Paris» 18, 20, 22, 24, 25
36252 h. alt. 102	Population – Altitude (in metres)
Voir	Sights described in Michelin Green Guides:
★★★	Worth a journey
★★	Worth a detour
★	Interesting
	Towns plans of the Environs
• •	Hotel-Restaurant
═══	Motorway
▬ ═	Major through route
▬ Pasteur	Pedestrian street – Shopping street
✉	Main post office with poste restante and telephone
H POL. 🛡	Town Hall – Police – Gendarmerie

214

Alfortville *94140 Val-de-Marne* 💯 ㉗, 🔲 *25 – 36 119 h alt. 32.*
Paris 10 – Créteil 6 – Maisons-Alfort 1 – Melun 40.

🏨 **Chinagora Hôtel**   BE 55
centre Chinagora, 1 pl. Confluent France-Chine ℘ 01 43 53 58 88,
Fax 01 49 77 57 17
Ⓜ sans rest – 🛗 ⇥ 📟 ☎ ⅋ – 🕍 200. 🖭 ⓞ 🔤
🛏 50 – **177 ch** 490/550, 4 appart.

CITROEN Gar. des Quais, 2 r. Ch.-de-Gaulle ℘ 01 43 78 50 34 🆖 ℘ 06 07 97 57 69

Antony *92160 Hauts-de-Seine* 💯 ㉕, 🔲 *25 – 57 771 h alt. 80.*
Voir *Sceaux : parc*★★ *et musée de l'Île-de-France*★ *N : 4 km – Châtenay-Malabry : église St-Germain-l'Auxerrois*★ *, Maison de Chateaubriand*★ *NO : 4 km,* G. Île de France.
🅱 *Office de Tourisme pl. Auguste-Mounie ℘ 01 42 37 57 77, Fax 01 46 66 30 80.*
Paris 13 – Bagneux 9 – Corbeil-Essonnes 26 – Nanterre 25 – Versailles 17.

🏨 **Alixia**   BM 46
1 r. Providence ℘ 01 46 74 92 92, *Fax 01 46 74 50 55*
Ⓜ sans rest – 🛗 ☎ ✆ ⅋ – 🕍 20. 🖭 🔤 🔤
🛏 55 – **40 ch** 500/550.

🍴🍴 **L'Amandier**   BM45-46
8 r. Église ℘ 01 46 66 22 02, *Fax 01 46 66 61 86*
🍽 . 🖭 🔤 . ⅙
fermé 23 déc. au 5 janv., dim. soir et lundi – **Repas** *(110) -* 155/220 ⅌.

🍴🍴 **Boucalot**   BP 46
157 av. Division Leclerc ℘ 01 46 66 19 32, *Fax 01 46 66 79 74*
🔤
fermé août, sam. midi, dim. soir et lundi – **Repas** 169/240.

🍴 **Tour de Marrakech**   BN 46
72 av. Division Leclerc ℘ 01 46 66 00 54
🍽 . 🔤 . ⅙
fermé août et lundi – **Repas** *- cuisine nord-africaine - carte* 160 à 260.

🍴 **Les Philosophes**   BN 46
53 av. Division Leclerc ℘ 01 42 37 23 22, *Fax 01 42 37 23 22*
🔤
fermé août, dim. soir et lundi – **Repas** *(90) -* 130 ⅌.

Arcueil *94110 Val-de-Marne* 💯 ㉖, 🔲 *25 – 20 334 h alt. 65.*
Paris 8 – Boulogne-Billancourt 9 – Longjumeau 15 – Montrouge 4 – Versailles 21.

🏨 **Campanile**   BF 48
73 av. A. Briand, N 20 ℘ 01 47 40 87 09, *Fax 01 45 47 51 93*
🛗 ⇥ 📟 ☎ ✆ ⅋ 🅿 – 🕍 30. 🖭 ⓞ 🔤
Repas *(78) -* 94/109 ⅌, enf. 39 – 🛏 36 – **83 ch** 360.

⑩ Equipneu, 32 r. de la Gare ℘ 01 46 65 10 44

Argenteuil ⟨SP⟩ 95100 Val-d'Oise 101 ⑭, 18 25 *G. Ile de France* – 93 096 h alt. 33.

Paris 17 – Chantilly 38 – Pontoise 19 – St-Germain-en-Laye 19.

Campanile AR 4¹
1 r. Ary Scheffer ℘ 01 39 61 34 34, *Fax 01 39 61 44 20*
M – ⧉ ⤢ TV ☎ ℂ ⅁ P – ♨ 40. AE ① GB
Repas (78) - 94/109 ⅃, enf. 39 – ☲ 36 – **98 ch** 486.

XXX **Ferme d'Argenteuil** AP 4¹
2 bis r. Verte ℘ 01 39 61 00 62, *Fax 01 30 76 32 31*
AE GB
fermé août, lundi soir, mardi soir et dim. – **Repas** 180/280 b(
et carte 240 à 340 ℤ.

FORD Gar. des Grandes Fontaines, 70 bd
J. Allemane ℘ 01 39 81 61 61
RENAULT S.R.P.A., 181 bd Général-
Delambre ℘ 01 39 81 51 95 Ⓝ ℘ 08 00
02 83 07
RENAULT Rousseau Argenteuil, 139 bis
bd J.-Allemane ℘ 01 39 25 95 95
RENAULT Succursale, 219 r. H.-Barbusse
℘ 01 39 96 41 41

SKODA Gar. Busson, 21 r. Chapeau-
Rouge à Sannois ℘ 01 39 81 43 27

⑩ Monteils Pneumatiques, 48-50 av.
Stalingrad ℘ 01 34 11 44 44
Vulco, 13 r. E.-Vaillant à Bezons
℘ 01 30 76 80 86

Asnières-sur-Seine 92600 Hauts-de-Seine 101 ⑮, 18 25 *G. Ile de France* –

71 850 h alt. 37.

Paris 10 – Argenteuil 8 – Nanterre 8 – Pontoise 27 – St-Denis 7 – St-Germain
en-Laye 20.

XXX **Van Gogh** AT 4(
2 quai Aulagnier ℘ 01 47 91 05 10, *Fax 01 47 93 00 93*
㿟, « Terrasse en bord de Seine » – P. AE ① GB. ✗
fermé 8 au 31 août, 24 déc. au 1er janv., sam. sauf le soir en juin-juil. et dim. -
Repas carte 220 à 410 ℤ.

XX **Petite Auberge** AT 44
118 r. Colombes ℘ 01 47 93 33 94
GB
fermé 3 au 23 août et lundi – Repas 150 ℤ.

PEUGEOT Gar. Hôtel-de-Ville, 36 r.
P.-Brossolette ℘ 01 47 33 37 37

RENAULT Gar. Cretaz, 34 r. de Colombes
℘ 01 47 93 23 90

Athis-Mons 91200 Essonne 101 ㊱, 25 – 29 123 h alt. 85.

Paris 18 – Créteil 14 – Évry 12 – Fontainebleau 48.

Rotonde
25 bis r. H. Pinson ℘ 01 69 38 97 78, *Fax 01 69 38 48 02*
sans rest – TV ☎ P. GB. ✗
☲ 30 – **22 ch** 300/340.

BMW VP Automobiles, 111 r. R.-Schumann ℘ 01 69 38 64 36

Aulnay-sous-Bois 93600 Seine-St-Denis 101 ⑱, 20 25 – 82 314 h alt. 46.

Paris 20 – Bobigny 8 – Lagny-sur-Marne 24 – Meaux 31 – St-Denis 14 -
Senlis 38.

Novotel AM 62
rte Gonesse N 370 ℘ 01 48 66 22 97, *Fax 01 48 66 99 39*
M, 㿟, ⤢, ⊞ – ⧉ ⤢ ≡ TV ☎ ℂ ⅁ P – ♨ 200. AE ① GB
Repas (98) - 129 et carte 130 à 250 ℤ, enf. 50 – ☲ 65 – **139 ch** 560/590.

XXX **Auberge des Saints Pères**   AS 62
212 av. Nonneville ℰ 01 48 66 62 11, *Fax 01 48 66 25 22*
▤. ⒶⒺ ⒼⒷ
fermé 7 au 23 août, sam. midi, dim. soir et lundi soir – **Repas** 195/
360 et carte 290 à 450.

XX **A l'Escargot**   AR 62
40 rte Bondy ℰ 01 48 66 88 88, *Fax 01 48 68 26 91*
⛲ – ⒶⒺ ⓞ ⒼⒷ
fermé août, 2 au 10 janv et lundi – **Repas** (dîner, prévenir) *(80)* - 130/
180 et carte 220 à 380 ⓧ, enf. 120.

CITROEN Gar. des Petits Ponts, 153 rte de
Mitry ℰ 01 43 83 70 81 Ⓝ ℰ 01 48 60 60
30
CITROEN Gar. Nonneville, 205 av. de
Nonneville ℰ 01 48 66 40 01

FORD Gar. Bocquet, 37 av. A.-France
ℰ 01 48 66 47 33
RENAULT Paris Nord Autos, r. J.-Duclos
N 370 ℰ 01 48 66 30 65 Ⓝ ℰ 08 00 05
15 15

Auvers-sur-Oise 95430 Val-d'Oise ⑩⑪ ③, ⑩⑥ ⑥ *G. Ile de France* – 6 129 h alt. 30.
Voir *Maison de Van Gogh*★ – *Parcours-spectacle "voyage au temps des Impressionnistes"*★ *au château de Léry - Maison-atelier de Daubigny*★.
🅱 *Office de Tourisme Manoir des Colombières r. de La Sansonne* ℰ 01 30 36
10 06, *Fax 01 34 48 08 47.*
Paris 34 – Compiègne *72* – Beauvais *56* – Chantilly *30* – L'Isle-Adam *8* – Pontoise *7* – Taverny *7.*

XX **Hostellerie du Nord**
r. Gén. de Gaulle ℰ 01 30 36 70 74, *Fax 01 30 36 72 75*
⛲ – Ⓟ. ⒶⒺ ⒼⒷ ⒿⒸⒷ
fermé 15 au 31 août, sam. midi , dim. soir et lundi – **Repas** 250 bc (déj.),
270/370 ⓧ.

X **Auberge Ravoux**
face Mairie ℰ 01 30 36 60 60, *Fax 01 30 36 60 61*
« Ancien café d'artistes dit ''Maison de Van Gogh'' » – ⒶⒺ ⒼⒷ ⒿⒸⒷ. 🌂
fermé dim. soir et lundi – **Repas** (nombre de couverts limité, prévenir) *(145)* -
185.

Bagnolet 93170 Seine-St-Denis ⑩⑪ ⑰, ⑳ 25 – 32 600 h alt. 96.
Paris 8 – Bobigny 10 – Lagny-sur-Marne 32 – Meaux 39.

🏨 **Novotel Porte de Bagnolet**   AZ 56
av. République, échangeur porte de Bagnolet ℰ 01 49 93 63 00,
Fax 01 43 60 83 95
🏊 – 🛗 ⇄ ▤ 📺 ☎ ⅙ ⇨ – 🛎 600. ⒶⒺ ⓞ ⒼⒷ ⒿⒸⒷ
Repas *(89)* - 105 (dîner), 120/140 ⓧ, enf. 50 – ⌴ 70 – **611 ch** 815/860.

🏨 **Campanile**   AZ 56
30 av. Gén. de Gaulle, échangeur Porte de Bagnolet ℰ 01 48 97 36 00,
Fax 01 48 97 95 60
Ⓜ – 🛗 ⇄ ▤ 📺 ☎ 📞 ⅙ – 🛎 200. ⒶⒺ ⓞ ⒼⒷ
Repas *(78)* - 94/109 ⅊, enf. 39 – ⌴ 36 – **274 ch** 405.

Le Blanc-Mesnil 93150 Seine-St-Denis ⑩⑪ ⑰, ⑳ 25 – 46 956 h alt. 48.
Paris 19 – Bobigny 5 – Lagny-sur-Marne 32 – St-Denis 10 – Senlis 39.

🏨 **Bleu Marine**   AN 60
219 av. Descartes ℰ 01 48 65 52 18, *Fax 01 45 91 07 75*
Ⓜ, ⛲ – 🛗 ⇄ ▤ 📺 ☎ ⅙ ⇨ Ⓟ – 🛎 45. ⒶⒺ ⓞ ⒼⒷ
Repas *(105)* - 145 et carte 140 à 230 ⓧ, enf. 49 – ⌴ 50 – **128 ch** 560.

voir aussi **Le Bourget**

Bobigny *93000 Seine-St-Denis* 📖 ⑰, 🔲 25 – *44 659 h alt. 42.*
Paris 13 – St-Denis 9.

🏛 **Campanile**   AU 59
304 av. Paul Vaillant-Couturier 🖊 01 48 31 37 55, *Fax 01 48 31 53 30*
Ⓜ – 🛗 🔀 📺 ☎ 📲 👍 🅿 – 🎛 30. 🅰🅴 ⓪ ⒢⒝
Repas *(78)* - 94/109 🍷, enf. 39 – ☕ 36 – **112 ch** 459.

PEUGEOT SIA Paris Nord, 97-103 av. Galliéni à Bondy 🖊 01 48 47 31 19

Bois-Colombes *92270 Hauts-de-Seine* 📖 ⑮, 🔲 25 – *24 415 h alt. 37.*
Paris 12 – Nanterre 8 – Pontoise 24 – St-Denis 9 – St-Germain-en-Laye 19.

🟤🟤🟤 **Bouquet Garni**   AT 44
7 r. Ch. Chefson 🖊 01 47 80 55 51, *Fax 01 47 60 15 55*
⒢⒝
fermé août, sam. et dim. – **Repas** carte 170 à 250 ♀.

Ⅹ **Chefson**   AT 44
17 r. Ch. Chefson 🖊 01 42 42 12 05, *Fax 01 42 42 12 05*
bistrot – ⒢⒝
fermé 1er au 22 août, vacances de fév., sam. et dim. – Repas (nombre de
couverts limité, prévenir) 70 (déj.), 115/160 🍷.

CITROEN Gar. Central, 17 bis av. Gambetta   CITROEN Gar. Messager, 249 av.
🖊 01 42 42 11 00   d'Argenteuil 🖊 01 47 81 42 22

Bonneuil-sur-Marne *94380 Val-de-Marne* 📖 ㉗, 🔲 25 – *13 626 h alt. 50.*
Paris 18 – Chennevières-sur-Marne 6 – Créteil 4 – Lagny-sur-Marne 28 –
St-Maur-des-Fossés 5.

🏛 **Campanile**   BL 62
ZI Petits Carreaux, 2 av. Bleuets 🖊 01 43 77 70 29, *Fax 01 43 99 42 96*
🏡 – 🔀 📺 ☎ 📲 👍 🅿 – 🎛 25. 🅰🅴 ⓪ ⒢⒝
Repas *(72)* - 86/99 🍷, enf. 39 – ☕ 34 – **58 ch** 295.

CITROEN Gar. Faure, av. du 19 Mars 1962   RENAULT Central Gar., 3 av. de Boissy
🖊 01 43 39 63 66   🖊 01 43 39 62 39
MERCEDES Gar. Val des Nations, ZA des
Petits Carreaux 🖊 01 43 39 70 11   ⓘ Bertrand Pneus Vulco, 8 r. de la
RENAULT Central Gar., 11 r. du Colonel-   Pompadour à Boissy-Saint-Léger
Fabien 🖊 01 43 39 62 76   🖊 01 45 69 14 14

Bougival *78380 Yvelines* 📖 ⑬, 🔲 25 *G. Ile de France – 8 552 h alt. 40.*
🅱 *Syndicat d'Initiative 7 r. du Gén.-Leclerc* 🖊 *01 39 69 21 23.*
Paris 20 – Rueil-Malmaison 5 – St-Germain-en-Laye 6 – Versailles 7 – Le Vési-
net 8.

🏨 **Forest Hill**   AZ 32
⒢⒝
10-12 r. Yvan Tourgueneff 🖊 01 39 18 17 16, *Fax 01 39 18 15 80*
Ⓜ, 🏊 – 🛗 🔀, 🍴 rest, 📺 ☎ 🚗 🅿 – 🎛 150. 🅰🅴 ⓪ ⒢⒝ ⒿⒸⒷ
Repas 85/138 bc ♀, enf. 39 – ☕ 55 – **175 ch** 690.

🏛 **Maréchaux**
10 côte de la Jonchère 🖊 01 30 82 77 11, *Fax 01 30 82 78 40*
🏊 sans rest, parc, ⚘ – 🛗 📺 ☎ 📲 🅿 – 🎛 120. 🅰🅴 ⓪ ⒢⒝
☕ 49 – **40 ch** 550/630.

XXX **Camélia** AZ 31
7 quai G. Clemenceau ℘ 01 39 18 36 06, Fax 01 39 18 00 25
🖃. 🖭 ① ⅁ℬ
fermé 26 juil. au 24 août, 20 au 28 déc., dim. soir et lundi – **Repas** (135) - 185 bc (déj.), 195/225.

Boulogne-Billancourt ◁SP▷ 92100 Hauts-de-Seine 🔟🔟 ㉔, 𝟮𝟮 25 *G. Île de France* – 101 743 h alt. 35.
Voir *Musée départemental Albert-Kahn*★ *: jardins*★ – *Musée Paul Landowski*★ .
Paris 9 – Nanterre 13 – Versailles 11.

🏯 **Golden Tulip** BC 42
37 pl. René Clair ℘ 01 49 10 49 10, Fax 01 46 08 27 09
🖭, 🚗 – 🛗 ⤢ 🖃 📺 ☎ 📞 🖕 – 🛗 150. 🖭 ① ⅁ℬ 🗌🖵
L'Entracte ℘01 49 10 49 50 **Repas** (120)-150 (déj.) et carte 170 à 300 – ⇋ 80 – **180 ch** 1260/1400.

🏯 **Acanthe** BB 39
9 rd-pt Rhin et Danube ℘ 01 46 99 10 40, Fax 01 46 99 00 05
🖭 sans rest – 🛗 ⤢ 🖃 📺 ☎ 📞 ⇔ – 🛗 35. 🖭 ① ⅁ℬ 🗌🖵
⇋ 75 – **69 ch** 895/995.

🏨 **Adagio** BB 40
20 r. Abondances ℘ 01 48 25 80 80, Fax 01 48 25 33 13
🖭, 🚗 – 🛗 ⤢ 🖃 📺 ☎ 🖕 ⇔ – 🛗 60. 🖭 ① ⅁ℬ 🗌🖵
Repas *(fermé 1ᵉʳ au 25 août, sam. et dim.)* (120) - 150 et carte 140 à 280 ⬡ – ⇋ 70 – **75 ch** 780/820.

🏨 **Sélect Hôtel** BC 40
66 av. Gén.-Leclerc ℘ 01 46 04 70 47, Fax 01 46 04 07 77
sans rest – 🛗 📺 ☎ 📞 🅿 – 🛗 20. 🖭 ① ⅁ℬ 🗌🖵
⇋ 45 – **63 ch** 480/540.

🏨 **Paris** BB40-41
104 bis r. Paris ℘ 01 46 05 13 82, Fax 01 48 25 10 43
sans rest – 🛗 📺 ☎ 📞. 🖭 ① ⅁ℬ
⇋ 39 – **31 ch** 355/420.

🏨 **Bijou Hôtel** BC 41
15 r. V. Griffuelhes, pl. Marché ℘ 01 46 21 24 98, Fax 01 46 21 12 98
sans rest – 🛗 📺 ☎. 🖭 ① ⅁ℬ
⇋ 29 – **50 ch** 270/350.

🏨 **Olympic Hôtel** BC 41
69 av. V. Hugo ℘ 01 46 05 20 69, Fax 01 46 04 04 07
sans rest – 🛗 📺 ☎. 🖭 ⅁ℬ
⇋ 35 – **36 ch** 350/440.

XXX **Au Comte de Gascogne** (Charvet) BB 40
❀ 89 av. J.-B. Clément ℘ 01 46 03 47 27, Fax 01 46 04 55 70
« Jardin d'hiver » – 🖃. 🖭 ① ⅁ℬ
fermé 9 au 17 août, sam. midi et dim. – **Repas** 250 (déj.)/440 et carte 360 à 530
Spéc. Foie gras de canard. Ragoût de homard. Pigeon de Vendée désossé, farci et confit (oct. à mai).

XX **L'Auberge** BB 40
86 av. J.-B. Clément ℘ 01 46 05 67 19, Fax 01 46 05 23 16
🖃. 🖭 ① ⅁ℬ
fermé août, sam. midi et dim. – **Repas** 200/330 et carte 250 à 310 ⬡.

%%% **Ferme de Boulogne** BB 40

1 r. Billancourt ℘ 01 46 03 61 69, *Fax 01 46 04 55 70*

AE GB

fermé 1er au 23 août, sam. midi et dim. – **Repas** *(140)* - 175 et carte 200 à 290.

% **Grange** BC 39

34 quai Le Gallo ℘ 01 46 05 22 38, *Fax 01 48 25 19 66*

≣, AE ⓞ GB

fermé 15 au 30 août, sam. et dim. – **Repas** 168 ℤ.

AUDI, VOLKSWAGEN Aguesseau Autom.,
183 r. Gallieni ℘ 01 46 05 62 60
BMW Zol'Auto, 24 r. du Chemin Vert
℘ 01 46 09 91 43 ℕ ℘ 01 46 08 23 00
CITROEN Gar. Augustin, 53 r. Danjou
℘ 01 46 10 43 10 ℕ ℘ 08 00 05 24 24
FIAT, LANCIA C.F.B.A., 58 r. Rochereau et
65 r. du Château ℘ 01 46 99 45 45
JAGUAR, LAND ROVER, MG, MINI,ROVER
Adam Clayton, 77 av. P.-Grenier
℘ 01 46 10 99 74

RENAULT Succursale, 577 av. Gén.-
Leclerc ℘ 01 47 61 39 39 ℕ ℘ 08 00 05
15 15

⓪ Cent Mille Pneus, 117 rte de la Reine
℘ 01 46 99 98 78
Etter Pneus, 57 r. Thiers
℘ 01 46 20 18 55

Le Bourget 93350 *Seine-St-Denis* ⅢⓄⅠ ⑰, ②Ⓞ 25 *G. Ile de France* – 11 699 h alt. 47.

Voir *Musée de l'Air et de l'Espace*★★.

Paris 12 – Bobigny 5 – Chantilly 38 – Meaux 39 – St-Denis 6 – Senlis 37.

▲▲ **Novotel** AM 59

ZA pont Yblon au Blanc Mesnil ⊠ 93150 ℘ 01 48 67 48 88, *Fax 01 45 91 08 27*
Ⓜ, 綠, ⎓, ⚘ – |⫯| ⑂ ≣ TV ☎ ℂ ⅙ Ⓟ – ⚘ 25 à 200. AE ⓞ GB
Repas *(94)* - 120 ℤ, enf. 50 – ⊑ 60 – **143 ch** 650/680.

▲▲ **Bleu Marine** AM 58

aéroport du Bourget - Zone aviation d'affaires ℘ 01 49 34 10 38,
Fax 01 49 34 10 35
Ⓜ – |⫯| ⑂ ≣ TV ☎ ⅙ Ⓟ – ⚘ 60. AE ⓞ GB
Repas *(105)* - 145 et carte 140 à 230 ℤ, enf. 49 – ⊑ 60 – **86 ch** 750.

CITROEN Gar. de l'Angelus, 205-207
av.P.-V.-Couturier à Blanc-Mesnil
℘ 01 48 66 81 54

⓪ Euromaster, 190 av. Ch.-Floquet à
Blanc-Mesnil ℘ 01 48 67 17 40 ℕ ℘ 01
48 60 60 30

Bourg-la-Reine 92340 *Hauts-de-Seine* ⅢⓄⅠ ㉕, ②② 25 – 18 499 h alt. 56.

Voir *L'Hay-les-Roses : roseraie*★★ E : 1,5 km, **G. Île de France.**

🖪 *Office de Tourisme 1 bd Carnot ℘ 01 46 61 36 41.*

Paris 10 – Boulogne-Billancourt 18 – Évry 24 – Versailles 17.

🏠 **Alixia** BJ 47

82 av. Gén. Leclerc ℘ 01 46 60 56 56, *Fax 01 46 60 57 34*
sans rest – |⫯| ⑂ TV ☎ ℂ ⅙ ⇔. AE ⓞ GB
⊑ 45 – **41 ch** 550.

PEUGEOT Gar. Sireine Autos, 12 bis av.
Gén.-Leclerc ℘ 01 46 11 15 15
RENAULT Gar. des Cottages, 19 av. des
Cottages ℘ 01 43 50 13 75

⓪ Vaysse, 30 av. du Gén.-Leclerc
℘ 01 46 65 67 69

Circulez autour de Paris avec les **cartes Michelin**
ⅢⓄⅠ à 1/50 000 - Banlieue de Paris
ⅢⓄ⑥ à 1/100 000 - Environs de Paris
②③⑦ à 1/200 000 - Ile de France

Brie-Comte-Robert 77170 S.-et-M. 101 ㊴ G. Ile de France – 11 501 h alt. 90.

Voir Verrière★ du chevet de l'église.

🛈 Syndicat d'Initiative (ouvert mer. et sam. après-midi, dim. matin)
pl. Jeanne-d'Évreux ℘ 01 64 05 30 09.

Paris 31 – Brunoy 10 – Évry 20 – Melun 18 – Provins 63.

🏛 **A la Grâce de Dieu**
79 r. Gén. Leclerc (N 19) ℘ 01 64 05 00 76, Fax 01 64 05 60 57
Ⓜ – 📺 ☎ 📞 🅿. 🅰🅴 ⓪ 🆖
Repas (fermé 9 au 22 août et dim. soir) 109/220 et carte 160 à 280 �%, enf. 60 –
☲ 30 – **18 ch** 185/260.

CITROEN Pasquier Autom., 6 av. Gén.-   ⓜ BCR Interpneu Mélia Vulco, 75 r.
Leclerc ℘ 01 64 05 00 94   Gén.-Leclerc ℘ 01 64 05 88 99
PEUGEOT Metin, 7 r. Gén.-Leclerc
℘ 01 60 62 31 43 Ⓝ ℘ 06 07 52 88 27
RENAULT Gar. Redelé Brie, 17 av. Gén.-
Leclerc ℘ 01 60 62 50 50 Ⓝ ℘ 08 00 05
15 15

Brou-sur-Chantereine 77177 S.-et-M. 101 ⑲, 26 – 4 469 h alt. 120.
Paris 35 – Coulommiers 39 – Meaux 28 – Melun 47.

%% **Lotus de Brou**
2 ter r. Carnot ℘ 01 64 21 01 44
🆖. ❧
fermé août et lundi – **Repas** - cuisine chinoise et thaï - carte 180 à 310.

ⓜ Rando Pneus, 12 r. de Chantereine ℘ 01 60 20 99 05

Bry-sur-Marne 94360 Val-de-Marne 101 ⑱, 25 – 13 826 h alt. 40.
Paris 15 – Créteil 11 – Joinville-le-Pont 6 – Nogent-sur-Marne 4 – Vincennes 8.

%% **Auberge du Pont de Bry**   BC 65
3 av. Gén. Leclerc ℘ 01 48 82 27 70
🅰🅴 🆖
fermé 9 au 29 août, dim. soir et lundi – **Repas** 145 et carte 170 à 250.

Buc 78530 Yvelines 101 ㉓, 22 25 – 5 434 h alt. 130.
Paris 29 – Bièvres 8 – Chevreuse 13 – Versailles 6.

🏛 **Campanile**   BM 30
Z.A.C. du Pré Clos ℘ 01 39 56 26 26, Fax 01 39 56 26 27
🏡 – ✂ 📺 ☎ 📞 🅿 – 🛡 25. 🅰🅴 ⓪ 🆖
Repas (72) - 86/99 ⅃, enf. 39 – ☲ 34 – **49 ch** 295.

RENAULT Succursale, ZI, 2-4 r. R.-Garros ℘ 01 30 84 60 00 Ⓝ ℘ 08 00 05 15 15

Carrières-sur-Seine 78420 Yvelines 101 ⑭, 18 25 – 11 469 h alt. 52.
Paris 20 – Argenteuil 9 – Asnières-sur-Seine 11 – Courbevoie 9 – Nanterre 10 –
Pontoise 29 – St-Germain-en-Laye 6.

%% **Panoramic de Chine**   AT 36
1 r. Fermettes ℘ 01 39 57 64 58, Fax 01 39 15 17 68
🏡 – 🅿. 🅰🅴 ⓪ 🆖. ❧
fermé 16 au 31 août – **Repas** - cuisine chinoise et thaï - 88/
178 et carte 140 à 180 ⅃.

La Celle-St-Cloud 78170 Yvelines 101 ⑬, 18 25 – 22 834 h alt. 115.

Paris 22 – Rueil-Malmaison 7 – St-Germain-en-Laye 8 – Versailles 6 – Le Vési-net 9.

X **Au Petit Chez Soi** BA 32
pl. Église, au bourg ℘ 01 39 69 69 51, *Fax 01 39 18 30 42*
�ⁿ, bistrot – AE GB
fermé 24 déc. au 2 janv. et dim. soir – **Repas** 163/190 bc.

Cergy-Pontoise Ville Nouvelle P 95 Val-d'Oise 55 ⑳, 106 ⑤ 101 ② G. Ile de France.

18 18 *Golf d'Ableiges* ℘ 01 34 66 06 05 à Pontoise; 19 9 ℘ 01 34 21 03 48, O : 7 km par D 922 à Cergy.

Paris 36 ② – Mantes-la-Jolie 40 ④ – Pontoise 3 – Rambouillet 61 ④ – St-Germain-en-Laye 20 ③ – Versailles 34 ③.

CERGY-PRÉFECTURE

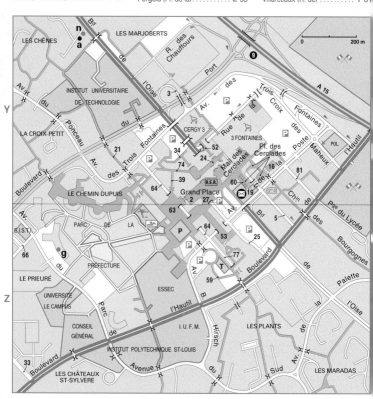

CERGY-PONTOISE

Constellation (Av. de la) .... **AV** 13
Delarue (Av. du Gén.-G.) ... **BX** 15

Genottes (Av. des) .... **AV** 28
Mendès-France (Mail) ..... **AX** 44
Mitterrand (Av. Fr.) .... **BVX** 45
Moulin-à-Vent (Bd du) ..... **AV** 47

Normandie (Av. de) .... **BV** 48
Petit-Albi (R. du) .... **AV** 55
Verdun (Av. de) .... **BX** 76
Viosne (Bd de la) .... **BVX** 83

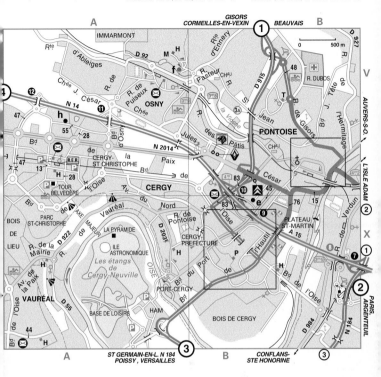

Cergy – *48 226 h. alt. 30* – ✉ *95000* :.

🏨 **Astrée**   Y
3 r. Chênes Émeraude par bd Oise ℰ 01 34 24 94 94, *Fax 01 34 24 95 15*
sans rest – |🛗| 🖩 📺 ☎ 📞 ⚹ 🚗 – 🏛 60. 🖭 ⓘ 🅖🅑 🆔🅒🅑
☲ 60 – **55 ch** 590/690.

🏨 **Novotel**   Z
3 av. Parc, près préfecture ℰ 01 30 30 39 47, *Fax 01 30 30 90 46*
🏊, 🏤, 🍽, 🌳 – |🛗| ⥻, 🖩 ch, 📺 ☎ 📞 ⚹ 🅿 – 🏛 100. 🖭 ⓘ 🅖🅑 🆔🅒🅑
Repas carte environ 180 ☪, enf. 50 – ☲ 65 – **191 ch** 560/725.

🏨 **Campanile**   AV
Parc d'activités St-Christophe (sortie échangeur n° 11) r. Petit Albi
ℰ 01 34 24 02 44, *Fax 01 30 73 99 96*
🏤 – ⥻ 📺 ☎ 📞 ⚹ 🅿 – 🏛 25. 🖭 ⓘ 🅖🅑
Repas *(72)* - 86/99 🍷, enf. 39 – ☲ 34 – **45 ch** 295.

XXX **Les Coupoles**   Y
1 r. Chênes Emeraude par bd Oise ℰ 01 30 73 13 30, *Fax 01 30 73 46 90*
🖩. 🖭 ⓘ 🅖🅑
fermé sam., dim. et fériés – **Repas** *(125)* - 168/268 bc ☪.

Cormeilles-en-Véxin – *802 h. alt. 111 –* ✉ *95830 :.*

XXX **Relais Ste-Jeanne** (Cagna)
❀❀ sur ancienne D 915 ℘ 01 34 66 61 56, *Fax 01 34 66 40 31*
« *Jardin* » – **P. AE ⓪ GB**
fermé 1er au 25 août, 19 au 27 déc., dim. (sauf le midi de Pâques au 1er nov. et fériés) et lundi – **Repas** 230/620 bc et carte 480 à 620
Spéc. Douceur de homard breton aux aromates et huile d'olive. Croustade de langoustines au jus de truffe. Aiguillettes de pigeon en mille-feuille de navets, jus au porto.

Méry-sur-Oise – *6 179 h. alt. 29 –* ✉ *95540 :.*

🛈 *Syndicat d'Initiative 30 av. M.-Perrin* ℘ *01 34 64 85 15.*

XXX **Chiquito** (Mihura)
❀ rte Pontoise 1,5 km par D922 ℘ 01 30 46 40 23, *Fax 01 30 36 42 22*
🥗 – ▤ **P. AE ⓪ GB**
fermé vacances de fév., sam. midi, dim. soir et lundi – **Repas** (prévenir) 300/380 et carte 300 à 400
Spéc. Escargots de Bourgogne et grenouilles à la purée d'ail. Foie gras poêlé, compote de pommes et airelles. Lasagnes au collier d'agneau de lait et dos rôti, jus à la chicorée.

Osny – *12 195 h. alt. 37 –* ✉ *95520 :.*

XX **Moulin de la Renardière**   AV
r. Gd Moulin ℘ 01 30 30 21 13, *Fax 01 34 25 04 98*
🍽, « *Ancien moulin dans un parc* » – **P. AE ⓪ GB**
fermé dim. soir et lundi – **Repas** 169.

Pontoise 🅿 – *27 150 h. alt. 48 –* ✉ *95300 :.*

🛈 *Office de Tourisme 6 pl. du Petit-Matroy* ℘ *01 30 38 24 45, Fax 01 30 73 54 84.*

PONTOISE

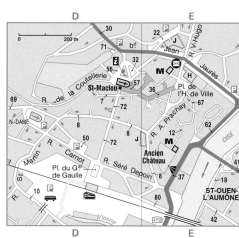

🏨 **Campanile**   BVX
r. P. de Coubertin ℘ 01 30 38 55 44, *Fax 01 30 30 48 87*
🍽 – ✶ 📺 ☎ ✆ & **P** – 🕍 25. **AE ⓪ GB**
Repas *(72)* - 86/99 ⓑ, enf. 39 – 🍽 34 – **81 ch** 295.

CITROEN Pontoise Cergy Autos, 17 r. d'Anjou ZI de Béthune à St-Ouen-l'Aumône par r. du Mail ✆ 01 34 20 15 15
CITROEN Pontoise Cergy Autos, 21 ch. J.-César à Pontoise ✆ 01 30 30 28 29
FORD Rémy Goudé Auto, 15 r. de la Pompe à Cergy ✆ 01 34 33 32 31
LANCIA Gar. SOGEL, 10 r. Séré-Depoin à Pontoise ✆ 01 30 75 33 00
PEUGEOT Cergy-Pontoise-Autom., 8 ch. J.-César à Osny ✆ 01 30 30 12 12 N ✆ 08 00 44 24 24
RENAULT Rousseau, 2 ch. J.-César à Osny ✆ 01 34 41 95 95

Euromaster, 121 av. du Gén.-Leclerc à Pierrelaye ✆ 01 34 64 07 50
Vaysse, 15 rte de Gisors D 915 à Osny ✆ 01 34 24 85 88
Vulco, ZA 67 r. F.-Combes à Cergy ✆ 01 30 30 11 91

Cernay-la-Ville *78720 Yvelines 101 ㉛, 106 ㉙ – 1 757 h alt. 170.*

Voir *Abbaye★ des Vaux-de-Cernay O : 2 km,* G.Île de France.

Paris 46 – Chartres 54 – Longjumeau 27 – Rambouillet 12 – Versailles 24.

Abbaye des Vaux de Cernay

Ouest : 2,5 km par D 24 ✆ 01 34 85 23 00, *Fax 01 34 85 11 60*
, <, « Ancienne abbaye cistercienne du 12e siècle dans un grand parc »,
, – – 500. AE GB JCB
Repas *(120)* - 160 (déj.), 265/415 et carte 280 à 420, enf. 90 – 80 – **55 ch** 410/1900, 3 appart – ½ P 700/800.

PEUGEOT Gar. Vallée, ✆ 01 34 85 21 27 N ✆ 08 00 44 24 24

Charenton-le-Pont *94220 Val-de-Marne 101 ㉗, 24 25 – 21 872 h alt. 45.*

Paris 8 – Alfortville 4 – Ivry-sur-Seine 4.

Novotel Atria — BD 55

5 pl. Marseillais (r. Paris) ✆ 01 46 76 60 60, *Fax 01 49 77 68 00*
M, – – 25 à 180. AE GB
Repas *(98)* - carte environ 180 ♀, enf. 50 – 64 – **133 ch** 760/940.

XX L'Amphitryon — BE 56

21 av. Mar. de Lattre de Tassigny ✆ 01 49 77 65 65
AE GB
fermé 10 août au 1er sept., sam. midi, dim. soir et lundi – **Repas** - produits de la mer - *(140)* - 185 ♀.

Chatou *78400 Yvelines 101 ⑬, 18 25 G. Île de France – 27 977 h alt. 30.*

Paris 17 – Maisons-Laffitte 14 – Pontoise 31 – St-Germain-en-Laye 5 – Versailles 13.

XX Canotiers — AW 33

16 av. Mar. Foch ✆ 01 30 71 58 69, *Fax 01 30 71 48 60*
. AE GB JCB
fermé dim. soir et lundi – **Repas** *(89)* - 119 (déj.), 159/259 ♀.

RENAULT Gar. de la Résidence, 40 et 119 av. du Mar. Foch ✆ 01 30 15 77 77
N ✆ 08 00 05 15 15

Chennevières-sur-Marne *94430 Val-de-Marne 101 ㉘, 24 25 – 17 857 h alt. 108.*

18 *d'Ormesson* ✆ 01 45 76 20 71, SE : 3 km.

Paris 19 – Coulommiers 49 – Créteil 10 – Lagny-sur-Marne 21.

XXX Écu de France — BG 65

31 r. Champigny ✆ 01 45 76 00 03
<, , « Cadre rustique, terrasse fleurie en bordure de rivière », – P. GB.
fermé 30 août au 6 sept., dim. soir et lundi – **Repas** carte 240 à 330.

BMW Gar. du Bac, 2 et 4 r. Lavoisier
℮ 01 49 62 03 30 **N** ℮ 01 40 25 59 00
FIAT Carrefour des Nations, 2 rte de la Libération ℮ 01 45 76 56 05

RENAULT SOVEA, 96 rte de la Libération
℮ 01 49 62 21 21 **N** ℮ 08 00 05 15 15
VOLVO Élysée Est Autos, 102 rte de la Libération ℮ 01 45 93 04 00

Clamart *92140 Hauts-de-Seine* 101 ㉕, 22 25 – *47 227 h alt. 102.*

🛈 *Office de Tourisme 22 rue P.-V.-Couturier ℮ 01 46 42 17 95, Fax 01 46 42 44 30.*

Paris 10 – Boulogne-Billancourt 6 – Issy-les-Moulineaux 4 – Nanterre 15 – Versailles 14.

🏠 **Trosy**   BG 42
41 r. P. Vaillant-Couturier ℮ 01 47 36 37 37, *Fax 01 47 36 88 38*
sans rest – 🛗 📺 ☎. 🅰🅴 ⒼⒷ
⬜ 35 – **40 ch** 400/450.

AUDI, VOLKSWAGEN S.T.N.A., 154 av.
V.-Hugo ℮ 01 46 42 20 61
PEUGEOT Paris Sud Clamart, 182 av.
Gén.-de-Gaulle ℮ 01 41 07 90 20
N ℮ 08 00 44 24 24
RENAULT Clamart Autom.,
185 av. V.-Hugo ℮ 01 41 33 19 11
N ℮ 08 00 05 15 15

🔘 Clamart Pneus, 329 av. Gén.-de-Gaulle
℮ 01 46 31 12 04

Visitez la capitale avec le guide Vert Michelin **PARIS**

Clichy *92110 Hauts-de-Seine* 101 ⑮, 18 25 – *48 030 h alt. 30.*

🛈 *Office de Tourisme 61 r. Martre ℮ 01 47 15 31 61, Fax 01 47 15 30 45.*
Paris 10 – Argenteuil 8 – Nanterre 9 – Pontoise 27 – St-Germain-en-Laye 21.

🏨 **Sovereign**   AU 46
14 r. Dagobert ℮ 01 47 37 54 24, *Fax 01 47 30 05 80*
sans rest – 🛗 📺 ☎ 📞 🚗. 🅰🅴 ⓞ ⒼⒷ
⬜ 40 – **42 ch** 390/450.

🏠 **Europe**   AU 47
52 bd Gén. Leclerc ℮ 01 47 37 13 10, *Fax 01 40 87 11 06*
sans rest – 🛗 📺 ☎ 🅿 – 🔬 25. 🅰🅴 ⓞ ⒼⒷ
⬜ 45 – **43 ch** 400/470.

🏠 **Résidence Europe**   AU 47
15 r. P. Curie ℮ 01 47 37 12 13, *Fax 01 47 37 15 43*
sans rest – 🛗 📺 ☎. 🅰🅴 ⓞ ⒼⒷ
⬜ 45 – **28 ch** 450.

🏠 **des Chasses**   AU 46
49 r. Pierre Bérégovoy ℮ 01 47 37 01 73, *Fax 01 47 31 40 98*
sans rest – 🛗 📺 ☎ 📞. 🅰🅴 ⓞ ⒼⒷ
⬜ 40 – **35 ch** 360/400.

XXX **Romantica**   AU 46
73 bd J. Jaurès ℮ 01 47 37 29 71, *Fax 01 47 37 76 32*
� – 🅰🅴 ⒼⒷ
fermé sam. midi et dim. – **Repas** - cuisine italienne - 215 (déj.), 250/395 et carte 320 à 440 ⅀.

XX **Barrière de Clichy**   AV 47
1 r. Paris ℮ 01 47 37 05 18, *Fax 01 47 37 77 05*
🍽. 🅰🅴 ⓞ ⒼⒷ
fermé 8 au 29 août, 2 au 9 janv., sam. midi et dim. – **Repas** 160/240 et carte 210 à 400 ⅀.

BMW G.P.M., 8 rue de Belfort
 🖉 01 47 39 99 40
CITROEN Centre Citroën Clichy, 125 bd
J.-Jaurès 🖉 01 42 70 17 17
CITROEN Succursale, 15-17 r. Fournier
ZAC 🖉 01 47 37 30 02

FORD Gar. Sadeva, 129 bd Jean-Jaurès
 🖉 01 47 39 71 13

🔘 Central Pneumatique, 22 r. Dr.-
Calmette 🖉 01 42 70 99 94

Conflans-Ste-Honorine 78700 Yvelines **101** ③ G. Ile de France (plan) –
31 467 h alt. 25 Pardon national de la Batellerie (fin juin).

Voir ⩽★ de la terrasse du parc – Musée de la Batellerie.

🖪 Office de Tourisme 23 r. Maurice-Berteaux 🖉 01 34 90 99 09.

Paris 38 – Mantes-la-Jolie 41 – Poissy 12 – Pontoise 8 – St-Germain-en-Laye 14
– Versailles 28.

XX **Au Confluent de l'Oise**
15 cours Chimay 🖉 01 39 72 60 31, Fax 01 39 19 99 90
⩽, 🏤 – **P**. 🖭 ⊞
fermé 16 août au 3 sept., vacances de fév., dim. soir et lundi sauf fériés –
Repas 139/198 bc et carte 200 à 270 ♀.

X **Au Bord de l'Eau**
15 quai Martyrs-de-la-Résistance 🖉 01 39 72 86 51
▤. ⊞
fermé 16 au 30 août et lundi sauf fériés – **Repas** 169.

Gar. Foch, 188 av. Foch 🖉 01 39 19 44 80

Courbevoie 92400 Hauts-de-Seine **101** ⑮, **18** 25 G. Ile de France – 65 389 h alt. 28.
Paris 10 – Asnières-sur-Seine 4 – Levallois-Perret 5 – Nanterre 5 – St-Germain-
en-Laye 18.

🏠 **George Sand**   AV 41
18 av. Marceau 🖉 01 43 33 57 04, Fax 01 47 88 59 38
sans rest, « Décor évoquant l'époque de George Sand » – |💲| 🖭 ☎ 📞. 🖭 ⓞ
⊞
⊇ 45 – **31 ch** 450/530.

🏠 **Central**   AV 41
99 r. Cap. Guynemer 🖉 01 47 89 25 25, Fax 01 46 67 02 21
sans rest – |💲| 🖭 ☎ **P**. 🖭 ⓞ ⊞
⊇ 32 – **55 ch** 360/400.

Quartier Charras :

🏨 **Mercure La Défense 5**   AV 41
18 r. Baudin 🖉 01 49 04 75 00, Fax 01 47 68 83 32
Ⓜ – |💲| ✗← ▤ 🖭 ☎ 📞 ₺ ⇔ – 🔬 150. 🖭 ⓞ ⊞ 🅹🅲🅱
Charleston Brasserie 🖉 01 49 04 75 85 **Repas**
(105)- carte 140 à 300 ♪, enf. 50 – ⊇ 77 – **509 ch** 950/1000, 6 appart.

au Parc de Bécon :

XX **Trois Marmites**   AV 43
215 bd St-Denis 🖉 01 43 33 25 35, Fax 01 43 33 25 35
▤. 🖭 ⓞ ⊞
fermé août, sam., dim. et fériés – **Repas** (déj. seul.) (165) - 195.

HONDA Japauto Autom., 96-102 bd de
Verdun 🖉 01 41 88 30 30
RENAULT Succursale, 8 bd G.-Clémen-
ceau 🖉 01 46 67 55 55
Ⓝ 🖉 08 00 05 15 15

🔘 Cenci Pneu Point S, 8 r. de Bitche
 🖉 01 43 33 25 36

Créteil ⓟ 94000 Val-de-Marne 🔟🔟 ㉗, 🔟 25 *G. Ile de France* – *82 088 h alt. 48.*

Voir *Hôtel de ville★ : parvis★* .

🚹 *Office de Tourisme 1 r. F.-Mauriac* ℘ *01 48 98 58 18, Fax 01 42 07 09 65.*
Paris 14 – Bobigny 20 – Évry 22 – Lagny-sur-Marne 29 – Melun 35.

🏨 **Novotel**   BJ 58
au lac ℘ 01 42 07 91 02, *Fax 01 48 99 03 48*
Ⓜ ⌦, 🍴, ⬛ – 📶 ⇆ ▭ 📺 ☎ ⓟ – 🎪 80. 🆎 ⓪ ☖
Repas *(98)* - 120 ♈, enf. 50 – ☲ 65 – **110 ch** 520/640.

CITROEN Gar. des Quais, 30 r. de Valenton   ⓔ Euromaster, 54 av. H.-Barbusse à
℘ 01 42 07 21 00 🅽 ℘ 08 00 05 24 24   Valenton ℘ 01 43 89 06 54
PEUGEOT SCA-SVICA, 89 av. Gén.-de-   Vulco, Ferme de la Grange à Yerres
Gaulle ℘ 01 45 17 94 94   ℘ 01 69 83 90 20
RENAULT SVAC, ZI Petites Haies, 37 r. de
Valenton ℘ 01 45 17 98 00

Croissy-sur-Seine 78290 Yvelines 🔟🔟 ⑬, 🔟 25 – *9 098 h alt. 24.*
Paris 21 – Maisons-Laffitte 11 – Pontoise 29 – St-Germain-en-Laye 5 – Versailles 10.

✗ **Buissonnière**   AX 32
9 av. Mar. Foch (près église) ℘ 01 39 76 73 55
☖
fermé 15 août au 15 sept., dim. soir et lundi – **Repas** *(120)* - 150.

Dampierre-en-Yvelines 78720 Yvelines 🔟🔟 ㉛ – *1 030 h alt. 100.*
Voir *Château de Dampierre★★* , *G. Ile de France.*
Paris 44 – Chartres 57 – Longjumeau 29 – Rambouillet 16 – Versailles 19.

✗✗ **Auberge du Château ''Table des Blot''**
 ✿ 1 Grande rue ℘ 01 30 47 56 56, *Fax 01 30 47 51 75*
avec ch – 📺 ☎. 🆎 ☖
fermé 23 août au 3 sept., 20 au 30 déc., 31 janv. au 13 fév., dim. soir, mardi midi et lundi sauf fériés – **Repas** *180*/290 – ☲ 50 – **14 ch** 350/400
Spéc. Tranche d'espadon poêlée et foie gras de canard chaud. Escalopines de rognons de veau, pommes "Chatouillard". Savarin tiède au chocolat.

✗✗ **Écuries du Château**
au château ℘ 01 30 52 52 99, *Fax 01 30 52 59 90*
ⓟ. 🆎 ⓪ ☖
fermé 3 au 18 août, vacances de fév. et mardi – **Repas** 220/320 et carte 230 à 310.

✗✗ **Auberge St-Pierre**
1 r. Chevreuse ℘ 01 30 52 53 53, *Fax 01 30 52 58 57*
☖
fermé dim. soir et lundi – **Repas** *(150)* - 190/280.

La Défense 92 Hauts-de-Seine 🔟🔟 ⑭, 🔟 25 *G. Paris* – ✉ 92400 Courbevoie.
Voir *Quartier★★ : perspective★ du parvis.*
Paris 9 – Courbevoie 2 – Nanterre 4 – Puteaux 2.

🏨 **Sofitel CNIT**   AV-AW40
2 pl. Défense ✉ 92053 ℘ 01 46 92 10 10, *Fax 01 46 92 10 50*
Ⓜ ⌦ – 📶 ⇆, ▭ ch, 📺 ☎ ℡ &. – 🎪 20 à 100. 🆎 ⓪ ☖ ⛎
fermé 31 juil. au 23 août voir rest. *Les Communautés* ci-après – ☲ 130 –
141 ch 1800/2100, 6 appart.

🏨 **Renaissance** AW 40
60 Jardin de Valmy, par bd circulaire, sortie La Défense 7 ✉ 92918 Puteaux
☎ 01 41 97 50 50, *Fax 01 41 97 51 51*
Ⓜ, 🛐 – 📶 ⟱ 🍴 ▤ 📺 ☎ 📞 🖤 🚗 – 🛎 220. 🆎 ⓪ ஊ 🗸🖃. 🕉
Repas 170 ⚏ – 🖵 100 – **314 ch** 1400/1700, 20 appart.

🏨 **Sofitel La Défense** AW 41
34 cours Michelet, par bd circulaire sortie La Défense 4 ✉ 92060 Puteaux
☎ 01 47 76 44 43, *Fax 01 47 76 72 10*
Ⓜ 🧖 – 📶 🍴 ▤ 📺 ☎ 📞 🖤 🚗 – 🛎 100. 🆎 ⓪ ஊ
Les 2 Arcs (fermé vend. soir, dim. midi et sam.) **Repas** 310 ⚏
Botanic (fermé le soir sauf vend. et sam.) **Repas** 195 ⚏ – 🖵 95 – **151 ch**
1750/2150.

🏨 **Novotel La Défense** AW 42
2 bd Neuilly ☎ 01 41 45 23 23, *Fax 01 41 45 23 24*
Ⓜ, ≼ – 📶 🍴 ▤ 📺 ☎ 🖤 🖫 – 🛎 130. 🆎 ⓪ ஊ 🗸🖃
Repas *(92)* - carte environ 180 ⚏, enf. 50 – 🖵 70 – **280 ch** 950/980.

🏨 **Ibis La Défense** AW 42
4 bd Neuilly ☎ 01 41 97 40 40, *Fax 01 41 97 40 50*
Ⓜ, 🍵 – 📶 🍴 ▤ 📺 ☎ 📞 🖫 – 🛎 40. 🆎 ⓪ ஊ 🗸🖃
Repas *(75)* - carte environ 130 ⚏ – 🖵 39 – **284 ch** 560.

🍴🍴🍴 **Les Communautés** - Hôtel Sofitel CNIT AV-AW40
2 pl. Défense, 5ᵉ étage ☎ 01 46 92 10 30, *Fax 01 46 92 10 50*
▤. 🆎 ⓪ ஊ 🗸🖃
fermé 31 juil. au 23 août, sam. et dim. – **Repas** carte 300 à 350.

Enghien-les-Bains 95880 Val-d'Oise 🔲🔲🔲 ⑤, 🔲🔲 25 *G. Île de France* –
10 077 h alt. 45 – Stat. therm. – Casino .

Voir *Lac★ – Deuil-la-Barre : chapiteaux historiés★ de l'église Notre-Dame
NE : 2 km.*

🏌 *de Domont Montmorency* ☎ 01 39 91 07 50, N : 8 km.

🛈 *Office de Tourisme pl. du Mar.-Foch* ☎ 01 34 12 41 15, *Fax 01 39 34 05 76.*
*Paris 20 – Argenteuil 5 – Chantilly 32 – Pontoise 20 – St-Denis 7 – St-Germain-
en-Laye 23.*

🏨 **Grand Hôtel** AL 46
85 r. Gén. de Gaulle ☎ 01 39 34 10 00, *Fax 01 39 34 10 01*
🧖, ≼, 🍵, 🚲 – 📶 ▤ 📺 ☎ 📞 🅿 – 🛎 35. 🆎 ⓪ ஊ 🗸🖃
Repas *(155)* - 195/260, enf. 60 – 🖵 90 – **47 ch** 1000/1100, 3 appart.

🏨 **Lac** AL 46
89 r . Gén. de Gaulle ☎ 01 39 34 11 00, *Fax 01 33 34 11 01*
Ⓜ 🧖, ≼, 🍵 – 📶 cuisinette 🍴 📺 ☎ 📞 🖤 🚗 – 🛎 120. 🆎 ⓪ ஊ 🗸🖃
Repas *(115)* - 155 bc/260 🍶 – 🖵 80 – **103 ch** 890, 4 appart.

🍴 **Aub. Landaise** AK 47
32 bd d'Ormesson ☎ 01 34 12 78 36
▤. 🆎 ஊ
fermé août, vacances de fév., dim. soir et merc. – **Repas** carte 160 à 220.

BMW DAP, 211 av. Division Leclerc
☎ 01 39 89 14 17
NISSAN Gar. Andréoli, 14 r. J.-Ferry
☎ 01 39 64 70 32

RENAULT Relais des Courses, 4 av.
Kellermann à Eaubonne
☎ 01 39 59 89 45

Épinay-sur-Seine *93800 Seine-St-Denis* 101 ⑮, 18 25 – *48 762 h alt. 34.*
Paris 16 – Argenteuil 5 – Bobigny 13 – Pontoise 21 – St-Denis 5.

Myriades AN 49
127 rte St-Leu ☎ 01 42 35 81 63, *Fax 01 42 35 81 62*
rest, TV – 30. GB
Repas *(fermé dim. soir et sam.)* 83/140 – 35 – **50 ch** 280.

Ibis AM 46
1 av. 18-Juin-1940 ☎ 01 48 29 83 41, *Fax 01 48 22 93 03*
– TV – 25 à 50. AE GB
Repas *(75)* - 95 ♀, enf. 39 – 35 – **91 ch** 295.

Évry (Agglomération d') *91 Essonne* 101 ㊲.
18 9 *du Coudray* ☎ 01 64 93 81 76, par ③ : 7,5 kms ; 18 *de St-Germain-les-Corbeil* ☎ 01 60 75 81 54, par N 7 et N104 : 7 kms.
Office de Tourisme de l'Agglomération d'Evry 23 cours B.-Pascal, Evry-Centre ☎ 01 60 78 79 99, Fax 01 60 78 03 01.
Paris 32 – Fontainebleau *36 – Chartres 80 – Créteil 30 – Étampes 36 – Melun 23 – Versailles 38.*

Évry P *G. Ile de France – 45 531 h. alt. 54 – ✉ 91000 .*
Voir *Cathédrale de la Résurrection★ .*

Mercure
52 bd Coquibus (face cathédrale) ☎ 01 69 47 30 00, *Fax 01 69 47 30 10*
M, – rest, TV – 120. AE GB
Repas *(fermé dim. midi et sam.)* *(100)* - 125/135 – 65 – **114 ch** 700/750.

Novotel
Z.I. Évry, quartier Bois Briard, 3 r. Mare Neuve ☎ 01 69 36 85 00, *Fax 01 69 36 85 10*
M, , , – TV – 250. AE GB
Repas carte 140 à 220 ♀, enf. 50 – 65 – **174 ch** 540/580.

Ibis
Z.I. Évry, quartier Bois Briard, 1 av. Lac ☎ 01 60 77 74 75, *Fax 01 60 78 06 03*
TV . AE GB
Repas *(75)* - 95 ♀, enf. 39 – 35 – **90 ch** 320.

à Lisses – *6 860 h. alt. 86 – ✉ 91090 :*

Léonard de Vinci
av. Parcs ☎ 01 64 97 66 77, *Fax 01 64 97 59 21*
M, , centre de balnéothérapie, , , , – TV – 100. AE GB
Repas *(95)* - 130/250 – 65 – **72 ch** 495/620.

RENAULT Gar. de l'Agora, à Courcouronnes par ④ ☎ 01 64 97 94 95

Chevassut Vulco, ZA de la Nozolle à Fontenay-le-Vicomte ☎ 01 69 90 51 00
Vaysse, Angle N 7, bd Champs-Elysées ☎ 01 60 77 19 39

Fontenay-sous-Bois *94120 Val-de-Marne* 101 ⑰, 20 24 – *51 868 h alt. 70.*
Office de Tourisme 4 bis av. Charles-Garcia ☎ 01 43 94 33 48, Fax 01 43 94 02 93.
Paris 17 – Créteil 13 – Lagny-sur-Marne 24 – Villemomble 9 – Vincennes 4.

Mercure BA 62
av. Olympiades ☎ 01 49 74 88 88, *Fax 01 43 94 17 73*
M – TV – 90. AE GB
Repas *(114)* - 154 ♀, enf. 50 – 60 – **133 ch** 750/850.

✗ **Musardière**   BA 62
61 av. Mar. Joffre ✆ 01 48 73 96 13
🍽️, 𝔸𝔼 ᴳᴮ
fermé 4 au 24 août, lundi soir, mardi soir et dim. – **Repas**
154 et carte 200 à 300 ⬦.

MERCEDES Etoile des Nations, 189 av. Mar.-De-Lattre-de-Tassigny ✆ 01 48 77 09 09

Garches 92380 Hauts-de-Seine 𝟙𝟘𝟙 ⑭, 𝟚𝟚 25 – *17 957 h alt. 114.*
⛳⛳ de St-Cloud (92) ✆ 01 47 01 01 85, parc de Buzenval 60 r. 19-Janv.
Paris 16 – Courbevoie 9 – Nanterre 8 – St-Germain-en-Laye 15 – Versailles 9.

✗ **Tardoire**   BB 36
136 Grande Rue ✆ 01 47 41 41 59
ᴳᴮ
fermé 18 juil. au 17 août, 2 au 12 janv., dim. soir et lundi – **Repas** 100 (déj.),
150/170 et carte 170 à 260 ⬦.

CITROEN Gar. Magenta, 4 bd Gén.-de-Gaulle ✆ 01 47 10 91 50

La Garenne-Colombes 92250 Hauts-de-Seine 𝟙𝟘𝟙 ⑭, 𝟙𝟠 25 – *21 754 h alt. 40.*
🅱 Office de Tourisme 24 r. E.-d'Orves ✆ 01 47 85 09 90.
*Paris 12 – Argenteuil 6 – Asnières-sur-Seine 4 – Courbevoie 2 – Nanterre 3 –
Pontoise 26 – St-Germain-en-Laye 16.*

✗✗ **Auberge du 14 Juillet**   AU 42
9 bd République ✆ 01 42 42 21 79, *Fax 01 42 42 24 56*
𝔸𝔼 ⓞ ᴳᴮ ᴶᶜᴮ
fermé août, lundi soir, sam., dim. et fériés – **Repas** *(150)* -
180 et carte 200 à 380.

PEUGEOT Succursale, 9 bd National ✆ 01 41 19 55 00 🅽 ✆ 08 00 44 24 24

Gentilly 94250 Val-de-Marne 𝟙𝟘𝟙 ㉖, 𝟚𝟜 25 – *17 093 h alt. 46.*
Paris 7 – Créteil 15.

🏨 **Mercure**   BE 50
51 av. Raspail ✆ 01 47 40 87 87, *Fax 01 47 40 15 88*
Ⓜ, 🍴 – 📶 ⤢ 🔲 📺 ☎ ↻ 👓 – 🛎 40. 𝔸𝔼 ⓞ ᴳᴮ
Repas *(fermé vend. soir, sam., dim. et fériés)* *(95)* - 130 ⬦, enf. 50 – ⬡ 60 –
87 ch 605/650.

Gometz-le-Chatel 91940 Essonne 𝟙𝟘𝟙 ㉝ – *1 763 h alt. 168.*
Paris 33 – Arpajon 21 – Évry 30 – Rambouillet 26 – Versailles 27.

✗✗ **Mancelière**
83 rte Chartres ✆ 01 60 12 30 10, *Fax 01 60 12 53 10*
𝔸𝔼 ᴳᴮ. 🚫
fermé 8 au 17 mai, 1ᵉʳ au 23 août, sam. midi et dim. – **Repas**
160 et carte 200 à 340.

Goussainville 95190 Val-d'Oise 𝟙𝟘𝟙 ⑦ – *24 812 h alt. 95.*
Paris 28 – Chantilly 24 – Pontoise 33 – Senlis 28.

🏨 **Médian**
⬡ 2 av. F. de Lesseps (par D 47) ✆ 01 39 88 93 93, *Fax 01 39 88 75 65*
Ⓜ, 🍴 – 📶 🔲 📺 ☎ ↻ 👓 🅿 – 🛎 30. 𝔸𝔼 ⓞ ᴳᴮ
Repas *(62)* - 78 ⬦, enf. 39 – ⬡ 39 – **49 ch** 495, 6 appart.

🔧 Bertrand Pneus Vulco, 24 r. du Bassin ✆ 01 34 38 84 20

Gressy 77410 S.-et-M. 101 ⑩ – 868 h alt. 98.
Paris 33 – Meaux 21 – Melun 57 – Senlis 35.

Manoir de Gressy
℘ 01 60 26 68 00, Fax 01 60 26 45 46
M ⑊, 🕯, ⬛, 🎐 – |≑| ✚, 🍽 rest, 📺 ☎ 📞 ఉ 🅿 – 🛝 100. 🖭 ⓪ ☺ 🚕
Repas 185/580 et carte 270 à 400 ♀, enf. 80 – ☲ 95 – **86 ch** 980/1250.

Issy-les-Moulineaux 92130 Hauts-de-Seine 101 ㉕, 22 25 G. Île de France –
46 127 h alt. 37.

Voir *Musée de la Carte à jouer★*.

🛈 *Office de Tourisme espl. de l'Hôtel-de-Ville ℘ 01 40 95 65 43, Fax 01 40 95 67 33.*
Paris 8 – Boulogne-Billancourt 3 – Clamart 4 – Nanterre 15 – Versailles 13.

Campanile   BD 42
213 r. J.-J. Rousseau ℘ 01 47 36 42 00, Fax 01 47 36 88 93
|≑| ✚, 🍽 rest, 📺 ☎ 📞 ఉ ⬡ 🅿 – 🛝 45. 🖭 ⓪ ☺
Repas (78) - 94/109 ♀, enf. 39 – ☲ 36 – **164 ch** 440.

L'Ile   BD 42
Parc Ile St-Germain, 170 quai Stalingrad ℘ 01 41 09 99 99, Fax 01 41 09 99 19
🌧 – 🍽 🅿, 🖭 ⓪ ☺
fermé dim. soir en hiver – **Repas** (110) - carte 200 à 310.

Manufacture   BD 44
20 espl. Manufacture (face au 30 r. E. Renan) ℘ 01 40 93 08 98
Fax 01 40 93 57 22
🌧 – 🍽, 🖭 ☺
fermé 8 au 22 août, sam. midi et dim. – **Repas** (155) - 180 ♀.

Coquibus   BD 43
16 av. République ℘ 01 46 38 75 80, Fax 01 41 08 95 80
brasserie – 🖭 ☺
fermé 30 juil. au 23 août, sam. midi et dim. – **Repas** (130) - 170/270 ♀.

ALFA-ROMEO, FIAT, LANCIA C.A.R.
France, 41-45 q. Prés.-Roosevelt
℘ 01 46 62 78 78 🆖 ℘ 08 00 31 14 11

SRN, 56 av. du Bas Meudon
℘ 01 46 38 81 77

🅜 Cent Mille Pneus, 30 r. A.-Briand
℘ 01 46 48 88 88

Ivry-sur-Seine 94200 Val-de-Marne 101 ㉖, 24 25 – 53 619 h alt. 60.
Paris 7 – Créteil 10 – Lagny-sur-Marne 29.

L'Oustalou   BE 54
9 bd Brandebourg ℘ 01 46 72 24 71, Fax 01 46 70 36 86
🖭 ☺
fermé 30 juil. au 16 août, sam. et dim. – **Repas** (119) - 154 ♀.

🅜 Pneu Service, 14-16 bd Brandenbourg ℘ 01 46 72 16 47

Pour visiter la région parisienne,
utilisez le guide Vert Michelin **Ile-de-France,**
les cartes 101, 106, 237 et les plans de Banlieue 18, 20, 22 et 24.

Joinville-le-Pont 94340 Val-de-Marne 𝟭𝟬𝟭 ㉗, 𝟮𝟰 25 – 16 657 h alt. 49.
🛈 Syndicat d'Initiative 23 r. de Paris ℘ 01 42 83 41 16, Fax 01 49 76 92 28.
Paris 11 – Créteil 6 – Lagny-sur-Marne 24 – Maisons-Alfort 4 – Vincennes 5.

🏨 **Bleu Marine**　　　　　　　　　　　　　　　　　　　　　　BE 61
16 av. Gén. Galliéni ℘ 01 48 83 11 99, Fax 01 48 89 51 58
Ⓜ, 𝐿ₛ – ⃒∯⃒ ⇻ ▤ 🆃🆅 ☎ ☎ & ⟺ – 🛆 100. 🆀🆃 ⓪ 🆉🆂
Repas (95) - 145 ℤ, enf. 49 – 🖵 60 – **91 ch** 420/480.

🏨 **Cinépole**　　　　　　　　　　　　　　　　　　　　　　　　BE 61
8 av. Platanes ℘ 01 48 89 99 77, Fax 01 48 89 43 92
🌢 sans rest – ⃒∯⃒ 🆃🆅 ☎ & ⟺. 🆀🆃 🆉🆂
🖵 30 – **34 ch** 300.

AUDI, VOLKSWAGEN Gar. Bonnet, 134 av.
R.-Salengro à Champigny-sur-Marne
℘ 01 48 81 90 10
PEUGEOT Sabrie, 49-57 av. Gén.-Galliéni
℘ 01 45 11 75 75 🄽 ℘ 06 80 12 68 48
RENAULT Gar. Girardin, 118 av. R.-
Salengro à Champigny-sur-Marne
℘ 01 48 82 11 05

SEAT C O V A C, 26 bis 30 r. J.-Jaurès à
Champigny-sur-Marne
℘ 01 47 06 19 60

🛞 Euromaster, 146 av. R.-Salengro N4 à
Champigny-sur-Marne
℘ 01 48 81 32 12
Inter Pneu Melia Vulco, 33 av. Gén.-de-
Gaulle à Champigny-sur-Marne
℘ 01 48 83 66 67

Le Kremlin-Bicêtre 94270 Val-de-Marne 𝟭𝟬𝟭 ㉖, 𝟮𝟰 25 – 19 348 h alt. 60.
Paris 6 – Boulogne-Billancourt 10 – Évry 29 – Versailles 24.

🏨 **Campanile**　　　　　　　　　　　　　　　　　　　　　　　BE 51
bd Gén. de Gaulle (pte d'Italie) ℘ 01 46 70 11 86, Fax 01 46 70 64 47
🏞 – ⃒∯⃒ ⇻ 🆃🆅 ☎ & ⟺ – 🛆 100. 🆀🆃 ⓪ 🆉🆂
Repas (78) - 94/109 🍷, enf. 39 – 🖵 36 – **151 ch** 390.

Lésigny 77150 S.-et-M. 𝟭𝟬𝟭 ㉙, 𝟮𝟱 – 7 865 h alt. 95.
Paris 33 – Brie-Comte-Robert 8 – Évry 28 – Melun 26 – Provins 62.

au golf par rte secondaire, Sud : 2 km ou par Francillienne : sortie n° 19 – ✉ 77150
Lésigny :

🏨 **Réveillon**
ferme des Hyverneaux ℘ 01 60 02 25 26, Fax 01 60 02 03 84
≼, golf – ⃒∯⃒ ⇻ 🆃🆅 ☎ & 🅿 – 🛆 80. 🆀🆃 ⓪ 🆉🆂
Repas (115) - 165 et carte 170 à 280, enf. 55 – 🖵 45 – **48 ch** 345/380.

Levallois-Perret 92300 Hauts-de-Seine 𝟭𝟬𝟭 ⑮, 𝟭𝟴 25 – 47 548 h alt. 30.
Paris 9 – Argenteuil 10 – Nanterre 9 – Pontoise 29 – St-Germain-en-Laye 21.

🏨 **Espace Champerret**　　　　　　　　　　　　　　　　　　AW 45
26 r. Louise Michel ℘ 01 47 57 20 71, Fax 01 47 57 31 39
sans rest – ⃒∯⃒ 🆃🆅 ☎. 🆀🆃 ⓪ 🆉🆂 🆓🆒🅱
🖵 39 – **33 ch** 385/415, 3 duplex.

🏨 **Champagne Hôtel**　　　　　　　　　　　　　　　　　　　AV 44
20 r. Baudin ℘ 01 47 48 96 00, Fax 01 47 58 13 29
Ⓜ sans rest – ⃒∯⃒ 🆃🆅 ☎. 🆀🆃 🆉🆂
🖵 38 – **30 ch** 320/430.

🏛 **Parc**   AV 4

    18 r. Baudin *℘ 01 47 58 61 60, Fax 01 47 48 07 92*
    sans rest – |韋| 📺 ☎. 🄰🄴 🅶🅱
    ⊇ 38 – **52 ch** 380/650.

🏛 **ABC Champerret**   AW 4

    63 r. Danton *℘ 01 47 57 01 55, Fax 01 47 57 54 23*
    sans rest – |韋| 📺 ☎ 📞. 🄰🄴 🅾 🅶🅱
    ⊇ 32 – **39 ch** 330/380.

🏛 **Splendid'Hôtel**   AW 4

    73 r. Louise Michel *℘ 01 47 37 47 03, Fax 01 47 37 50 01*
    sans rest – |韋| ⇷ 📺 ☎. 🄰🄴 🅾 🅶🅱 🅹🅲🅱
    ⊇ 40 – **47 ch** 395/429.

XX **Rôtisserie**   AW 4

    24 r. A. France *℘ 01 47 48 13 82*
    🍽. 🄰🄴 🅶🅱
    fermé sam. midi et dim. – **Repas** 155 ♈.

XX **Jardin**   AV 4

    9 pl. Jean Zay *℘ 01 47 39 54 02, Fax 01 47 39 59 99*
    🍴 – 🄰🄴 🅶🅱
    fermé août, sam. midi, dim. et fériés – **Repas** (140) · 180 bc.

XX **Petit Jardin**   AV 4

    58 r. Kléber *℘ 01 47 48 10 91, Fax 01 47 48 11 28*
    🄰🄴 🅶🅱
    fermé 1er au 21 août, vacances de fév., sam. et dim. – **Repas** (98)
    120 bc et carte 170 à 250 ♈.

X **Petit Poste**   AV 4

    39 r. Rivay *℘ 01 47 37 34 46*
    bistrot – 🄰🄴 🅶🅱
    fermé août, 24 déc. au 3 janv., lundi soir, sam. midi et dim. – **Repas** carte envi-
    ron 200.

ALFA ROMEO, FIAT, LANCIA Fiat Auto France, 80-82 q. Michelet *℘ 01 41 27 56 56*
FERRARI Gar. Pozzi, 109. r. A.-Briand *℘ 01 47 39 96 50* 🅽 *℘ 01 46 42 41 78*
HYUNDAI, MITSUBISHI, PORSCHE Sonauto Levallois, 53 r. Marjolin *℘ 01 49 68 34 34*
JAGUAR Gar. Wilson, 116 r. Prés.-Wilson *℘ 01 47 39 92 50*

JAGUAR Franco Britannic Autom., 25 r. P.-V.-Couturier *℘ 01 47 57 50 80* 🅽 *℘ 01 46 42 41 78*
NISSAN France Carrosserie Autom., 49 r. A.-France *℘ 01 47 57 23 93*

🅜 Coudert Pneus Vulco, 2 r. de Bretagne *℘ 01 47 37 89 16*
Euromaster, 101 r. A.-France *℘ 01 47 58 56 70*

Lieusaint *77127 S.-et-M.* 🄌🄌🄋 ㉟ – *5 200 h alt. 89.*
    Paris 44 – Brie-Comte-Robert 12 – Évry 12 – Melun 13.

🏨 **Flamboyant**

    98 r. Paris (près N 6) *℘ 01 60 60 05 60, Fax 01 60 60 05 32*
    Ⓜ, 🍴, 🏊, 🎾 – |韋| 🖥 rest, 📺 ☎ 📞 ♿ 🅿 – 🛎 45. 🄰🄴 🅾 🅶🅱
    Repas *(fermé dim. soir)* 120/205, enf. 45 – ⊇ 35 – **72 ch** 310/350.

Linas *91310 Essonne* 🄌🄌🄋 ㉟ – *4 767 h alt. 55.*
    Voir *Vierge★ en marbre dans l'église de Marcoussis NO : 4 km,* G. Île de France
    – **Autodrome permanent de Linas-Montlhéry.**
    Paris 27 – Arpajon 6 – Évry 15 – Montlhéry 2.

XX **L'Escargot de Linas**

    136 av. Div. Leclerc *℘ 01 69 01 00 30, Fax 01 69 01 00 30*
    🍴 – 🅶🅱
    fermé août, vacances de fév., lundi soir, merc. soir et dim. – **Repas** (140)
    180 et carte 250 à 430 ♈.

Livry-Gargan 93190 Seine-St-Denis ⓘⓘⓘ ⑱, ⓶⓪ 25 – 35 387 h alt. 60.

🛈 Office de Tourisme 5 pl. F.-Mitterrand ℘ 01 43 30 61 60, Fax 01 43 30 48 41.
Paris 18 – Aubervilliers 14 – Aulnay-sous-Bois 4 – Bobigny 8 – Meaux 27 – Senlis 40.

XX **Petite Marmite**   AU 65
8 bd République ℘ 01 43 81 29 15, Fax 01 43 02 69 59
🍽 – 🍽. ⅁ℬ
fermé 5 août au 1ᵉʳ sept., dim. soir sauf fêtes et merc. – **Repas** 185 et carte 180 à 350 ℤ, enf. 100.

OPEL Gar. Guiot, 1-3 av. A.-Briand   @ Bonnet Point S, 4 av. C.-Desmoulins
℘ 01 43 02 63 31   ℘ 01 43 81 53 13

Les Loges-en-Josas 78350 Yvelines ⓘⓘⓘ ㉓, ⓶⓶ 25 – 1 506 h alt. 160.
Paris 30 – Bièvres 7 – Chevreuse 15 – Palaiseau 12 – Versailles 6.

🏨 **Relais de Courlande**   BL 31
23 av. Div. Leclerc ℘ 01 30 83 84 00, Fax 01 39 56 06 72
Ⓜ 🐾, 🍽, 🛋, 🌳 – 📶 ✕ 📺 ☎ 📞 🚿 🅿 – 🎿 100. ⅍ ⅁ℬ
Repas 165/360 ℤ, enf. 90 – 🍽 50 – **49 ch** 500/650, 3 appart.

RENAULT Gar. de la Halte, rte du Petit Jouy ℘ 01 39 07 12 50 Ⓝ ℘ 08 00 05 15 15

Longjumeau 91160 Essonne ⓘⓘⓘ ㉟, ⓶⑤ – 19 864 h alt. 78.
Paris 21 – Chartres 69 – Dreux 82 – Évry 16 – Melun 38 – Orléans 111 – Versailles 23.

XX **St-Pierre**   BV 45
42 Grande Rue (F. Mitterrand) ℘ 01 64 48 81 99, Fax 01 69 34 25 53
🍽. ⅍ ⓪ ⅁ℬ
fermé 27 juil. au 17 août, lundi soir et dim. – **Repas** 135/170 et carte 230 à 350 ℤ, enf. 98.

à Saulx-les-Chartreux Sud-Ouest par D 118 – 4 141 h. alt. 75 – ✉ 91160 :.

🏨 **St-Georges**   BX42-43
rte de Montlhéry : 1 km ℘ 01 64 48 36 40, Fax 01 64 48 89 48
🐾, ≤, 🍽, parc, ✕ – 📶 📺 ☎ 🅿 – 🎿 150. ⅍ ⓪ ⅁ℬ
fermé mi-juil. à mi-août – **Repas** 150/450 – 🍽 40 – **40 ch** 380/430.

@ Euromaster, 5 rte de Versailles, Petit Champlan ℘ 01 69 34 11 50

Louveciennes 78430 Yvelines ⓘⓘⓘ ⑬, ⓶⑤ G. Île de France – 7 446 h alt. 125.
Paris 21 – St-Germain-en-Laye 6 – Versailles 10.

XX **Aux Chandelles**
12 pl. Église ℘ 01 39 69 08 40
🍽, 🌳 – ⅍ ⅁ℬ
fermé 16 au 29 août, sam. midi et merc. – **Repas** 120/280 bc.

Maisons-Alfort 94700 Val-de-Marne ⓘⓘⓘ ㉗, ⓶④ 25 G. Île de France – 53 375 h alt. 37.
Paris 10 – Créteil 5 – Évry 35 – Melun 39.

XX **Bourgogne**   BG 57
164 r. J. Jaurès ℘ 01 43 75 12 75, Fax 01 43 68 05 86
🍽. ⅍ ⅁ℬ
fermé août, sam. et dim. – **Repas** 180 et carte 230 à 330.

RENAULT M.A.E.S.A., 8 av. Prof. Cadiot   Vaysse, 249 av. de la République
☏ 01 46 76 04 04   ☏ 01 42 07 36 85

ⓘ Legros Point S, 19 av. G.-Clémenceau
☏ 01 41 79 09 99

Maisons-Laffitte 78600 Yvelines 🄁 ⑬, 🄈 25 *G. Île de France* – 22 173 h alt. 38.

Voir *Château*★ , G. Île de France.

📅 *Office de Tourisme 41 av. de Longueil* ☏ *01 39 62 63 64, Fax 01 39 12 02 89*
Paris 23 – Argenteuil 11 – Mantes-la-Jolie 38 – Poissy 9 – Pontoise 21
St-Germain-en-Laye 8 – Versailles 25.

🏨 ☋ **Climat de France**
2 r. Paris (accès par av. Verdun) ☏ 01 39 12 20 20, *Fax 01 39 62 45 54*
Ⓜ , 🍽 , 🛏 – 📺 ☎ 📱 ♿ Ⓟ – ⛱ 25. ⒶⒺ ⓘ ⒸⒷ
Repas 69/105 ❡, enf. 39 – ⎤ 35 – **66 ch** 338.

⏢⏢⏢ **Tastevin** (Blanchet)   AN 3
✿ 9 av. Eglé ☏ 01 39 62 11 67, *Fax 01 39 62 73 09*
🛏 , 🛏 – Ⓟ , ⒶⒺ ⓘ ⒸⒷ ⓃⒸⒷ
fermé 10 août au 1er sept., vacances de fév., lundi soir et mardi – **Repas**
240 (déj.), 320/400 et carte 320 à 450
Spéc. Escalope de foie gras chaud au vinaigre de cidre, pomme confite au
miel. Saint-Jacques rôties au coulis de truffes. Sanciaux aux pommes (sept. à
avril).

⏢⏢ **Rôtisserie Vieille Fontaine**   AM 3
8 av. Grétry ☏ 01 39 62 01 78, *Fax 01 39 62 13 43*
🛏 , parc – ⒶⒺ ⒸⒷ
fermé 9 au 16 août, dim. soir et lundi – **Repas** 177.

⏢⏢ **Ribot**   AN 3
5 av. St-Germain ☏ 01 39 62 01 53, *Fax 01 39 62 01 53*
ⒸⒷ
fermé 16 au 30 août, dim. soir et lundi – **Repas** - cuisine italienne
110 (déj.)/165 et carte environ 220.

RENAULT Gar. de la Station, 5, r. du Fossé ☏ 01 39 62 05 45

Marly-le-Roi 78160 Yvelines 🄁 ⑫ ⑬, 🄈 25 *G. Île de France* – 16 741 h alt. 90.

Voir *Parc*★★ .

Paris 23 – Saint-Germain-en-Laye 4 – Versailles 9.

⏢⏢ **Village**   AZ 2
3 Grande Rue ☏ 01 39 16 28 14, *Fax 01 39 58 62 60*
ⒸⒷ
fermé 1er au 23 août, 1er au 9 janv., sam. midi, dim. soir et lundi – **Repas**
(nombre de couverts limité, prévenir) 140 bc/180 et carte 230 à 290, enf. 90.

Marne-la-Vallée 77206 S.-et-M. 🄁 ⑲ ⑳, 🄄 *G. Île de France*.

⛳ de Bussy-St-Georges (privé) ☏ 01 64 66 00 00 ; ⛳ ⛳ de Disneyland Paris
☏ 01 60 45 68 04.

📅 *Maison du Tourisme d'Ile-de-France, Disney Village,* ☏ *01 60 43 33 33, Fax*
01 60 43 36 91.
Paris 27 – Meaux 28 – Melun 39.

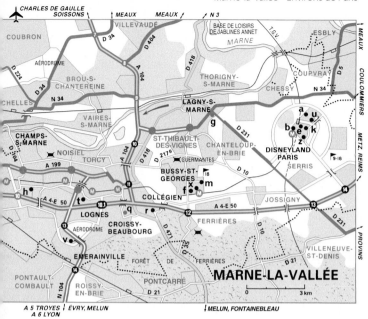

Bussy-St-Georges – *1 545 h. alt. 105* – ✉ *77600* :.

Holiday Inn
39 bd Lagny **(f)** *℘ 01 64 66 35 65, Fax 01 64 66 03 10*
Ⓜ, 🛀, 🏊, – 📶 ⤢ ▤ 📺 ☎ 📞 & 🚗 – 🔏 65. 🆎 ⓪ GB JCB
Repas 159 🍴, enf. 55 – ☕ 70 – **120 ch** 996, 6 appart.

Golf Hôtel
15 av. Golf **(m)** *℘ 01 64 66 30 30, Fax 01 64 66 04 36*
Ⓜ 🍽, 🛀, 🏊, 🐎, 🎾 – 📶 ⤢ 📺 ☎ 📞 & 🅿 – 🔏 120. 🆎 ⓪ GB
Repas *(69)* - 158 🍴, enf. 47 – ☕ 65 – **94 ch** 580/650.

Sol Inn Paris Bussy
44 bd A. Giroust **(x)** *℘ 01 64 66 11 11, Fax 01 64 66 29 05*
Ⓜ, 🛀 – 📶 ▤ 📺 ☎ 📞 & 🚗 – 🔏 90. 🆎 ⓪ GB
Repas *(65)* - 89 🍴, enf. 58 – ☕ 48 – **87 ch** 450/540.

Champs-sur-Marne – *21 611 h. alt. 80* – ✉ *77420* .
Voir *Château★ (salon chinois★★) et parc★★* .

Ibis
cité Descartes, bd Newton **(h)** *℘ 01 64 68 00 83, Fax 01 64 68 02 60*
🛀 – 📶 ⤢ 📺 ☎ & 🚗 🅿 – 🔏 45. 🆎 ⓪ GB
Repas *(75)* - 95 🍴 – ☕ 39 – **110 ch** 280/310.

Collégien – *2 331 h. alt. 105* – ✉ *77090* :.

Novotel
à l'échangeur de Lagny A 4 **(r)** *℘ 01 64 80 53 53, Fax 01 64 80 48 37*
🛀, 🏊, 🐎 – 📶 ⤢ ▤ 📺 ☎ 📞 & 🅿 – 🔏 250. 🆎 ⓪ GB
Repas *(98)* - 118 �%, enf. 60 – ☕ 70 – **197 ch** 520/590.

à Croissy-Beaubourg – *2 396 h. alt. 102* – ⊠ *77183* :.

XXX **L'Aigle d'Or**
8 r. Paris **(q)** ℰ 01 60 05 31 33, *Fax 01 64 62 09 39*
🍽, 🍴 – 🄿, AE ① GB JCB
fermé dim. soir – **Repas** 180/310 et carte 360 à 470 ♀.

à Disneyland Paris *accès par autoroute A 4 et bretelle Disneyland.*
Voir *Disneyland Paris★★★ (voir Guide Vert Disneyland Paris).*

🏰 **Disneyland Hôtel**
(b) ℰ 01 60 45 65 00, *Fax 01 60 45 65 33*
M, ≼, « Bel ensemble de style victorien à l'entrée du parc d'attractions », 🖐,
🔲, 🍴 – 🔊 ✂ 🔲 TV ☎ ♿ 🄿 – 🔬 25 à 50. AE ① GB JCB. ✖
California Grill - (dîner seul.) **Repas** 195, enf. 85
Inventions self **Repas** 180 (déj.)/250 ♀, enf. 140 – **478 ch** ⊆ 2390/3640
18 appart.

🏰 **New-York**
(e) ℰ 01 60 45 73 00, *Fax 01 60 45 73 33*
M, ≼, 🍽, « Ambiance du Manhattan des années 30 », 🖐, 🔲, 🔲 – 🔊 ✂ ▤
TV ☎ 📞 ♿ 🄿 – 🔬 1 500. AE ① GB JCB. ✖
Manhattan Restaurant : **Repas** (dîner seul.) 195 ♀, enf. 55
Parkside Diner : **Repas** 115/150 ♀, enf. 55 – **536 ch** ⊆ 1490/1690
27 appart.

🏰 **Newport Bay Club**
(z) ℰ 01 60 45 55 00, *Fax 01 60 45 55 33*
M, ≼, 🍽, centre de conférences, « Évocation du bord de mer de la Nouvelle
Angleterre », 🖐, 🔲, 🔲 – 🔊 ✂ ▤ TV ☎ ♿ 🄿 – 🔬 5 000. AE ① GB JCB
✖
Cape Cod : **Repas** 115(déj.)/150 ♀, enf. 55
Yacht Club : **Repas** (dîner seul.) 150/230 ♀, enf. 55 – **1 082 ch** ⊆ 1250/1650
11 appart.

🏰 **Séquoia Lodge**
(k) ℰ 01 60 45 51 00, *Fax 01 60 45 51 33*
M, 🍽, « Atmosphère d'un hôtel des Montagnes Rocheuses », 🖐, 🔲, 🔲
🍴 – 🔊 ✂ ▤ TV ☎ 📞 ♿ 🄿 – 🔬 35. AE ① GB JCB. ✖
Hunter's Grill : **Repas** (dîner seul.)(menu unique)150 ♀, enf. 55
Beaver Creek Tavern : **Repas** (dîner seul.)*(115)*-150 ♀, enf. 55 – **1 001 ch**
⊆ 1120/1320, 10 appart.

🏨 **Cheyenne**
(a) ℰ 01 60 45 62 00, *Fax 01 60 45 62 33*
🍽, « Reconstitution d'une petite ville du Far-West » – ✂, ▤ rest, TV ☎ ♿
🄿, AE ① GB JCB. ✖
Chuck Wagon Café : **Repas** carte environ 130 ♦, enf. 40 – **1 000 ch** ⊆ 980

🏨 **Santa Fé**
(u) ℰ 01 60 45 78 00, *Fax 01 60 45 78 33*
🍽, « Construction évoquant les pueblos du Nouveau Mexique » – 🔊 ✂
▤ rest, TV ☎ 🄿 AE ① GB JCB. ✖
La Cantina : **Repas** environ 130, enf. 38 – **1 000 ch** ⊆ 830.

à Émerainville – *6 766 h. alt. 109* – ⊠ *77184* :.

🏨 **Ibis**
ZI Pariest bd Beaubourg **(v)** ℰ 01 60 17 88 39, *Fax 01 64 62 12 34*
🔊 ✂ TV ☎ ♿ 🄿 – 🔬 80. AE ① GB
Repas *(75)* - 95 ♦, enf. 39 – ⊆ 39 – **80 ch** 340.

Lagny-sur-Marne – *18 643 h. alt. 51* – ⊠ *77400* .

Voir *Château de Guermantes★ S : 3 km par D 35.*

🗗 *Office de Tourisme 1 pl. de la Fontaine* ℘ *01 64 02 15 15, Fax 01 64 30 42 52.*

Relais Fleuri
1 av. Stade **(g)** ℘ 01 64 30 06 42, *Fax 01 64 30 06 42*
🏤 , 🐎 – **P**. ⅁⅀
fermé août, lundi et le soir sauf sam. – **Repas** 70/260 et carte 180 à 380 ⅃.

Lognes – *12 973 h. alt. 97* – ⊠ *77185 :.*

Frantour
55 bd Mandinet **(t)** ℘ 01 64 80 02 50, *Fax 01 64 80 02 70*
🏤 , 🏄 – ⒝ ⅏ 📺 ☎ 📞 ⅙ **P** – ⅗ 60. 🆎 🅾 ⅁⅀ JCB
Repas *(fermé 1er au 20 août, dim. midi, fériés le midi et sam.)* 90 ⅂, enf. 62 –
⊑ 60 – **85 ch** 460/550, 28 duplex.

CITROEN Gar. Yvois, 57 av. Leclerc à
St-Thibault-des-Vignes ℘ 01 64 30 53 67
FORD Gar. Jamin, 34 av. Gén.-Leclerc à
Lagny-sur-Marne ℘ 01 64 30 02 90
PEUGEOT Métin Marne, 2 av. Gén.-Leclerc
à Pomponne ℘ 01 64 12 78 00 🅽 ℘ 08
00 44 24 24
RENAULT Gar. du Fort du Bois, 9-11 r. du
Plateau à Lagny-sur-Marne
℘ 01 64 02 40 75

RENAULT Gar. Brie des Nations, 4-6 av.
P.-M.-France à Noisiel ℘ 01 60 05 92 92

⓪ Bertrand Pneus Vulco, r. E.-Boudin à
St-Thibaud-des-Vignes
℘ 01 60 07 51 49
Euromaster, 6-8 r. C.-Chappé à Lagny-
sur-Marne ℘ 01 64 30 55 00
Pneu Sces Vulco, ZAC 40 r; de Nesles à
Champs-sur-Marne ℘ 01 64 61 06 66

Massy *91300 Essonne* 🔟🔟 ⑳, 🔢 25 – *38 574 h alt. 78.*
Paris 20 – Arpajon 19 – Évry 21 – Palaiseau 3 – Rambouillet 46.

Mercure **BS 43**
21 av. Carnot (gare T.G.V.) ℘ 01 69 32 80 20, *Fax 01 69 32 80 25*
Ⓜ – ⒝ ⅏ ▤ 📺 ☎ 📞 ⅙ ⇦ **P** – ⅗ 100. 🆎 🅾 ⅁⅀
Repas *(fermé dim. midi et sam.)* *(105)* - 125/190 bc ⅃ – ⊑ 65 – **116 ch**
700/760.

Pavillon Européen **BR 43**
5 av. Gén. de Gaulle ℘ 01 60 11 17 17, *Fax 01 69 20 05 60*
▤. ⅁⅀
fermé dim. soir – **Repas** 160/290.

CITROEN Succursale, rte de Chilly CD120
℘ 01 69 55 55 84
RENAULT Villaine Autom., 8 r. de Versailles
℘ 01 69 30 08 26
RENAULT Massy Autom., av. de l'Europe
℘ 01 69 53 77 00

⓪ Euromaster, 12 r. M.-Paul ZI de la
Bonde ℘ 01 69 20 38 20

Paris « Welcome » Office

127 Champs-Élysées (8th) (Office de Tourisme de Paris)
℘ *01.49.52.53.54 - Fax 01.49.52.53.00*

Open daily 9 AM to 8 PM

Closed Christmas Day, New Year's Day and May Day (1 May)

Informations, exchange and hotel reservations (some day reservations only)

*Leisure Information: in French (01.49.52.53.55), English (01.49.52.53.56),
German (01.49.52.53.57), Japanese (01.49.52.53.58)*

Maurepas _78310 Yvelines_ 101 ㉑ – _19 718 h alt. 165._

Voir _France Miniature★ NE : 3km,_ G. Île de France.

Paris 37 – Houdan 31 – Palaiseau 32 – Rambouillet 16 – Versailles 17.

🏠 **Mercure** BM 1
N 10 _ℰ_ 01 30 51 57 27, _Fax 01 30 66 70 14_
Ⓜ, 🍴 – 🛗 , 🖭 rest, 📺 ☎ ✆ 👍 🄿 – 🛠 100. 🄰🄴 ⓞ 🅶🅱 �🅹🅲🅱
Repas _(90)_ - 135 bc/180 bc, enf. 50 – 🖵 65 – **91 ch** 495.

RENAULT Succursale, bd des Arpents   VOLVO Pariwest Autom., ZA 8 r. du
_ℰ_ 01 61 12 31 50 🅽 _ℰ_ 08 00 05 15 15   Commerce _ℰ_ 01 30 50 67 00

Le Mesnil-Amelot _77990 S.-et-M._ 101 ⑨ – _705 h alt. 80._

Paris 33 – Bobigny 23 – Goussainville 13 – Meaux 28 – Melun 67 – Senlis 25.

🏠 **Radisson**
La Pièce du Gué _ℰ_ 01 60 03 63 00, _Fax 01 60 03 74 40_
Ⓜ, 🍴, 🛁, 🏊, 🌳 – 🛗 ✒ 🖭 📺 ☎ ✆ 👍 🖛 🄿 – 🛠 300. 🄰🄴 ⓞ 🅶🅱 🅹🅲
Repas _(115)_ - 165 🏵, enf. 55 – 🖵 90 – **230 ch** 1350/1500.

Meudon _92190 Hauts-de-Seine_ 101 ㉔, 22 25 _G. Ile de France_ (plan)
45 339 h alt. 100.

Voir _Terrasse★ :_ ☀★ – _Forêt de Meudon★_.

Paris 10 – Boulogne-Billancourt 4 – Clamart 4 – Nanterre 12 – Versailles 10.

au sud à _Meudon-la-Forêt_ – ✉ _92360 :._

🏠 **Mercure Ermitage de Villebon** BH 3
rte Col. Moraine _ℰ_ 01 46 01 46 86, _Fax 01 46 01 46 99_
Ⓜ, 🍴 – 🛗 ✒, 🖭 ch, 📺 ☎ ✆ 👍 🄿 – 🛠 60. 🄰🄴 ⓞ 🅶🅱
Repas _(fermé 15 au 22 août, dim. soir et soirs fériés) (140)_ - 176/220 🦴 – 🖵 5
– **63 ch** 680/800.

CITROEN Gar. Rabelais, 31 bd Nations-   RENAULT Gar. Biguet, 5 r. Docteur
Unies _ℰ_ 01 46 26 45 50   Arnaudet _ℰ_ 01 46 26 27 80 🅽 _ℰ_ 08 0
🅽 _ℰ_ 08 00 05 15 15   05 15 15
RENAULT Gar. de l'Orangerie, 16 r. de   RENAULT Gar. Biguet, 1 av. Gén.-de-
l'Orangerie _ℰ_ 01 45 34 27 18 🅽 _ℰ_ 08 00   Gaulle _ℰ_ 01 46 31 65 40 🅽 _ℰ_ 08 00 05
05 15 15   15 15

Montmorency _95160 Val-d'Oise_ 101 ⑤, 25 _G. Ile de France – 20 920 h alt. 82._

Voir _Collégiale St-Martin★_.

Env. _Château d'Écouen★★ : musée de la Renaissance★★ (tenture de David_
de Bethsabée★★★).

🏌 _de Domont Montmorency à Domont_ _ℰ_ 01 39 91 07 50 par D 124.

🚹 _Office de Tourisme 1 av. Foch_ _ℰ_ 01 39 64 42 94.

Paris 20 – Enghien-les-Bains 4 – Pontoise 23 – St-Denis 10.

XX **Au Coeur de la Forêt**
av. Repos de Diane et accès par chemin forestier _ℰ_ 01 39 64 99 1
Fax 01 34 28 17 52
🍴, 🌳 – 🄿. 🅶🅱
fermé 15 au 30 août, 16 au 28 fév., jeudi soir et lundi – **Repas** 130/190 🏵.

RENAULT Gar. Rousseau, 150 av. Div.-   ⓜ C.M.P.S. Autos Vulco, 27 29 rte de
Leclerc _ℰ_ 01 39 34 95 95   Calais à Montmagny _ℰ_ 01 39 83 68 16
Gar. des Loges, 242 r. J.-Ferry à Mont-
magny _ℰ_ 01 34 28 60 00

Montreuil 93100 Seine-St-Denis 101 ⑰, 20 25 *G. Ile de France* – 94 754 h alt. 70.
🖪 *Office de Tourisme 1 r. Kléber ℰ 01 42 87 38 09, Fax 01 42 87 27 13.*
Paris 8 – Bobigny 9 – Lagny-sur-Marne 31 – Meaux 38 – Senlis 47.

XXX **Gaillard**   AZ 57
28 r. Colbert ℰ 01 48 58 17 37, *Fax 01 48 70 09 74*
🏤, 🍴 – **P**. GB
fermé 10 au 24 août, dim. soir et lundi soir – **Repas** 160/220 et carte 240 à 390 ⌧.

CITROEN Succursale, 224-226 bd A.-Briand ℰ 01 48 59 64 00
RENAULT Succursale, 57 r. A.-Carrel ℰ 01 49 20 38 38 🔃 ℰ 08 00 05 15 15
RENAULT Gar. de la Mairie, 25 bd Couturier ℰ 01 42 87 07 20

🔘 Franor Vulco, 97 bd de Chanzy ℰ 01 42 87 39 60
Pneu-Service, 65 r. de St-Mandé ℰ 01 48 51 93 79

Montrouge 92120 Hauts-de-Seine 101 ㉖, 22 25 – 38 106 h alt. 75.
Paris 5 – Boulogne-Billancourt 6 – Longjumeau 18 – Nanterre 15 – Versailles 17.

🏨 **Mercure**   BE 48
13 r. F.-Ory ℰ 01 46 57 11 26, *Fax 01 47 35 47 61*
M – 🛗 ↦, 🍴 rest, 📺 ☎ ✆ & 🚗 – 🛗 120. 🆎 ⓞ GB. ✗ rest
Repas (100) - 140 ⌧, enf. 50 – ☕ 80 – **186 ch** 960/1060, 6 appart.

CITROEN Verdier-Montrouge Autom., 99 av. Verdier ℰ 01 46 57 12 00
MERCEDES Succursale, 15-17 r. Barbès ℰ 01 46 12 70 00

NISSAN Paris Sud Sce, 83 av. A.-Briand ℰ 01 46 55 71 24
RENAULT Colin-Montrouge, 59 av. République ℰ 01 46 55 26 20

Morangis 91420 Essonne 101 ㉟, 25 – 10 043 h alt. 85.
Paris 22 – Évry 14 – Longjumeau 5 – Versailles 24.

XXX **Sabayon**
15 r. Lavoisier ℰ 01 69 09 43 80, *Fax 01 64 48 27 28*
🍽. GB
fermé août, sam. midi et dim. – **Repas** 178/330 et carte 200 à 300 ⌧.

RENAULT Gar. Richard, rte de Savigny ℰ 01 69 09 47 50

Nanterre P 92000 Hauts-de-Seine 101 ⑭, 18 25 – 84 565 h alt. 35.
🖪 *Office de Tourisme 4 r. du Marché ℰ 01 47 21 58 02, Fax 01 47 25 99 02.*
Paris 13 – Beauvais 80 – Rouen 121 – Versailles 15.

🏨 **Mercure La Défense**   AV 39
r. des 3 Fontanot ℰ 01 46 69 68 00, *Fax 01 47 25 46 24*
M – 🛗 ↦, 🍴 rest, 📺 ☎ ✆ & 🚗 – 🛗 130. 🆎 ⓞ GB JCB
Repas *(fermé le soir du 23 juil. au 21 août, dim. midi et sam.)* (110) - 140/190 – ☕ 70 – **135 ch** 820/1000, 25 appart.

🏨 **Quality Inn**   AV 37
2 av. B. Frachon ℰ 01 46 95 08 08, *Fax 01 46 95 01 24*
M – 🛗 ↦ 🍴 📺 ☎ & 🚗 – 🛗 30. 🆎 ⓞ GB JCB
Repas *(fermé août, sam. et dim.)* (110) - 130 ⌧ – ☕ 60 – **85 ch** 720/770.

XX **Rôtisserie**   AW 38
180 av. G. Clemenceau ℰ 01 46 97 12 11, *Fax 01 46 97 12 09*
🏤 – 🆎 GB
fermé sam. midi et dim. – **Repas** (prévenir) 155.

CITROEN Succursale, 100 av. F.-Arago ℰ 01 41 19 35 00

🔘 Euromaster, 74 av. V.-Lénine ℰ 01 47 24 61 01

Neuilly-sur-Seine 92200 Hauts-de-Seine ⫿⫿⫿ ⑮, ⫿⫿ 25 G. Ile de France
61 768 h alt. 34.

Paris 8 – Argenteuil 12 – Nanterre 5 – Pontoise 31 – St-Germain-en-Laye 18
Versailles 17.

 ⚿⚿ **Courtyard**   AW 4
58 bd V. Hugo ℘ 01 55 63 64 65, Fax 01 55 63 64 66
Ⓜ, 🍽, –|✿| ⊁ ☰ 📺 ☎ 📞 ఈ ⊸ – 🏋 220. 🖭 ⓪ ☸ ᴊᴄʙ
Repas 180 ℠ – ⊻ 90 – **173 ch** 1400, 69 appart.

 ⚿⚿ **Paris Neuilly**   AX 4
1 av. Madrid ℘ 01 47 47 14 67, Fax 01 47 47 97 42
sans rest – |✿| ⊁ ☰ 📺 ☎ 📞 ఈ, 🖭 ⓪ ☸
⊻ 72 – **74 ch** 775/975, 6 appart.

 ⚿⚿ **Jardin de Neuilly**   AX 4
5 r. P. Déroulède ℘ 01 46 24 51 62, Fax 01 46 37 14 60
🦢 sans rest – |✿| 📺 ☎ 📞, 🖭 ⓪ ☸, 🕸
⊻ 90 – **30 ch** 700/1200.

 ⚿⚿ **Parc**   AV 4
4 bd Parc ℘ 01 46 24 32 62, Fax 01 46 40 77 31
sans rest – |✿| 📺 ☎, 🖭 ☸
⊻ 38 – **69 ch** 380/470.

 XXX **San Valero**   AW 4
209 ter av. Ch. de Gaulle ℘ 01 46 24 07 87, Fax 01 47 47 83 17
🖭 ⓪ ☸, 🕸
fermé 23 déc. au 3 janv., dim. et lundi – **Repas** - cuisine espagnole - 16
(déj.)/200 et carte 240 à 350.

 XX **Truffe Noire** (Jacquet)   AX
  ❀ 2 pl. Parmentier ℘ 01 46 24 94 14, Fax 01 46 37 27 02
🖭 ☸
fermé août, sam. et dim. – **Repas** 195/350 et carte 290 à 380
Spéc. Mousseline de brochet au beurre blanc. Truffes (été et hiver). Gibier
(oct. à déc.).

 XX **Riad**   AX
42 av. Ch. de Gaulle ℘ 01 46 24 42 61
☰, 🖭 ⓪ ☸, 🕸
fermé 9 au 21 août, sam. midi et dim. – **Repas** - cuisine marocaine
- carte 270 à 360 ℠.

 XX **Foc Ly**   AW 4
79 av. Ch. de Gaulle ℘ 01 46 24 43 36, Fax 01 46 24 48 46
☰, 🖭 ☸
fermé 10 au 24 août – **Repas** - cuisine chinoise - (99) - carte 170 à 230, enf. 7

 XX **Jarrasse L'Écailler de Paris**   AX
4 av. Madrid ℘ 01 46 24 07 56, Fax 01 40 88 35 60
☰, 🖭 ⓪ ☸
fermé 10 au 20 août – **Repas** - produits de la mer - 19
300 et carte 260 à 470.

 X **Bistrot d'à Côté Neuilly**   AX
4 r. Boutard ℘ 01 47 45 34 55, Fax 01 47 45 15 08
bistrot – 🖭 ☸
fermé sam. midi et dim. – **Repas** (148) - 189 ℠.

X **Petit Bofinger**   E 6
18 av. Ch. de Gaulle 🖋 01 47 22 37 25, *Fax 01 46 24 95 35*
bistrot – 🔲. 🖭 ⓞ ⓖⓑ
Repas *(95)* - 138 et carte 160 à 240 ⌾, enf. 45.

X **Catounière**   AX 43
4 r. Poissonniers 🖋 01 47 47 14 33, *Fax 01 55 24 93 72*
🔲. 🖭 ⓖⓑ
fermé août, sam. midi et dim. – **Repas** 178 bc.

X **Les Pieds dans l'Eau**   AW 43
39 bd Parc 🖋 01 47 47 64 07, *Fax 01 47 47 27 46*
🏠, « Terrasse en bord de Seine » – 🖭 ⓞ ⓖⓑ
fermé sam. midi et dim. sauf en été – **Repas** *(130)* - 180.

CITROEN Succursale, 124 av. A.-Peretti   ⓜ Maillot Pneus, 69 av. Gén.-de-Gaulle
🖋 01 40 88 26 00 🆦 🖋 08 00 05 24 24   🖋 01 46 24 33 69

---

ogent-sur-Marne ⓢⓟ 94130 *Val-de-Marne* 🔟🔟 ㉗, 🔢 25 *G. Ile de France* –
25 248 h alt. 59.
🅱 *Office de Tourisme 5 av. Joinville* 🖋 *01 48 73 73 97, Fax 01 48 73 75 90.*
Paris 13 – Créteil 8 – Montreuil 5 – Vincennes 4.

🏨 **Mercure Nogentel**   BC 62
8 r. Port 🖋 01 48 72 70 00, *Fax 01 48 72 86 19*
Ⓜ, 🏠 – 🛗 ⤬ 🔲 ☎ ⓖ, ⥬ – 🔬 25 à 200. 🖭 ⓞ ⓖⓑ 🇯🇨🇧
Le Canotier : **Repas** *(155)*-165*(déj.)*/185 ⌾ – ⌾ 62 – **60 ch** 530/580.

🏨 **Campanile**   BC62-63
quai du port (Pt de Nogent) 🖋 01 48 72 51 98, *Fax 01 48 72 05 09*
🏠 – 🛗 ⤬, 🔲 ch, 🔲 ☎ 📞 ⓖ, ⥬ – 🔬 30. 🖭 ⓞ ⓖⓑ
Repas *(78)* - 94/109 ⌾, enf. 39 – ⌾ 36 – **81 ch** 419.

PEUGEOT Gar. Royal Nogent, 44 Gde r. Ch.-de-Gaulle 🖋 01 48 73 68 90

---

oisy-le-Grand 93160 *Seine-St-Denis* 🔟🔟 ⑱, 🔢 25 *G. Île de France* –
54 032 h alt. 82.
🅱 *Office de Tourisme Ancienne Mairie 167 r. P.-Brossolette* 🖋 *01 43 04 51 55,*
Fax 01 43 03 79 48.
Paris 20 – Bobigny 15 – Lagny-sur-Marne 13 – Meaux 37.

🏨 **Mercure**   BB 67
2 bd Levant 🖋 01 45 92 47 47, *Fax 01 45 92 47 10*
Ⓜ, 🏠, 🛠 – 🛗 ⤬ 🔲 🔲 ☎ 📞 ⓖ, ⥬ – 🔬 150. 🖭 ⓞ ⓖⓑ
Les Météores (*fermé sam. midi et dim. midi*) **Repas** *(95)*-125, ⌾, enf. 70 –
⌾ 65 – **192 ch** 530/640.

🏨 **Novotel Atria**   BB-BC67
2 allée Bienvenüe-quartier Horizon 🖋 01 48 15 60 60, *Fax 01 43 04 78 83*
Ⓜ, 🏠, 🛝 – 🛗 ⤬ 🔲 🔲 ☎ ⓖ, ⥬ 🅿 – 🔬 250. 🖭 ⓞ ⓖⓑ
Repas *(100)* - 125 ⌾, enf. 60 – ⌾ 70 – **144 ch** 580/610.

XX **Amphitryon**   AA 48
56 av. A. Briand 🖋 01 43 04 68 00, *Fax 01 43 04 68 10*
🔲. ⓖⓑ
fermé août et dim. soir – **Repas** 130 *(déj.)*, 175/230 et carte 260 à 340.

AUDI, VOLKSWAGEN Gar. de la Pointe, 65   **PEUGEOT** Gar. Métin Noisy, 56 av. du
av. E.-Cossonneau 🖋 01 48 15 58 30   Pavé Neuf 🖋 01 48 15 95 00

If you intend sightseeing in the capital
use the **Michelin Green Guide** *to* **PARIS** *(In English).*

Orgeval *78630 Yvelines* 📖📖📖 ⑪ – *4 509 h alt. 100.*

> *Paris 31 – Mantes-la-Jolie 25 – Pontoise 25 – Rambouillet 41 – St-Germain-e*
> *Laye 11 – Versailles 22.*

🏨 **Moulin d'Orgeval**
r. Abbaye, Sud : 1,5 km   ℰ 01 39 75 85 74, *Fax 01 39 75 48 52*
🌳, 🍽, « Parc ombragé avec étang », 🏊 – 📺 ☎ 📞 🅿 – 🍴 30. 🅰🅴 🅾 ᴳᴮ
Repas *(fermé 20 au 30 déc. et dim. soir de nov. à mars)* (140) - 210/350 ♀
🍺 75 – **14 ch** 600/800.

Orly (Aéroports de Paris) *94310 Val-de-Marne* 📖📖📖 ㉖, 📖📖 25 – *21 646 h alt. 8*

> ✈ ℰ 01 49 75 15 15.
> *Paris 16 – Corbeil-Essonnes 23 – Créteil 12 – Longjumeau 14 – Villeneuve*
> *St-Georges 9.*

🏩 **Hilton Orly**   BR *
près aérogare 📮 94544   ℰ 01 45 12 45 12, *Fax 01 45 12 45 00*
Ⅿ, 🎰 – 🛗 🍽 🍽 📺 ☎ 🅿 – 🍴 300. 🅰🅴 🅾 ᴳᴮ ᴶᶜᴮ
Repas 198 🍷 – 🍺 115 – **356 ch** 990/1570.

🏨 **Mercure**
N 7, Z.I. Nord, Orlytech 📮 94547   ℰ 01 46 87 23 37, *Fax 01 46 87 71 92*
Ⅿ – 🛗 🍽 📺 ☎ 🅿 – 🍴 40. 🅰🅴 🅾 ᴳᴮ
Repas 135/145 – 🍺 68 – **190 ch** 650/750.

Aérogare d'Orly Ouest :

🍴🍴🍴 **Maxim's**
❀   2ᵉ étage 📮 94547   ℰ 01 49 75 16 78, *Fax 01 46 87 05 39*
🍽. 🅰🅴 🅾 ᴳᴮ
fermé 31 juil. au 31 août, 25 déc. au 2 janv., sam., dim. et fériés – **Repa**
230/480 et carte 300 à 400 ♀
Spéc. Terrine de canard ''Alex Humbert''. Sole braisée au vermouth. Filet d
boeuf aux pommes Maxim's.

à Orly ville : *– 21 646 h. alt. 71.*

🏨 **Air Plus**   BN 5
58 voie Nouvelle (près Parc G. Méliès)   ℰ 01 41 80 75 75, *Fax 01 41 80 12 12*
Ⅿ, 🍽 – 🛗 🍽 📺 ☎ 📞 🅿 🅰🅴 🅾 ᴳᴮ
Repas (65) - 129 ♀, enf. 49 – 🍺 45 – **72 ch** 420/590.

Voir aussi à **Rungis**

RENAULT S.A.P.A., Bât.225, Aérogares   🏵 Vulco, 88 av. Stalingrad à Chevilly-
ℰ 01 41 73 08 00   Larue ℰ 01 46 87 25 48

Ozoir-la-Ferrière *77330 S.-et-M.* 📖📖📖 ㉚, 📖📖📖 ㉝ – *19 031 h alt. 110.*
🎫 *Syndicat d'Initiative pl. de la Mairie, 43 av. du Gén.-de-Gaulle* ℰ 01 64 40 1
20, Fax 01 64 40 09 91.
Paris 35 – Coulommiers 41 – Lagny-sur-Marne 18 – Melun 30 – Sézanne 82.

🍴🍴🍴 **Gueulardière**
66 av. Gén. de Gaulle   ℰ 01 60 02 94 56, *Fax 01 60 02 98 51*
🍽 – 🅰🅴 ᴳᴮ
fermé août, dim. soir et lundi – **Repas** 150/250.

XX **Relais d'Ozoir**
73 av. Gén. de Gaulle ℰ 01 60 02 91 33, Fax 01 64 40 40 91
GB
fermé 15 juil. au 4 août, dim. soir et lundi – **Repas** *(78 bc)* - 97 bc/
245 et carte 210 à 350.

FIAT Couffignal, 38 av. Gén.-de-Gaulle ℰ 01 60 02 60 77

---

alaiseau ◁SP▷ *91120 Essonne* 101 ⑭, 22 25 – *28 395 h alt. 101.*
Paris 22 – Arpajon 19 – Chartres 70 – Évry 21 – Rambouillet 36.

🏨 **Novotel**   **BS 43**
Z.I. de Massy ℰ 01 64 53 90 00, Fax 01 64 47 17 80
M, 🏤, 🏊, 🐾 – ⬧ 🛏 ▤ 📺 ☎ 🖶 🅿 – 🛎 180. 🅰🅴 ⓪ GB
Repas *(105)* - 135 ♈, enf. 50 – ☲ 65 – **147 ch** 540/620.

CITROEN J.-Jaurès Autom., 33 av. J.-Jaurès ℰ 01 60 14 03 92

---

antin *93500 Seine-St-Denis* 101 ⑯, 20 25 – *47 303 h alt. 26.*
Voir *Centre international de l'Automobile★* , G. Île de France.
🛈 *Office de Tourisme 25 ter r. du Pré-St-Gervais ℰ 01 48 44 93 72, Fax 01 48
44 18 51.*
Paris 9 – Bobigny 5 – Montreuil 7 – St-Denis 5.

🏨 **Référence**
22 av. J. Lolive ℰ 01 48 91 66 00, Fax 01 48 44 12 17
M, 🏤, 🛁 – ⬧ 🛏, ▤ rest, 📺 ☎ 🖐 🖶 🚗 – 🛎 90. 🅰🅴 ⓪ GB JCB,
🗲 rest
Repas *(fermé sam. et dim.)* 160 et carte 190 à 310 ♈ – ☲ 80 – **120 ch** 835/
905, 3 appart.

🏨 **Mercure Porte de Pantin**   **AV-AW54**
r. Scandicci ℰ 01 49 42 85 85, Fax 01 48 46 70 66
M – ⬧ ▤ 📺 ☎ 🖐 🖶 🚗 – 🛎 25 à 100. 🅰🅴 ⓪ GB
Repas *(90)* - 110 et carte 140 à 230 🍴, enf. 55 – ☲ 65 – **129 ch** 695/800,
9 appart.

CITROEN Succursale, 68-70 av. Gén.-   ⓜ Maillot Pneus, 160 av. J.-Jaurès
Leclerc ℰ 01 49 15 10 00   ℰ 01 48 45 25 85
RENAULT Succursale, 13 av. Gén.-Leclerc   Steier-Pneus Point S, 217 av. J.-Lolive
ℰ 01 48 10 42 42   ℰ 01 48 44 36 80

---

e Perreux-sur-Marne *94170 Val-de-Marne* 101 ⑱, 20 25 – *28 477 h alt. 50.*
🛈 *Office de Tourisme pl. R.-Belvaux ℰ 01 43 24 26 58.*
Paris 16 – Créteil 12 – Lagny-sur-Marne 23 – Villemomble 9 – Vincennes 7.

X **Rhétais**   **BC 63**
42 ter av. G. Péri ℰ 01 43 24 08 29
🏤 – 🅰🅴 GB
fermé 2 au 26 août, dim. soir et merc. soir – **Repas** 182 bc et carte 190
à 270.

CITROEN S.A.G.A., 131 av. P.-Brossolette,   RENAULT Rel. des Nations, 258 av.
niv. A4 ℰ 01 43 24 13 50   République à Fontenay-sous-Bois
PEUGEOT Gar. Sabrié, 9-15 av. République   ℰ 01 48 76 42 72
à Fontenay-sous-Bois ℰ 01 48 75 10 00 🅽
ℰ 08 00 44 24 24   ⓜ Maison du Pneu 94, 103 bd Alsace-
RENAULT Gar. Hoel, 44 46 av. Bry   Lorraine ℰ 01 43 24 41 43
ℰ 01 43 24 52 00 🅽 ℰ 08 00 05 15 15

Petit-Clamart *92 Hauts-de-Seine* 🗐 ⑳, 📶 25 – ⊠ *92140 Clamart.*

Voir *Bièvres : Musée français de la photographie★ S : 1 km,* **G. Ile de France**

Paris 13 – Antony 9 – Clamart 5 – Meudon 6 – Nanterre 18 – Sèvres 9 –
Versailles 9.

XX **Au Rendez-vous de Chasse**   BK ⁴

1 av. du Gén. Eisenhower *℘ 01 46 31 11 95, Fax 01 40 94 11 40*
🖩 🅿 🆎 ⓪ ⒼⒷ
fermé dim. soir – **Repas** *(110) -* 130/198 ₹, enf. 95.

Poissy *78300 Yvelines* 🗐 ⑫ **G. Île de France.**

Voir *Collégiale Notre-Dame★ – Villa Savoye★.*

🏌 *(privé) Bethemont Chisan Country Club ℘ 01 39 75 51 13.*

🄳 *Office de Tourisme 132 r. du Gén.-de-Gaulle ℘ 01 30 74 60 65, Fax 01 39 6*
07 00.

Paris 33 ③ – Mantes-la-Jolie 30 ④ – Pontoise 20 ② – St-Germain-en-Laye 6 ③

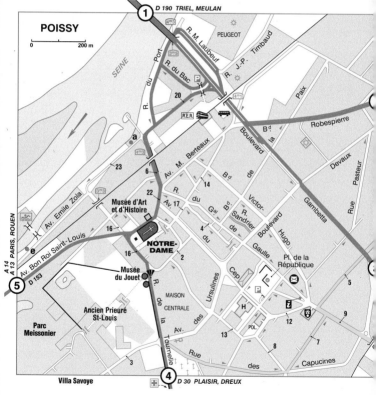

※※ **L'Esturgeon**
6 cours 14-Juillet **(a)** ℘ 01 39 65 00 04, *Fax 01 39 79 19 94*
≼ – AE ① GB
fermé août, dim. soir et jeudi – **Repas** 200 et carte 260 à 440.

※※ **Bon Vivant**
30 av. É. Zola **(e)** ℘ 01 39 65 02 14, *Fax 01 39 65 28 05*
≼, 斎 – GB
fermé août, vacances de fév., dim. soir et lundi – **Repas** 200/250.

RENAULT Gar. Pihan, 88 bd Robespierre   ⓜ Euromaster, 40 bd Robespierre
par ② ℘ 01 39 65 40 94   ℘ 01 39 65 29 09
Ⓝ ℘ 01 39 11 50 00

CONSTRUCTEUR : P.S.A. 45 r. J.P.-Timbaud ℘ 01 30 19 30 00

---

ontault-Combault 77340 S.-et-M. 🔢 ㉙, 🔢 25 – 26 804 h alt. 94.
Paris 29 – Créteil 25 – Lagny-sur-Marne 16 – Melun 32.

▲▲ **Saphir Hôtel**
aire des Berchères sur N 104 ℘ 01 64 43 45 47, *Fax 01 64 40 52 43*
Ⓜ, 斎, Ⅰ6, ⎙, ※ – 劇 ▤ TV ☎ ℂ 戋 ⇔ Ⓟ – 益 150. AE ① GB
Jardin grill **Repas** *(87)*-117/160 ⅃, enf. 50 – ⴹ 55 – **158 ch** 500/550,
21 appart.

---

e Port-Marly 78560 Yvelines 🔢 ⑬, 🔢 25 – 4 181 h alt. 30.
Paris 22 – St-Germain-en-Laye 3 – Versailles 12.

※※ **Auberge du Relais Breton**   AX 29
27 r. Paris ℘ 01 39 58 64 33, *Fax 01 39 58 35 75*
斎, 戋 – AE GB
fermé août, dim. soir et lundi – **Repas** 159/239 bc et carte 240 à 350.

MERCEDES CPMB Autom., 10 r. St-Germain ℘ 01 39 17 31 17

---

e Pré St-Gervais 93310 Seine-St-Denis 🔢 ⑯, 🔢 25 – 15 373 h alt. 82.
Paris 9 – Bobigny 6 – Lagny-sur-Marne 30 – Meaux 37 – Senlis 45.

※ **Au Pouilly Reuilly**   AW 55
68 r. A. Joineau ℘ 01 48 45 14 59
bistrot – AE ① GB
fermé août, sam. et dim. – **Repas** carte 160 à 310.

---

uteaux 92800 Hauts-de-Seine 🔢 ⑭, 🔢 25 – 42 756 h alt. 36.
Paris 10 – Nanterre 5 – Pontoise 29 – St-Germain-en-Laye 14 – Versailles 16.

▲▲ **Syjac**   AX 41
20 quai de Dion-Bouton ℘ 01 42 04 03 04, *Fax 01 45 06 78 69*
Ⓜ sans rest – 劇 TV ☎ – 益 25. AE ① GB
ⴹ 60 – **30 ch** 570/980, 3 duplex.

▲▲ **Princesse Isabelle**   AX 41
72 r. J. Jaurès ℘ 01 47 78 80 06, *Fax 01 47 75 25 20*
sans rest – 劇 TV ☎ ⇔. AE ① GB
ⴹ 50 – **30 ch** 480/685.

▲▲ **Vivaldi**   AX 41
5 r. Roque de Fillol ℘ 01 47 76 36 01, *Fax 01 47 76 11 45*
sans rest – 劇 TV ☎ ℂ. AE ① GB
ⴹ 45 – **27 ch** 520/540.

🏠 **Dauphin**   AX 4

45 r. J. Jaurès ℘ 01 47 73 71 63, *Fax 01 46 98 08 82*
sans rest, **₤** – **⬦** 📺 ☎. 🆑 ⓞ ☒
⬭ 50 – **30 ch** 560.

XX **Chaumière**   AX 3

127 av. Prés. Wilson - rd-pt des Bergères ℘ 01 47 75 05 46, *Fax 01 47 75 05 4*
▤. 🆑 ☒
fermé 7 au 28 août, sam. midi, dim. soir et lundi soir – **Repa**
170 et carte 200 à 380.

XX **Table d'Alexandre**   AX 4

7 bd Richard Wallace ℘ 01 45 06 33 63, *Fax 01 45 06 33 63*
🆑 ☒
fermé 8 au 16 août, sam. et dim. – **Repas** 170 bc et carte 200 à 300.

Ⓜ Maison André, 20 r. des Fusillés ℘ 01 47 75 36 31

La Queue-en-Brie 94510 *Val-de-Marne* 🔟🔟 ㉙, 🈁 25 – 9 897 h alt. 95.
*Paris 23 – Coulommiers 50 – Créteil 14 – Lagny-sur-Marne 21 – Melun 32
Provins 66.*

🏠 **Relais de Pincevent**   BH 6

av. Hippodrome ℘ 01 45 94 61 61, *Fax 01 45 93 32 69*
☷ – 📺 ☎ ₤ 🅿 – 🏛 80. ☒
Repas 96/132 et carte 120 à 200 ₰ – ⬭ 35 – **56 ch** 280.

XXX **Auberge du Petit Caporal**   BJ 7

42 r. Gén. de Gaulle (N 4) ℘ 01 45 76 30 06, *Fax 01 45 76 30 06*
▤. 🆑 ☒
fermé août, mardi soir, merc. soir et dim. – **Repas** 160/380.

Quincy-sous-Sénart 91480 *Essonne* 🔟🔟 ㊳ – 7 079 h alt. 76.
Paris 33 – Brie-Comte-Robert 8 – Évry 11 – Melun 20.

X **Lisière de Sénart**

33 r. Libération ℘ 01 69 00 87 15
☷ – 🆑 ☒
fermé dim. soir, mardi soir et merc. – **Repas** 120/230 et carte 210 à 350 ₤.

RENAULT Gar. S.A.V.Y., 61 rte de Brunoy ℘ 01 69 00 62 02

Roissy-en-France (Aéroports de Paris) 95700 *Val-d'Oise* 🔟🔟 ⑧ –
2 054 h alt. 85.
✈ *Charles-de-Gaulle* ℘ 01 48 62 22 80.
Paris 27 – Chantilly 27 – Meaux 36 – Pontoise 37 – Senlis 28.

à Roissy-ville :

🏰 **Copthorne**

allée Verger ℘ 01 34 29 33 33, *Fax 01 34 29 03 05*
Ⓜ, ☷, **₤**, 🔲 – **⬦** 🔆 ▤ 📺 ☎ 📞 ₤ 🚗 – 🏛 150. 🆑 ⓞ ☒ 🃏
Repas 169/300 ₤ – ⬭ 85 – **237 ch** 1500/1700.

🏰 **Mercure**

allée Verger ℘ 01 34 29 40 00, *Fax 01 34 29 00 18*
☷ – **⬦** 🔆 ▤ 📺 ☎ 📞 ₤ 🅿 – 🏛 90. 🆑 ⓞ ☒
Repas *(98)* - 142 bc (déj.)/155 bc, enf. 50 – ⬭ 70 – **202 ch** 1205, 4 appart.

🏨🏨 **Bleu Marine**
Z.A. parc de Roissy ℰ 01 34 29 00 00, *Fax 01 34 29 00 11*
Ⓜ, 🖪 – ▯ ✕ ▤ 📺 ☎ 🕻 👌 ⇔ 🅿 – 🔏 80. 🆎 ⓪ ⒼⒷ 🇯🇨🇧
Repas *(95)* - 145 ♀, enf. 49 – ⚌ 60 – **153 ch** 750.

🏨 **Campanile**
Z.A. parc de Roissy ℰ 01 34 29 80 40, *Fax 01 34 29 80 39*
Ⓜ, 🖫 – ▯ ✕ 📺 ☎ 🕻 👌 ⇔ 🅿 – 🔏 100. 🆎 ⓪ ⒼⒷ
Repas *(78)* - 94/109 ♧, enf. 39 – ⚌ 36 – **268 ch** 490.

🏨 **Ibis**
av. Raperie ℰ 01 34 29 34 34, *Fax 01 34 29 34 19*
Ⓜ – ▯ ✕ ▤ 📺 ☎ 👌 ⇔ 🅿 – 🔏 70. 🆎 ⓪ ⒼⒷ. ⍋ rest
Repas *(75)* - 95/125 ♧, enf. 39 – ⚌ 42 – **300 ch** 395/995.

l'aérogare n° 2 :

🏨🏨🏨 **Sheraton**
Aérogare n° 2 ℰ 01 49 19 70 70, *Fax 01 49 19 70 71*
Ⓜ 🖐, ≼, « Architecture contemporaine originale », 🖪 – ▯ ✕ ▤ 📺 ☎ 🕻 👌 🅿 – 🔏 80. 🆎 ⓪ ⒼⒷ 🇯🇨🇧
Les Étoiles (fermé 15 juil. au 31 août, sam. et dim.) **Repas** 305(déj.)/340
Les Saisons : **Repas** 195(déj.), 250, enf. 40 – ⚌ 135 – **242 ch** 1850/2500, 14 appart.

Roissypole :

🏨🏨🏨 **Hilton**
ℰ 01 49 19 77 77, *Fax 01 49 19 77 78*
Ⓜ 🖐, 🖪, 🖾 – ▯ ✕ ▤ 📺 ☎ 🕻 👌 ⇔ – 🔏 500. 🆎 ⓪ ⒼⒷ 🇯🇨🇧. ⍋ rest
Gourmet (fermé 14 juil. au 31 août, sam. et dim.) **Repas** 200/400 ♀, enf. 55
Aviateurs - brasserie **Repas** 185 bc, enf. 55
– *Oyster bar* - produits de la mer *(fermé 14 juil. au 31 août, dim. et lundi)*
Repas carte environ 240 – ⚌ 110 – **378 ch** 1350/1800, 4 appart.

🏨🏨 **Sofitel**
Zone centrale Ouest ℰ 01 49 19 29 29, *Fax 01 49 19 29 00*
Ⓜ, 🖾, ✕ – ▯ ✕ ▤ 📺 ☎ 🕻 👌 🅿 – 🔏 150. 🆎 ⓪ ⒼⒷ 🇯🇨🇧
Repas brasserie *(89)* - 115 bc – ⚌ 90 – **344 ch** 1100/1850, 8 appart.

🏨🏨 **Novotel**
ℰ 01 49 19 27 27, *Fax 01 49 19 27 99*
Ⓜ – ▯ ✕ ▤ 📺 ☎ 🕻 👌 🅿 – 🔏 60. 🆎 ⓪ ⒼⒷ 🇯🇨🇧
Repas *(99)* - carte environ 160 ♀, enf. 50 – ⚌ 70 – **201 ch** 820.

🏨 **Ibis**
ℰ 01 49 19 19 19, *Fax 01 49 19 19 21*
Ⓜ – ▯ ✕ ▤ 📺 ☎ 🕻 👌 ⇔ 🅿 – 🔏 80. 🆎 ⓪ ⒼⒷ. ⍋ rest
Repas *(75)* - 95 ♧, enf. 39 – ⚌ 39 – **556 ch** 425/455.

Z.I. Paris Nord II – ✉ 95912 :.

🏨🏨🏨 **Hyatt Regency**
351 av. Bois de la Pie ℰ 01 48 17 12 34, *Fax 01 48 17 17 17*
Ⓜ 🖐, 🖫, « Original décor contemporain », 🖪, 🖾, ✕ – ▯ ✕ ▤ 📺 ☎ 🕻 👌 🅿 – 🔏 300. 🆎 ⓪ ⒼⒷ 🇯🇨🇧
Repas *(175)* - 185 (déj.)/220 ♀ – ⚌ 95 – **383 ch** 1400/2000, 5 appart.

Voir aussi *ressources hôtelières au* **Mesnil-Amelot (77 S.-et-M.)**

Visitez la capitale avec le guide Vert Michelin PARIS

Romainville *93230 Seine-St-Denis* **101** ⑰, **20** 25 – *23 563 h alt. 110.*
Paris 10 – Bobigny 4 – St-Denis 12 – Vincennes 5.

XXX **Chez Henri**   AV ▮
72 rte Noisy *℘ 01 48 45 26 65, Fax 01 48 91 16 74*
▤ **P**. **AE** **GB**
fermé 1ᵉʳ au 24 août, lundi soir, sam. midi et dim. sauf fériés – **Repa**
180 et carte 280 à 380.

Rosny-sous-Bois *93110 Seine-St-Denis* **101** ⑰, **20** 25 – *37 489 h alt. 80.*
🎿 *℘ 01 48 94 01 81.*
Paris 18 – Bobigny 9 – Le Perreux-sur-Marne 4 – St-Denis 17.

🏨 **Holiday Inn Garden Court**   AY ▮
4 r. Rome *℘ 01 48 94 33 08, Fax 01 48 94 30 05*
🕱 – 🛗 ✑, ▤ rest, **TV** ☎ 📞 ⅙ ⇔ **P**. – 🏛 25 à 150. **AE** **O** **GB** **JCB**
🍽 rest
Vieux Carré *(fermé dim. midi du 15 juil. au 31 août et sam. midi)* **Repa**
*(125)-*155 et carte 170 à 300 – ⛿ 70 – **97 ch** 540.

🏨 **Comfort Inn**   AX ▮
1 r. Lisbonne *℘ 01 48 12 30 30, Fax 01 45 28 83 69*
🛗 ✑, ▤ rest, **TV** ☎ 📞 ⅙ ⇔ **P**. – 🏛 80. **AE** **O** **GB**
Repas *(fermé août, 24 déc. au 2 janv., vend. soir, sam. et dim.)* *(89)* - 11▮
145 🍴, enf. 50 – ⛿ 45 – **100 ch** 340/370.

🛞 Euromaster, 183 bd d'Alsace-Lorraine *℘ 01 45 28 15 96*

Visitez la capitale avec le guide Vert Michelin **PARIS**

Rueil-Malmaison *92500 Hauts-de-Seine* **101** ⑭, **18** 25 *G. Ile de France*
66 401 h alt. 40.
Voir *Château de Bois-Préau★ – Buffet d'orgues★ de l'église – Malmaison*
musée★★ du château.
🎿 *℘ 01 47 49 64 67.*
🄳 *Office de Tourisme 160 av. Paul-Doumer ℘ 01 47 32 35 75 et La Capitaine*
11 pl. des Impressionnistes ℘ 01 47 16 72 66.
Paris 14 – Argenteuil 12 – Nanterre 3 – St-Germain-en-Laye 9 – Versailles 12.

🏨 **Novotel Atria**   AW 3
21 av. Ed. Belin *℘ 01 47 16 60 60, Fax 01 47 51 09 29*
M – 🛗 ✑, ▤ rest, **TV** ☎ 📞 ⅙ ⇔ – 🏛 180. **AE** **O** **GB** **JCB**
Repas *(90)* - 115/125 🍷, enf. 50 – ⛿ 70 – **118 ch** 780/850.

🏨 **Cardinal**   AY 3
1 pl. Richelieu *℘ 01 47 08 20 20, Fax 01 47 08 35 84*
sans rest – 🛗 **TV** ☎ 📞 ⅙ **P**. **AE** **O** **GB**
⛿ 55 – **64 ch** 590/690.

XX **Rastignac**   AW 3
1 pl. Europe *℘ 01 47 32 92 29, Fax 01 47 32 93 35*
▤ . **AE** **GB**
fermé 7 au 22 août, 25 déc. au 2 janv., sam. et dim. – **Repas** 189
395 et carte 210 à 320 🍷.

XX **Pavillon des Muettes**   AX 3
4 r. René Cassin *℘ 01 47 08 41 68, Fax 01 47 08 43 20*
🕱 – **AE** **GB**
fermé août, sam. midi, dim. soir et lundi – **Repas** 180 et carte 140 à 260.

XX **Bonheur de Chine** AZ 37
6 allée A. Maillol ✆ 01 47 49 88 88, *Fax 01 47 49 48 68*
▤. AE ⓓ GB
Repas - cuisine chinoise - 89 (déj.), 130/230 et carte 120 à 230 ♁.

Rungis 94150 *Val-de-Marne* 101 ㉖, 24 25 – *2 939 h alt. 80 Marché d'Intérêt National.*
Paris 14 – Antony 5 – Corbeil-Essonnes 28 – Créteil 10 – Longjumeau 11.

Pondorly : *accès : de Paris, A6 et bretelle d'Orly ; de province, A6 et sortie Rungis*

Grand Hôtel Mercure Orly BM 50
20 av. Ch. Lindbergh ✉ 94656 ✆ 01 46 87 36 36, *Fax 01 46 87 08 48*
M, – ▤ TV ☎ P – 180. AE ⓓ GB
Rungisserie *(fermé sam. midi et dim.. midi)* **Repas** *(135)*- et carte environ 190 ♀, enf. 65 – ☕ 68 – **190 ch** 690/890.

Holiday Inn BM 50
4 av. Ch. Lindbergh ✉ 94656 ✆ 01 46 87 26 66, *Fax 01 45 60 91 25*
M – ▤ TV ☎ ♿ P – 150. AE ⓓ GB
Repas *(98)* - 165 ♀ – ☕ 80 – **168 ch** 880/980.

Novotel
Zone du Delta, 1 r. Pont des Halles ✆ 01 45 12 44 12, *Fax 01 45 12 44 13*
M, , – ▤ TV ☎ ♿ P – 150. AE ⓓ GB JCB
Repas carte environ 180 ♀, enf. 50 – ☕ 68 – **181 ch** 710/1050.

Ibis BM 50
1 r. Mondétour ✉ 94656 ✆ 01 46 87 22 45, *Fax 01 46 87 84 72*
 – TV ☎ ♿ P – 60. AE ⓓ GB
Repas *(75)* - 95 ♀, enf. 39 – ☕ 39 – **119 ch** 360.

Rungis-ville :

XX **Charolais** BN 50
13 r. N.-Dame ✆ 01 46 86 16 42
AE ⓓ GB
fermé 9 au 30 août, sam. et dim. – **Repas** *(118)* - 150/225.

Euromaster, 2 r. des Transports Centre Routier ✆ 01 46 86 46 01

St-Cloud 92210 *Hauts-de-Seine* 101 ⑭, 22 25 *G. Ile de France – 28 597 h alt. 63.*
Voir *Parc★★ (Grandes Eaux★★) – Église Stella Matutina★.*
18 18 *(privé)* ✆ 01 47 01 01 85 parc de Buzenval à Garches, O : 4 km ; 9 *Paris Country Club (Hippodrome)* ✆ 01 47 71 39 22.
Paris 12 – Nanterre 8 – Rueil-Malmaison 6 – St-Germain 17 – Versailles 11.

Villa Henri IV BB 38
43 bd République ✆ 01 46 02 59 30, *Fax 01 49 11 11 02*
TV ☎ P – 15. AE ⓓ GB
Bourbon *(fermé 24 juil. au 24 août et dim. soir)* **Repas** *(90)*-120/178 ♀, enf. 90 – ☕ 48 – **36 ch** 460/550.

Quorum BB 38
2 bd République ✆ 01 47 71 22 33, *Fax 01 46 02 75 64*
 – , ▤ rest, TV ☎ ♿ P. AE ⓓ GB
Repas *(fermé sam., dim. et le soir en août)* *(78)* - 98 et carte 140 à 260 ♁ – ☕ 40 – **58 ch** 460/500.

✕ **Garde-Manger**   BB 3
21 r. Orléans ℘ 01 46 02 03 66
bistrot – ⚎
fermé dim. et fériés – **Repas** *(69)* - carte 150 à 200 ⌾.

St-Denis ⏤ *93200 Seine-St-Denis* ⓵⓪⓵ ⑯, ⓶⓪ 25 *G. Île de France – 89 988 h alt. 3.*
Voir *Basilique*★★★ – *Stade de France*★.

🅱 *Office de Tourisme 1 r. de la République ℘ 01 55 87 08 70, Fax 01 48 2*
24 11.

Paris 11 – Argenteuil 10 – Beauvais 72 – Bobigny 9 – Chantilly 43 – Pontoise 2
– Senlis 42.

🏨 **Campanile**   AP 5
14 r. J. Jaurès ℘ 01 48 20 74 31, *Fax 01 48 20 74 26*
Ⓜ – 🛗 ⌦ 📺 ☎ ✆ 🅱 ➡ – 🅰 25. 🆎 ⓪ ⚎
Repas *(78)* - 94/109 🍷, enf. 39 – ⛭ 36 – **56 ch** 420.

CITROEN Succursale, 43 bd Libération
℘ 01 49 33 10 00
FORD Gar. Bocquet, 13 bis bd Carnot
℘ 01 48 22 20 95
PEUGEOT Gar. Neubauer, 227 bd A.-
France ℘ 01 49 33 60 60
RENAULT Succursale, 93 r. de la Convention à La Courneuve ℘ 01 49 92 65 65 Ⓝ
℘ 08 00 05 15 15

S.M.J., 64 bd M.-Sembat
℘ 01 42 43 31 20

Ⓜ Bertrand Pneus Vulco, 29 r. R.-
Salengro à Villetaneuse
℘ 01 48 21 20 24
Pégaud Pneus Vulco, 16 av. R.-Semat
℘ 01 48 22 12 14
St-Denis Pneus, 20 bis r. G.-Péri
℘ 01 48 20 10 77

*Demandez chez le libraire le catalogue des **publications Michelin**.*

St-Germain-en-Laye ⏤ *78100 Yvelines* ⓵⓪⓵ ⑬, ⓵⑧ 25 *G. Ile de France*
39 926 h alt. 78.

Voir *Terrasse*★★ BY – *Jardin anglais*★ BY – *Château*★ BZ : *musée des Antí-*
quités nationales★★ – *Musée du Prieuré*★ AZ.

🅸🅸 *(privé) ℘ 01 39 10 30 30, par ④ : 3 km ;* 🅹🅹🅹 *de Fourqueux (privé*
℘ 01 34 51 41 47, *par r. de Mareil* AZ.

🅱 *Office de Tourisme 38 r. Au Pain ℘ 01 34 51 05 12, Fax 01 34 51 36 01.*
Paris 24 ③ – *Beauvais 81* ① – *Chartres 82* ③ – *Dreux 69* ③ – *Mantes-la*
Jolie 35 ④ – *Versailles 14* ③.

Plan page ci-contre

🏛 **Ermitage des Loges**   AY
11 av. Loges ℘ 01 39 21 50 90, *Fax 01 39 21 50 91*
Ⓜ, �ండ – 🛗 📺 ☎ ✆ 🅱 🅿 – 🅰 30 à 150. 🆎 ⓪ ⚎. ⅍ rest
Repas *(120)* - 160 et carte 220 à 300 ⌾, enf. 60 – ⛭ 58 – **56 ch** 550/660
½ P 460.

✕ **Feuillantine**   AZ
🝔 10 r. Louviers ℘ 01 34 51 04 24
▤. 🆎 ⚎
Repas 136 ⌾.

par ① *et D 284 : 2,5 km –* ✉ *78100 St-Germain-en-Laye :*

🏯 **Forestière**
1 av. Prés. Kennedy ℘ 01 39 10 38 38, *Fax 01 39 73 73 88*
Ⓜ ⊗, 🝰 « En lisière de forêt » – 🛗 📺 ☎ 🅿 – 🅰 30. 🆎 ⓪ ⚎ 🅹🅲🅱
voir rest. ***Cazaudehore*** ci-après – ⛭ 75 – **25 ch** 810/1050, 5 appart.

XXX **Cazaudehore**
1 av. Prés. Kennedy ℘ 01 30 61 64 64, *Fax 01 39 10 38 38*
🍴, « Jardin fleuri » – **P**, **AE** **①** **GB** **JCB**
fermé lundi sauf fériés – **Repas** *(190)* - 300 bc (déj.)/380 bc et carte 270 à 370.

ST-GERMAIN-EN-LAYE

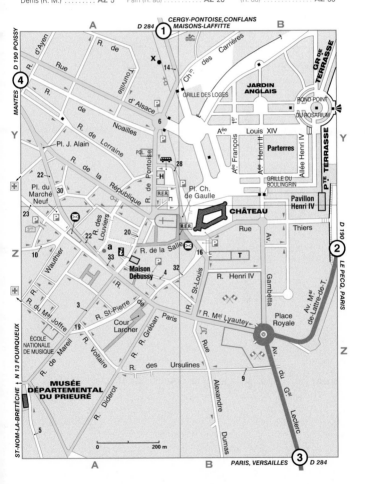

CITROEN Ouest Autom., 45 r. de Mantes
N 13 à Chambourcy par ④
℘ 01 30 74 90 00
PEUGEOT Vauban Autom., pl. Vauban par
④ ℘ 01 30 87 15 15

RENAULT Gar. Adde, 112 r. du Prés.-
Roosevelt ℘ 01 39 73 32 64

🛞 Relais du Pneu Point S, 22 r. Péreire
℘ 01 34 51 19 33

St-Mandé *94160 Val-de-Marne 101 ㉗, 24 25 G. Ile de France – 18 684 h alt. 50.*

Paris 7 – Créteil 10 – Lagny-sur-Marne 28 – Maisons-Alfort 6 – Vincennes 2.

X **Aux Capucins** BB 5
44 av. Gén. de Gaulle ✆ 01 43 28 23 93, *Fax 01 43 28 10 90*
AE GB
fermé 1er au 22 août, sam. midi et dim. – **Repas** 120/190 ♀.

PORSCHE Fast Autom., 8-12 av V.-Hugo ✆ 01 43 28 18 18
Gar. Drécourt, 186 av. Gallieni ✆ 01 43 28 30 21

St-Maur-des-Fossés *94100 Val-de-Marne 101 ㉗, 24 25 – 77 206 h alt. 38.*

Office de Tourisme 70 av. République ✆ 01 42 83 84 74, Fax 01 42 83 84 7
Paris 12 – Créteil 6 – Nogent-sur-Marne 5.

XX **Auberge de la Passerelle** BH 6
37 quai de la Pie ✆ 01 48 83 59 65, *Fax 01 48 89 91 24*
▤. AE GB
fermé dim. soir et lundi – **Repas** 190/260 et carte 200 à 310, enf. 110.

XX **Gourmet** BH 6
150 bd Gén. Giraud (quartier de la Pie) ✆ 01 48 86 86 96, *Fax 01 48 86 86 96*
– GB
fermé 16 au 31 août, dim. soir et lundi – **Repas** 150/250.

à La Varenne-St-Hilaire – ✉ *94210 :.*

XXX **Bretèche** BJ 6
171 quai Bonneuil ✆ 01 48 83 38 73, *Fax 01 42 83 63 19*
– ▤. AE GB
fermé 15 au 28 fév., dim. soir et lundi – **Repas** 160 et carte 230 à 350.

XX **Régency 1925** BH 6
96 av. Bac ✆ 01 48 83 15 15, *Fax 01 48 89 99 74*
▤. AE ⓓ GB
Repas 140 et carte 260 à 350.

X **Gargamelle** BG 6
23 av. Ch. Péguy ✆ 01 48 86 04 40
– AE ⓓ GB
fermé 15 au 31 août, dim. soir et lundi – **Repas** *(90)* - 160 bc/190 ♀.

AUDI, VOLKSWAGEN SMCDA, 48 r. de la Varenne ✆ 01 48 86 41 42
CITROEN Gar. Léglise, 7 bis av. Foch ✆ 01 48 83 06 83
FORD Avantage Sce Ford, 9-11 bd M.-Berteaux ✆ 01 42 83 64 41
MITSUBISHI Sélection Auto Sce, 102 av. Foch ✆ 01 48 85 45 55
RENAULT Girardin-St-Maur, 20-22 bd des Muriers ✆ 01 45 11 07 77
RENAULT Gar. Chevant, 2 bd Gén.-Girau ✆ 01 48 83 05 43

Selz Pneus, 5 av. L.-Blanc ✆ 01 48 85 27 33

St-Ouen *93400 Seine-St-Denis 101 ⑯, 18 25 – 42 343 h alt. 36.*

Office de Tourisme pl. République ✆ 01 40 11 77 36, Fax 01 40 11 01 70.
Paris 9 – Bobigny 11 – Chantilly 46 – Meaux 47 – Pontoise 26 – St-Denis 3.

Sovereign AS 4
54 quai Seine ✆ 01 40 12 91 29, *Fax 01 40 10 89 49*
TV P – 30. AE ⓓ GB
Repas *(fermé dim. et fériés)* 75/110 ♀ – 37 – **104 ch** 305/340.

XX **Coq de la Maison Blanche** AT 4
37 bd J. Jaurès ✆ 01 40 11 01 23, *Fax 01 40 11 67 68*
– ▤. AE ⓓ GB
fermé dim. – **Repas** 180 et carte 220 à 360 ♀.

FORD Gar. Bocquet, 45-57 av. Michelet ✆ 01 40 11 13 10
Sté Nlle du Pneumatique, 87 bd V.-Hugo ✆ 01 40 11 08 66

St-Pierre-du-Perray *91280 Essonne* **101** ㊳ – *3 342 h alt. 88.*
Paris 42 – Brie-Comte-Robert 16 – Évry 9 – Melun 17.

🏨 **Novotel**
℘ 01 69 89 75 75, Fax 01 69 89 75 50
Ⓜ ⑤, 🍴, 𝕚, ☒, 🚗 – 🛗 ⇝ ☰ 📺 ☎ 📞 ⅙ 🅿 – 🛄 120. 🆎 ⓪ ☵
Repas *(98)* - 128/260 bc ♈, enf. 50 – ☑ 60 – **78 ch** 685/835.

St-Quentin-en-Yvelines *78 Yvelines* **101** ㉑, **25** *G. Ile de France.*
Paris 33 – Houdan 32 – Palaiseau 22 – Rambouillet 21 – Versailles 14.

Montigny-le-Bretonneux – *31 687 h. alt. 162* – ✉ *78180* .

🏨 **Mercure**   BJ 23
9 pl. Choiseul *℘ 01 39 30 18 00, Fax 01 30 57 15 22*
Ⓜ, 🍴 – 🛗 ⇝ 📺 ☎ ⅙ ⎘ – 🛄 70. 🆎 ⓪ ☵
Repas *(fermé vend. soir, dim. midi et sam.)* *(95)* - 175, enf. 55 – ☑ 65 – **74 ch**
580/630.

🏨 **Auberge du Manet**   BL 21
61 av. Manet *℘ 01 30 64 89 00, Fax 01 30 64 55 10*
⑤, 🍴, 𝕚 – ⇝ 📺 ☎ ⅙ 🅿. 🆎 ⓪ ☵
Repas 165 *(déj.)*/215 et carte 220 à 300 ♈, enf. 50 – ☑ 60 – **31 ch** 500/600,
4 appart – ½ P 450.

Voisins-le-Bretonneux – *11 220 h. alt. 163* – ✉ *78960* .
Voir *Vestiges de l'abbaye Port-Royal des Champs* ★ *SO : 4 km.*

🏨 **Novotel St-Quentin Golf National**   BN 25
au Golf National, Est : 2 km par D 36 ✉ 78114 Magny-lès-Hameaux
℘ 01 30 57 65 65, Fax 01 30 57 65 00
Ⓜ ⑤, ≤, 🍴, 𝕚, ☒, 🚗, ✖ – 🛗 ⇝ ☰ 📺 ☎ ⅙ 🅿 – 🛄 200. 🆎 ⓪
☵ ⒿⒸⒷ
Repas *(99)* - carte environ 180 ♈, enf. 50 – ☑ 63 – **130 ch** 705/850.

🏨 **Relais de Voisins**   BM 23
av. Grand-Pré *℘ 01 30 44 11 55, Fax 01 30 44 02 04*
Ⓜ ⑤, 🍴 – 📺 ☎ ⅙ 🅿 – 🛄 40. ☵ ✖
fermé 1ᵉʳ au 16 août – **Repas** *(fermé dim. soir)* 79/159 ♉ – ☑ 32 – **54 ch**
350/370.

🏨 **Port Royal**   BM 24
20 r. H. Boucher *℘ 01 30 44 16 27, Fax 01 30 57 52 11*
⑤ sans rest, 🚗 – ⇝ 📺 ☎ ⅙ 🅿. ☵
☑ 35 – **40 ch** 280/300.

AUDI, VOLKSWAGEN M.B.A., ZAS 10 av.
des Prés à Montigny-le-Bretonneux
℘ 01 30 44 12 12
FIAT Sodima 78, 1 r. N.-Copernic à
Guyancourt *℘ 01 30 43 39 39*
PEUGEOT SOVEDA, N 286 à Montigny le
Bretonneux *℘ 01 30 45 09 42* ◼ *℘ 08 00
44 24 24*

RENAULT Gar. Cedam, 43 av. de Manet à
Montigny-le-Bretonneux
℘ 01 30 43 25 79 ◼ *℘ 08 00 05 15 15*

Avant de prendre la route, consultez la **carte Michelin**
n° 911 "FRANCE – Grands Itinéraires".

Vous y trouverez :
– votre kilométrage,
– votre temps de parcours,
– les zones à "bouchons" et les itinéraires de dégagemer.
– les stations-service ouvertes 24 h/24...

Votre route sera plus économique et plus sûre.

St-Rémy-lès-Chevreuse *78470 Yvelines 101 ㉜ – 5 589 h alt. 73.*

Voir *Chevreuse : site★ – Vallée de Chevreuse★.*

Env. *Château de Breteuil★★ SO : 8 km,* **G. Ile de France.**

de Chevry II ✆ 01 60 12 40 33, SE : 4,5 km.

Office de Tourisme 1 r. Ditte ✆ 01 30 52 22 49 (ouvert merc., sam., dim. e jours fériés) Bureau d'Accueil en face de la Gare du RER.

Paris 38 – Chartres *60 – Longjumeau 22 – Rambouillet 22 – Versailles 16.*

XX **Cressonnière**
46 r. de Port Royal, direction Milon ✆ 01 30 52 00 41, *Fax 01 30 47 28 31*
– AE GB
fermé 16 au 31 août, dim. soir de nov. à avril, mardi et merc. – **Repas** *(190/* 240/350 et carte 300 à 400.

TOYOTA Gar. du Claireau, ✆ 01 30 52 41 00

Ste-Geneviève-des-Bois *91700 Essonne 101 ㉟ ㊱ G. Ile de France 31 286 h alt. 78.*

Office de Tourisme Le Donjon 8 av. du Château ✆ 01 60 16 29 33, Fax 01 6 15 56 78.

Paris 27 – Arpajon 12 – Corbeil-Essonnes 15 – Étampes 30 – Évry 10 – Long jumeau 10.

XX **Table d'Antan**
38 av. Gde Charmille du Parc, près H. de Ville ✆ 01 60 15 71 53
Fax 01 60 15 71 53
GB
fermé mi-août à début sept., merc. soir, dim. soir et lundi – **Repas** 145 280 et carte 200 à 340 ♀.

AUDI, VOLKSWAGEN Gar. du Donjon, 107 rte de Corbeil ✆ 01 69 23 25 70
FIAT, MERCEDES Gar. du Parc, 51 av. G.-Péri ✆ 01 69 46 00 55
OPEL Gar. du Château, 166 rte de Corbeil ✆ 01 60 15 29 27
RENAULT Gar. Hippeau, 110 rte de Corbeil ✆ 01 60 15 37 78
SEAT Gar. Atlantico, 17-19 rte de Corbe ✆ 01 69 04 39 55

Sartrouville *78500 Yvelines 101 ⑬, 18 25 – 50 329 h alt. 46.*

Paris 21 – Argenteuil 10 – Maisons-Laffitte 2 – Pontoise 18 – St-Germain-en Laye 8 – Versailles 20.

XX **Jardin Gourmand** AN 3
109 rte Pontoise (N 192) ✆ 01 39 13 18 88, *Fax 01 61 04 03 07*
AE ⓓ GB JCB
fermé 8 au 22 août et dim. – **Repas** 140/280 et carte 220 à 320, enf. 60.

C.B. Maintenance, 34 av. G.-Clémenceau ✆ 01 39 13 56 18

Savigny-sur-Orge *91600 Essonne 101 ㊱ – 33 295 h alt. 81.*

Paris 23 – Arpajon 19 – Corbeil-Essonnes 16 – Évry 11 – Longjumeau 6.

XX **Au Ménil**
24 bd A. Briand ✆ 01 69 05 47 48, *Fax 01 69 44 09 44*
. AE GB
fermé 15 juil. au 15 août, lundi soir et mardi – **Repas** 99 bc/240.

CITROEN Essauto Diffusion, 91 rte de Corbeil à Morsang-sur-Orge ✆ 01 69 04 21 68
RENAULT Gar. Sard, 10 bd A.-Briand ✆ 01 69 05 04 50

evran _93270 Seine-St-Denis_ **101** ⑱, **20** 25 – _48 478 h alt. 50._
Paris 22 – Bobigny 11 – Meaux 28 – Villepinte 5.

🏨 **Campanile**   AN 65
5 r. A. Léonov _℘ 01 43 84 67 77, Fax 01 43 83 27 40_
📶 📺 ☎ 📞 ᓬ 🅿 – 🏛 25. ፴ ⑩ ☜
Repas _(78)_ - 94/109 🍷, enf. 39 – ⌂ 36 – **55 ch** 459.

Ⓜ Otico Sevran, 7 allée du Mar.-Bugeaud _℘ 01 43 84 36 30_

èvres _92310 Hauts-de-Seine_ **101** ㉔, **22** 25 _G. Île de France_ – _21 990 h alt. 48._
Voir _Musée National de céramique_★★ – _Étangs_★ _de Ville d'Avray O : 3 km._
Paris 12 – Boulogne-Billancourt 3 – Nanterre 11 – St-Germain-en-Laye 19 –
Versailles 8.

🍴 **Auberge Garden**   BF 38
24 rte Pavé des Gardes _℘ 01 46 26 50 50, Fax 01 46 26 58 58_
🏡 – ፴ ☜
fermé 1ᵉʳ au 24 août, sam. midi et dim. soir – **Repas** _(142)_ - 178 🍷.

CITROEN Gar. Pont de Sèvres, ZAC, 2 av. Cristallerie _℘ 01 45 34 01 93_
Ⓝ _℘ 08 00 05 24 24_

Visitez la capitale avec le guide Vert Michelin **PARIS**

---

ucy-en-Brie _94370 Val-de-Marne_ **101** ㉘, **24** 25 – _25 839 h alt. 96._
Voir _Château de Gros Bois_★ : _mobilier_★★ S : 5 km, **G. Île de France.**
Paris 18 – Créteil 7 – Chennevières-sur-Marne 4.

uartier les Bruyères _Sud-Est : 3 km :_

🏨 **Tartarin**   BM 68
carrefour de la Patte d'Oie _℘ 01 45 90 42 61, Fax 01 45 90 52 55_
🐕, 🏡 – 📺 ☎ – 🏛 30. ☜
Repas _(fermé août, mardi soir, merc. soir, jeudi soir et lundi)_ 125/275 – ⌂ 37
– **11 ch** 295/325.

🍴 **Terrasse Fleurie**   BM 68
1 r. Marolles _℘ 01 45 90 40 07, Fax 01 45 90 40 07_
🏡 – ፴ ☜
fermé 2 au 26 août, 12 au 23 janv., le soir (sauf vend. et sam.) et merc. – **Repas**
110/190 et carte 210 à 300, enf. 70.

PEUGEOT Gar. Paulmier, 89 r. Gén.-Leclerc
_℘ 01 49 82 96 96_
RENAULT Boissy Autom., 51 av. Gén.
Leclerc à Boissy-St-Léger
_℘ 01 45 10 30 00_ Ⓝ _℘ 08 00 05 15 15_

Suresnes _92150 Hauts-de-Seine_ **101** ⑭, **18** 25 _G. Île de France_ – _35 998 h alt. 42._
Voir _Fort du Mont Valérien (Mémorial National de la France combattante)._
🛈 _Office de Tourisme 50 bd Henri-Sellier ℘ 01 41 18 18 76, Fax 01 41 18 18 78._
Paris 12 – Nanterre 5 – Pontoise 34 – St-Germain-en-Laye 14 – Versailles 13.

🏨 **Novotel**   AY 40
7 r. Port aux Vins _℘ 01 40 99 00 00, Fax 01 45 06 60 06_
Ⓜ – 📶 🔆 📺 ☎ 📞 ᓬ 🚗 – 🏛 25 à 100. ፴ ⑩ ☜
Repas _(91)_ - 150 bc – ⌂ 67 – **110 ch** 760/790, 3 appart.

🏨 **Atrium**   AZ 3
68 bd H. Sellier *℘* 01 42 04 60 76, *Fax 01 46 97 71 61*
Ⓜ sans rest, ℔ – 🛗 📺 ☎ ⅙ ⇔ – 🅰 60. 🆎 ⓞ ☒ 🅹🅲🅱
☲ 55 – **42 ch** 610/660.

🏨 **Astor**   AY 3
19 bis r. Mt Valérien *℘* 01 45 06 15 52, *Fax 01 42 04 65 29*
sans rest – 🛗 📺 ☎. 🆎 ⓞ ☒
☲ 32 – **51 ch** 360.

   ⓜ Euromaster, 4 r. E.-Nieuport *℘* 01 47 72 43 21

Taverny 95150 Val-d'Oise 👁👁👁 ④ *G. Ile de France* – 25 151 h alt. 92.
   Voir *église★*.
   Paris 28 – Beauvais 60 – Chantilly 30 – L'Isle-Adam 15 – Pontoise 13.

🏨 **Campanile**
centre   commercial   les   Portes   de   Taverny *℘* 01 30 40 10 85
Fax 01 30 40 10 87
🍽 – ⅏ 📺 ☎ ℂ ⅙ 🅿 – 🅰 25. 🆎 ⓞ ☒
Repas *(72)* - 86/99 ⅄, enf. 39 – ☲ 34 – **77 ch** 295.

CITROEN Gar. Vincent, 183 r. d'Herblay   PEUGEOT Gar. des Lignières, 29 r. de
℘ 01 39 95 44 00   Beauchamp *℘* 01 39 60 13 58
HYUNDAI Gar. Autocat, 201 r. d'Herblay   RENAULT Gar. de la Diligence, 75 r.
℘ 01 34 13 10 52   d'Herblay *℘* 01 39 60 75 68

Visitez la capitale avec le guide Vert Michelin PARIS

Tremblay-en-France 93290 Seine-St-Denis 👁👁👁 ⑱, ⓴ 25 – 31 385 h alt. 60.
   Paris 24 – Aulnay-sous-Bois 7 – Bobigny 14 – Villepinte 5.

au Tremblay-Vieux-Pays :

🍴🍴 **Cénacle**   AJ 6
1 r. Mairie *℘* 01 48 61 32 91, *Fax 01 48 60 43 89*
🆎 ☒
fermé août, sam. midi et dim. – **Repas** 175 bc (déj.), 230/340
et carte 270 à 430, enf. 100.

Triel-sur-Seine 78510 Yvelines 👁👁👁 ① ② *G. Ile de France* – 9 615 h alt. 20.
   Voir *Église St-Martin★*.
   *Paris 39 – Mantes-la-Jolie 27 – Pontoise 14 – Rambouillet 55 – St-Germain-en-
   Laye 12 – Versailles 25.*

🍴 **St-Martin**
2 r. Galande (face Poste) *℘* 01 39 70 32 00, *Fax 01 39 74 30 34*
☒
fermé 4 au 26 août, dim. soir, lundi soir et merc. – **Repas** (nombre de
couverts limité, prévenir) 99/200, enf. 50.

RENAULT Bagros Heid, 1 r. du Pont *℘* 01 39 70 60 29

Vanves 92170 Hauts-de-Seine 👁👁👁 ㉕, ㉒ 25 – 25 967 h alt. 61.
   Paris 7 – Boulogne-Billancourt 4 – Nanterre 16.

🏨 **Mercure Porte de la Plaine**   BD 45
36 r. Moulin *℘* 01 46 48 55 55, *Fax 01 46 48 56 56*
⅏ ⅀ 🖥 📺 ☎ ℂ ⅙ ⇔ – 🅰 260. 🆎 ⓞ ☒ 🅹🅲🅱
Repas 140 ⅄, enf. 45 – ☲ 65 – **384 ch** 970/1030, 4 appart.

🏛 **Parc des Expositions**   BD 44
18 r. E. Baudouin ℰ 01 41 46 06 46, *Fax 01 41 46 06 47*
Ⓜ sans rest – 📶 📺 ☎ 📞 ♿ ⬛ – 🅰 30. ⒶⒺ ⓪ ⒼⒷ
⬜ 60 – **55 ch** 690/790.

🏠 **Ibis**   BD 45
43 r. J. Bleuzen ℰ 01 40 95 80 00, *Fax 01 40 95 96 99*
Ⓜ sans rest – 📶 ⊁ 📺 ☎ 📞 ♿ ⬛. ⒶⒺ ⓪ ⒼⒷ
⬜ 39 – **71 ch** 395/440.

XXX **Pavillon de la Tourelle**   BE 44
10 r. Larmeroux ℰ 01 46 42 15 59, *Fax 01 46 42 06 27*
🌣, 🍴 – 🅿. ⒶⒺ ⒼⒷ ⒿⒸⒷ
fermé 26 juil. au 23 août, vacances de fév., dim. soir et lundi – **Repas** (150) -
195/450 bc et carte 300 à 460 ♈.

Vaucresson 92420 Hauts-de-Seine 🗆🗆🗆 ㉓, 🗆🗆 25 – 8 118 h alt. 160.
Voir *Etang de St-Cucufa★ NE : 2,5 km – Institut Pasteur - Musée des Applica-
tions de la Recherche★ à Marnes-la-Coquette SO : 4 km,* G. Ile de France.
*Paris 18 – Mantes-la-Jolie 44 – Nanterre 13 – St-Germain-en-Laye 12 – Ver-
sailles 5.*

Voir plan de Versailles

XXX **Auberge de la Poularde**   U a
36 bd Jardy (près autoroute) D 182 ℰ 01 47 41 13 47, *Fax 01 47 01 41 32*
🌣 – 🅿. ⒶⒺ ⓪ ⒼⒷ
fermé août, vacances de fév., dim. soir, mardi soir et merc. – **Repas**
175 et carte 230 à 380.

RENAULT Gar. Moriceau, 106 bd République ℰ 01 47 41 12 40 🅽 ℰ 08 00 05 15 15

Vaujours 93410 Seine-St-Denis 🗆🗆🗆 ⑱, 🗆🗆 – 5 214 h alt. 61.
Paris 22 – Bobigny 12 – Chelles 8 – Meaux 25 – St-Denis 19 – Senlis 43.

XX **Relais de Vaujours**   P 49
1 pl. Fêtes ℰ 01 48 60 10 20, *Fax 01 48 60 82 28*
🌣 – ⒼⒷ
fermé août, vacances de fév., mardi soir, sam. midi, dim. soir et lundi – **Repas**
178 et carte 220 à 350.

Vélizy-Villacoublay 78140 Yvelines 🗆🗆🗆 ㉔, 🗆🗆 25 – 20 725 h alt. 164.
Paris 19 – Antony 14 – Chartres 81 – Meudon 9 – Versailles 6.

🏨 **Holiday Inn**   BJ 39
av. Europe, près centre commercial Vélizy II ℰ 01 39 46 96 98,
Fax 01 34 65 95 21
Ⓜ, 🏊, – 📶 ⊁ ▤ 📺 ☎ ♿ 🅿 – 🅰 25 à 250. ⒶⒺ ⓪ ⒼⒷ ⒿⒸⒷ
Repas 179/225 🍴, enf. 65 – ⬜ 85 – **182 ch** 950/1190.

XX **Orée du Bois**   BH 35
2 r. M. Sembat ℰ 01 39 46 38 40, *Fax 01 30 70 88 67*
🌣 – 🅿. ⒶⒺ ⒼⒷ
fermé 7 au 29 août, sam. et dim. – **Repas** 180 et carte 250 à 350.

RENAULT BSE-Vélizy, av. L.-Bréguet ℰ 01 39 46 96 03 🅽 ℰ 08 00 05 15 15

---

*Les localités dont les noms sont soulignés de rouge
sur les* **cartes Michelin** *à 1/200 000 sont citées dans ce guide.*
Utilisez une carte récente pour profiter de ce renseignement.

Vernouillet *78540 Yvelines* 101 ① *G. Île de France – 8 676 h alt. 24.*

Voir *Clocher★ de l'église.*

Paris 37 – Mantes-la-Jolie 25 – Pontoise 16 – Rambouillet 53 – St-Germain-en-Laye 17 – Versailles 28.

XX **Charmilles**
38 av. P. Doumer ℰ 01 39 71 64 02, *Fax 01 39 65 98 62*
🕭 avec ch, 🍴, 🌳 – 📺 ☎ 📞 **P** – 🚗 30. ⊞
Repas *(fermé 10 au 20 août, dim. soir et lundi)* *(100)* - 150/220 ⌿ – ⌷ 32 – **9 ch**
230/330 – ½ P 282/307.

Versailles **P** *78000 Yvelines* 101 ㉓, 22 25 *G. Île de France – 87 789 h alt. 130.*

Voir *Château★★★* Y – *Jardins★★★ (Grandes Eaux★★★ et fêtes de nuit★★★ en été)* V – *Ecuries Royales★* Y – *Trianon★★* V – *Musée Lambinet★* Y M.

Env. *Jouy-en-Josas : la "Diège"★ (statue) dans l'église, 7 km par* ③.
🏌 de la Boulie (privé) ℰ 01 39 50 59 41, par ③ : 2,5 km.
🅱 *Office de Tourisme 7 r. des Réservoirs* ℰ 01 39 50 36 22, *Fax 01 39 50 68 07*
et *(fermé lundi) îlot des Manèges 6 av. du Gén.-de-Gaulle* ℰ 01 39 53 31 63.
Paris 21 ① – *Beauvais 95* ⑦ – *Dreux 61* ⑥ – *Évreux 88* ⑦ – *Melun 61* ③ –
Orléans 126 ③.

🏰 **Trianon Palace**   X
1 bd Reine ℰ 01 30 84 38 00, *Fax 01 39 49 00 77*
Ⓜ 🕭, ≤, parc, « Élégant décor début de siècle », 🛁, 🏊, 🎾 – 📶 📺 ☎ 📞
🚗 **P** – 🚗 30. 🆎 ⓪ ⊞ ᴊᴄʙ, 🌿 rest
voir rest. *Les Trois Marches* ci-après
- Café Trianon ℰ 01 30 84 38 47 **Repas** 140/280 et carte 210 à 280 ⌿
⌷ 160 – **190 ch** 2200/2900, 25 appart.

🏰 **Sofitel Château de Versailles**   Y
2 av. Paris ℰ 01 39 07 46 46, *Fax 01 39 07 46 47*
Ⓜ, 🍴 – 📶 ⭾ 🍽 📺 ☎ 📞 🕭 🚗 – 🚗 150. 🆎 ⓪ ⊞ ᴊᴄʙ
Repas *(140)* - 195 et carte 280 à 370 ⌿, enf. 85 – ⌷ 110 – **146 ch** 1290,
6 appart.

🏨 **Versailles**   Y
7 r. Ste-Anne (Petite place) ℰ 01 39 50 64 65, *Fax 01 39 02 37 85*
Ⓜ 🕭 sans rest – 📶 ⭾ 📺 ☎ 🕭 **P**. 🆎 ⓪ ⊞ ᴊᴄʙ
⌷ 57 – **46 ch** 480/580.

🏨 **Résidence du Berry**   Z
14 r. Anjou ℰ 01 39 49 07 07, *Fax 01 39 50 59 40*
Ⓜ sans rest – 📶 ⭾ 📺 ☎ 📞. 🆎 ⓪ ⊞ ᴊᴄʙ
⌷ 50 – **38 ch** 450/600.

🏨 **Relais Mercure**   Y
19 r. Ph. de Dangeau ℰ 01 39 50 44 10, *Fax 01 39 50 65 11*
Ⓜ sans rest – 📶 📺 ☎ 📞 🕭 **P** – 🚗 35. 🆎 ⓪ ⊞ ᴊᴄʙ
⌷ 45 – **60 ch** 440.

🏚 **Ibis**   Y
4 av. Gén. de Gaulle ℰ 01 39 53 03 30, *Fax 01 39 50 06 31*
sans rest – 📶 ⭾ 📺 ☎ 📞 🕭 🚗 **P**. 🆎 ⓪ ⊞
⌷ 39 – **85 ch** 395.

🏚 **Paris**   YZ
14 av. Paris ℰ 01 39 50 56 00, *Fax 01 39 50 21 83*
sans rest – 📶 📺 ☎ 📞. 🆎 ⓪ ⊞ ᴊᴄʙ
⌷ 40 – **37 ch** 220/380.

VERSAILLES

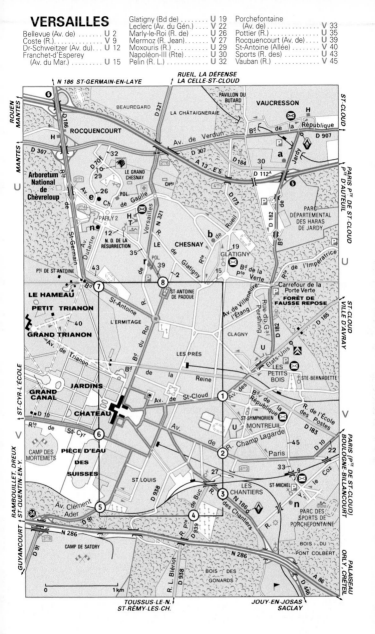

Les **guides Rouges**, les **guides Verts** et les **cartes Michelin**
sont complémentaires.
Utilisez-les ensemble.

261

VERSAILLES

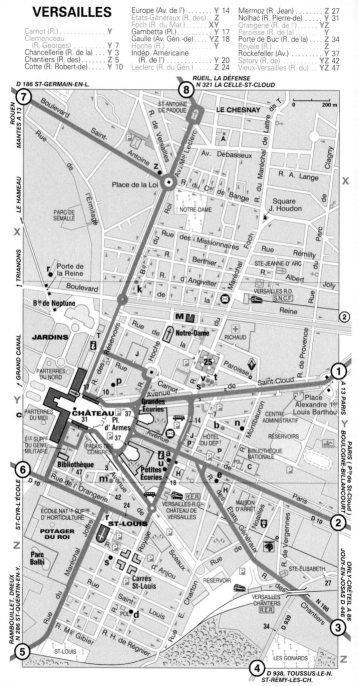

🏠 **Home St-Louis**   z d
28 r. St-Louis ℰ 01 39 50 23 55, *Fax 01 30 21 62 45*
sans rest – 🖳 📺 ☎, 🅰🅴 ⅁🅱 🎴
☐ 32 – **25 ch** 220/320.

XXXXX **Les Trois Marches**   X r
❀❀ 1 bd Reine ℰ 01 39 50 13 21, *Fax 01 30 21 01 25*
≤, 😤, – 🗐 🄿, 🅰🅴 ⓪ ⅁🅱 🎴
fermé 31 juil.au 2 sept. – **Repas** 295 (déj.)/625 et carte 570 à 860 �
Spéc. Foie gras poêlé au pamplemousse. Pain perdu aux truffes. Fruits
rouges en coque de crème glacée.

XXX **Rescatore**   Y s
27 av. St-Cloud ℰ 01 39 25 06 34, *Fax 01 39 51 68 11*
🅰🅴 ⅁🅱
fermé août, sam. midi et dim. – **Repas** - produits de la mer - 180/
250 et carte 300 à 370.

XX **Valmont**   Y v
🍲 20 r. au Pain ℰ 01 39 51 39 00, *Fax 01 30 83 90 99*
🗐, 🅰🅴 ⓪ ⅁🅱
fermé dim. soir et lundi – Repas 160 et carte 230 à 310.

XX **Potager du Roy**   z r
1 r. Mar.-Joffre ℰ 01 39 50 35 34, *Fax 01 30 21 69 30*
🗐, 🅰🅴 ⅁🅱
fermé dim. soir et lundi – **Repas** *(130)* - 175 �.

XX **Marée de Versailles**   Y t
22 r. au Pain ℰ 01 30 21 73 73, *Fax 01 39 50 55 87*
🗐, 🅰🅴 ⅁🅱
fermé 3 au 18 août, vacances de fév., dim. et lundi – **Repas** - produits de la
mer - 290 et carte 210 à 300 �.

XX **Étape Gourmande**   V n
125 r. Yves Le Coz ℰ 01 30 21 01 63
😤 – ⅁🅱
fermé 2 au 26 août, 27 déc. au 6 janv., dim. soir et merc. – **Repas** 108
(déj.)/148 et carte 190 à 280 �.

X **Cuisine Bourgeoise**   XY k
10 bd Roi ℰ 01 39 53 11 38, *Fax 01 39 53 25 26*
🅰🅴 ⅁🅱
fermé 7 au 30 août, vacances de fév., sam. midi et dim. – **Repas** *(120)* -
175 (déj.)/250 et carte 250 à 350 �.

X **Chevalet**   Y b
6 r. Ph. de Dangeau ℰ 01 39 02 03 13, *Fax 01 39 50 81 41*
⅁🅱 🎴
fermé 9 au 23 août, lundi soir et dim. – **Repas** *(89)* - 118/145 et carte 160 à
230 �.

X **Le Falher**   Y m
22 r. Satory ℰ 01 39 50 57 43, *Fax 01 39 49 04 66*
🅰🅴 ⅁🅱, 🍴
fermé 10 au 26 août, sam. midi et dim. – **Repas** *(120)* - 132/
185 et carte 220 à 290 �.

au Chesnay – *29 542 h. alt. 120* – ⊠ *78150 :.*

🏨 **Novotel** X
4 bd St-Antoine ℰ 01 39 54 96 96, *Fax 01 39 54 94 40*
Ⓜ – 📶 ⇔ ▤ 📺 ☎ 📞 ⅋ ⇔ – 🏛 25 à 150. AE ⓪ GB
Repas *(95)* - 120 et carte environ 180 ♀, enf. 50 – ☲ 65 – **105 ch** 580/630.

🏨 **Mercure** U
r. Marly-le-Roi, face centre commercial Parly II ℰ 01 39 55 11 41
Fax 01 39 55 06 22
Ⓜ sans rest – 📶 ⇔ 📺 ☎ 📞 ⅋ 🅿. AE ⓪ GB ⒿⒸⒷ
☲ 60 – **80 ch** 650.

🏨 **Ibis** U
av. Dutartre, centre commercial Parly II ℰ 01 39 63 37 93, *Fax 01 39 55 18 66*
sans rest – 📶 ⇔ 📺 ☎ ⅋. AE ⓪ GB
☲ 40 – **72 ch** 390.

🍴🍴 **Au Comptoir Nordique** U
6 av. Rocquencourt ℰ 01 39 55 13 31, *Fax 01 39 55 40 57*
🏤 – 🅿. AE GB
fermé 1er au 24 août, 24 au 30 déc. et dim. – **Repas** 145 et carte 170 à 260
♀, enf. 53
***Brasserie :* Repas** *(70)*-95/145 et carte 170 à 260 ♀, enf. 53.

🍴🍴 **Connemara** U
41 rte Rueil ℰ 01 39 55 63 07, *Fax 01 39 55 63 07*
AE GB
fermé 1er au 23 août, dim. soir et lundi – **Repas** *(135)* - 170 e
carte 230 à 300, enf. 85.

AUDI, VOLKSWAGEN Gar. des Chantiers,
58 r. des Chantiers ℰ 01 39 50 04 97
BMW Gar. Lostanlen, 10 r. de la Celle au
Chesnay ℰ 01 39 54 75 20
CITROEN Succursale, 124 av. des Etats-
Unis ℰ 01 39 25 11 95 🅽 ℰ 08 00 05 24
24
HONDA International Autom., 36-40 av.
de St-Cloud ℰ 01 39 07 24 01
JAGUAR, NISSAN Paris-Versailles Autom.,
60 bis r. de Versailles au Chesnay
ℰ 01 39 63 35 37
LANCIA Gar. de Versailles, 18-22 r. de
Conde ℰ 01 39 51 06 68

MG, MINI, LAND ROVER, ROVER
Espace Franklin, 9 r. Benjamin Franklin
ℰ 01 39 07 11 50
OPEL Espace Vergennes, 18 r. de
Vergennes ℰ 01 30 21 56 56
PEUGEOT Le Chesnay Autom., 36 r.
Moxouris Parly 2 au Chesnay
ℰ 01 39 54 52 76 🅽 ℰ 08 00 44 24 24
RENAULT Succursale, 81-91 r. des
chantiers ℰ 01 61 12 32 99 🅽 ℰ 08 00
05 15 15

🔘 Euromaster, 77 r. des Chantiers
ℰ 01 30 21 24 25

Le Vésinet *78110 Yvelines* 🗺 ⑬, 🗺 25 – *15 945 h alt. 44.*

🛈 *Office de Tourisme Hôtel-de-Ville 60 bd Carnot ℰ 01 30 15 47 00 et 3 av. des*
Pages ℰ 01 30 15 47 80, Fax 01 30 15 47 77.
Paris 19 – Maisons-Laffitte 9 – Pontoise 25 – St-Germain-en-Laye 3 – Ver
sailles 16.

🏨 **Auberge des Trois Marches** AW 3
15 r. J. Laurent (pl. Église) ℰ 01 39 76 10 30, *Fax 01 39 76 62 58*
📶 📺 ☎ 📞. AE ⓪ GB
fermé 9 au 23 août – **Repas** *(fermé dim. soir) (110)* - 152 ♀ – ☲ 40 – **15 ch**
450/510.

Les **cartes routières,** les **atlas,** les **guides Michelin**
sont indispensables aux déplacements professionnels
comme aux voyages d'agrément.

Villejuif 94800 Val-de-Marne 101 ⑳, 22 25 – 48 405 h alt. 100.
Paris 8 – Créteil 11 – Orly 7 – Vitry-sur-Seine 3.

🏨 **Relais Mercure Timing**   **BH 50**
116 r. Éd. Vaillant ℰ 01 47 26 06 06, *Fax 01 46 77 80 21*
ᴌ₃ – 🛗 ⇔ ✕ , 🔲 ch, 📺 ☎ ✆ ﯓ 🅿 – 🦶 150. 🆎 ⓪ 🆖
Repas *(fermé le midi du 14 juil. au 23 août)* *(115)* - 145, enf. 50 – 🍽 60 – **148 ch**
530/570.

🏨 **Campanile**   **BG 50**
20 r. Dr Pinel ℰ 01 46 78 10 11, *Fax 01 46 77 88 94*
🍴 – 🛗 ⇔ ✕ 📺 ☎ ✆ ﯓ 🅿 – 🦶 50. 🆎 ⓪ 🆖
Repas *(78)* - 94/109 ⅄, enf. 39 – 🍽 36 – **72 ch** 360.

⓪ La Pneumathèque Point S, 21 r. de Verdun ℰ 01 46 77 06 06

Villejust 91140 Essonne 101 ㉞ – 1 324 h alt. 162.
*Paris 25 – Chartres 65 – Étampes 31 – Évry 21 – Longjumeau 5 – Melun 42 –
Versailles 23.*

à Courtaboeuf 7 *sur D 118 : 2 km* – ✉ 91971 :.

🏨 **Campanile**
av.des Deux Lacs ℰ 01 69 31 16 17, *Fax 01 69 31 07 18*
🍴 – ✕ 📺 ☎ ✆ ﯓ 🅿 🆎 ⓪ 🆖
Repas *(72)* - 86/99 ⅄, enf. 39 – 🍽 34 – **79 ch** 295.

Villeneuve-la-Garenne 92390 Hauts-de-Seine 101 ⑮, 20 25 – 23 824 h alt. 30.
Paris 13 – Nanterre 13 – Pontoise 24 – St-Denis 3 – St-Germain-en-Laye 23.

XXX **Les Chanteraines**   **AP 48**
av. 8 Mai 1945 ℰ 01 47 99 31 31, *Fax 01 41 21 31 17*
≤, 🍴 – 🅿. 🆎 🆖
fermé 10 au 31 août, dim. soir et sam. – **Repas** 180 et carte 260 à 390 ⅄.

RENAULT Gar. Raynal, 16 av. Sangnier   ⓪ Euromaster, 8 av. de la Redoute ZI
ℰ 01 47 94 09 09   ℰ 01 47 94 22 85

Villeneuve-sous-Dammartin 77230 S.-et-M. 101 ⑨ – 413 h alt. 70.
Paris 38 – Bobigny 27 – Goussainville 17 – Meaux 26 – Melun 71 – Senlis 28.

🏨 **Hostellerie du Château**
28 r. Paris ℰ 01 60 54 60 80, *Fax 01 60 54 61 00*
Ⓜ ﻬ sans rest, parc – 📺 ☎ ✆ 🅿. 🆖
🍽 55 – **6 ch** 600/900, 6 duplex 1200.

XXX **Amarande**
28 r. Paris ℰ 01 60 54 92 92, *Fax 01 60 54 92 92*
🍴, parc – 🅿. 🆎 🆖
fermé 9 au 31 août, 2 au 10 janv., dim. sauf le midi d'avril à oct. et lundi –
Repas 170/295.

Villeparisis 77270 S.-et-M. 101 ⑲, 26 – 18 790 h alt. 72.
Paris 25 – Bobigny 15 – Chelles 10 – Tremblay-en-France 6.

🏨 **Relais du Parisis**
⥾ Z.I. L'Ambrésis ℰ 01 64 27 83 83, *Fax 01 64 27 94 49*
🍴, 🌴 – 📺 ☎ ✆ ﯓ 🅿. 🆎 🆖 🆑
Repas *(fermédim. soir)* 82/210 ⅄, enf. 45 – 🍽 42 – **44 ch** 280.

Villepinte 93420 Seine-St-Denis 101 ⑧, 20 25 – 30 303 h alt. 60.
Paris 29 – Bobigny 18 – Meaux 30 – St-Denis 19.

🏨 **Campanile**   AL 6
2 r. J. Fourgeaud ✆ 01 48 60 35 47, *Fax 01 48 61 49 33*
🎝 – ✦ 📺 ☎ ✆ ⅙ 🅿 – 🛗 25. ⅉ ① ☺
Repas *(72)* - 86/99 ⅊, enf. 39 – ☲ 34 – **52 ch** 295.

Parc des Expositions *Paris Nord II* – ✉ 93420 Villepinte :.

🏨 **Ibis**   AL 6
sortie visiteurs ✆ 01 48 63 89 50, *Fax 01 48 63 23 10*
Ⓜ – 🏗 📺 ☎ ⅙ 🅿 – 🛗 30. ⅉ ① ☺
Repas 135 ⅀, enf. 39 – ☲ 39 – **124 ch** 549/684.

  RENAULT Gar. Verdier, 4 av. G.-Clemenceau ✆ 01 48 61 96 65 🅽 ✆ 08 00 05 15 15

Villiers-le-Bâcle 91190 Essonne 101 ㉓, 22 25 – 953 h alt. 153.
Paris 32 – Arpajon 27 – Rambouillet 30 – Versailles 11.

※※ **Petite Forge**   BS 3
✆ 01 60 19 03 88
🎝 – ⅉ ☺
fermé sam. midi et dim. – **Repas** 250 et carte 320 à 410 ⅀.

Visitez la capitale avec le guide Vert Michelin PARIS

Vincennes 94300 Val-de-Marne 101 ⑰, 24 25 – 42 267 h alt. 51.
Voir *Château*★★ – *Bois de Vincennes*★★ : *Zoo*★★, *Parc floral de Paris*★★,
Musée des Arts d'Afrique et d'Océanie★, **G. Paris.**
🛈 *Office de Tourisme 11 av. Nogent ✆ 01 48 08 13 00, Fax 01 43 74 81 01.*
Paris 8 – Créteil 11 – Lagny-sur-Marne 26 – Meaux 40 – Melun 51 – Montreuil
– Senlis 49.

🏨 **St-Louis**   BB 5
2 bis r. R. Giraudineau ✆ 01 43 74 16 78, *Fax 01 43 74 16 49*
Ⓜ sans rest – 🏗 📺 ☎ ✆ ⅙ – 🛗 25. ⅉ ① ☺
☲ 48 – **25 ch** 550/890.

🏨 **Daumesnil Vincennes**   BB 5
50 av. Paris ✆ 01 48 08 44 10, *Fax 01 43 65 10 94*
sans rest – 🏗 ▤ 📺 ☎. ⅉ ① ☺ 🇯🇨🇧
☲ 40 – **50 ch** 470/590.

🏨 **Donjon**   BB 5
22 r. Donjon ✆ 01 43 28 19 17, *Fax 01 49 57 02 04*
sans rest – 🏗 📺 ☎. ☺
fermé 23 juil. au 23 août
☲ 30 – **25 ch** 280/370.

※ **Rigadelle**   BB 5
26 r. Montreuil ✆ 01 43 28 04 23
ⅉ ① ☺
fermé août, dim. soir et lundi – **Repas** (nombre de couverts limité, prévenir
(120) - 160/270 et carte 260 à 320 ⅀.

  CITROEN Succursale, 120 av. de Paris
  ✆ 01 49 57 96 96
  FORD Vincennes Auto Nation, 230-234 r.
  de Fontenay ✆ 01 43 74 97 40
  OPEL Démaria, 2-4 av. P.-Déroulède
  ✆ 01 43 28 16 33

  PEUGEOT Gar. Sabrie, 3 av. de Paris
  ✆ 01 43 28 37 54 🅽 ✆ 08 00 44 24 24

  🔘 Pneu Service, 12 r. de Fontenay
  ✆ 01 43 28 14 79

Viroflay *78220 Yvelines* ▨▨ ⑳, ▨▨ – *14 689 h alt. 115.*
Paris 17 – Antony 16 – Boulogne-Billancourt 8 – Versailles 4.

XX **Auberge la Chaumière** BG 34
3 av. Versailles ℘ 01 30 24 48 76, *Fax 01 30 24 59 69*
☆ – ⅏
fermé 8 au 17 août et lundi – **Repas** *(140)* - 175/240.

PEUGEOT Gar. de l'Ile-de-France, 17 av.   ⑩ Euromaster, 199 av. du Gén.-Leclerc
du Gén.-Leclerc ℘ 01 30 84 87 00 ◧   ℘ 01 30 24 49 96
℘ 08 00 44 24 24

Viry-Châtillon *91170 Essonne* ▨▨ ㊱ – *30 580 h alt. 34.*
Paris 27 – Corbeil-Essonnes 15 – Évry 9 – Longjumeau 9 – Versailles 30.

XXX **Dariole de Viry**
21 r. Pasteur ℘ 01 69 44 22 40, *Fax 01 69 96 88 87*
▤, ⒶⒺ ⅏
fermé 1ᵉʳ au 18 août, 22 déc. au 5 janv., sam. midi et dim. – **Repas** 210.

MERCEDES Gar. de L'Essonne, 137 av.   SEAT Gar. Marchand, 113 av. Gén.-de-
Gén.-de-Gaulle ℘ 01 69 21 35 90   Gaulle ℘ 01 69 05 38 49
PEUGEOT Besse et Guilbaud, 38 av. cour
France à Juvisy-sur-Orge   ⑩ Euromaster, 134 Nationale 7
℘ 01 69 21 55 33   ℘ 01 69 44 30 07
RENAULT Come et Bardon, 119 av.
Gén.-de-Gaulle ℘ 01 69 54 53 53 ◧ ℘ 08
00 05 15 15

Transports

SNCF - RER _____
MÉTRO - TAXI _____

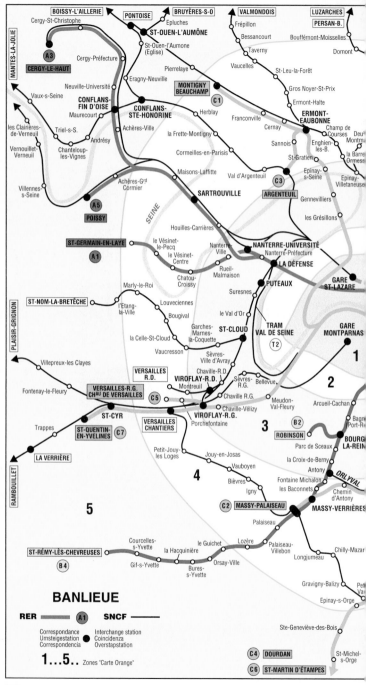

BANLIEUE

RER ▬▬▬ (A1)   SNCF ──────

Correspondance   Interchange station
Umsteigestation   Coincidenza
Correspondencia   Overstapstation

1...5.. Zones "Carte Orange"

(C4) DOURDAN
(C6) ST-MARTIN D'ÉTAMPES

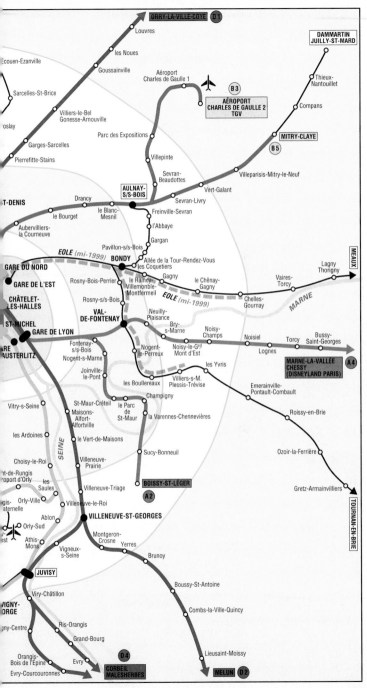

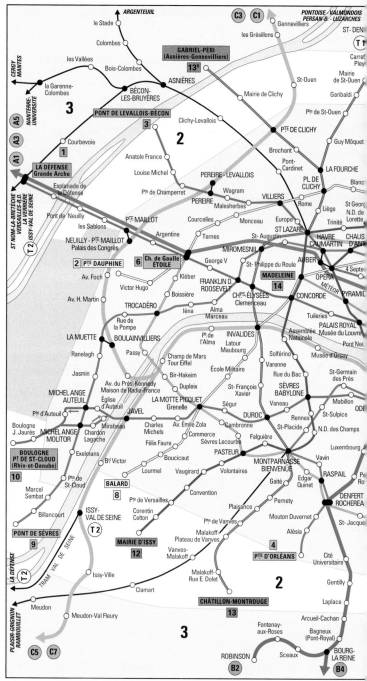

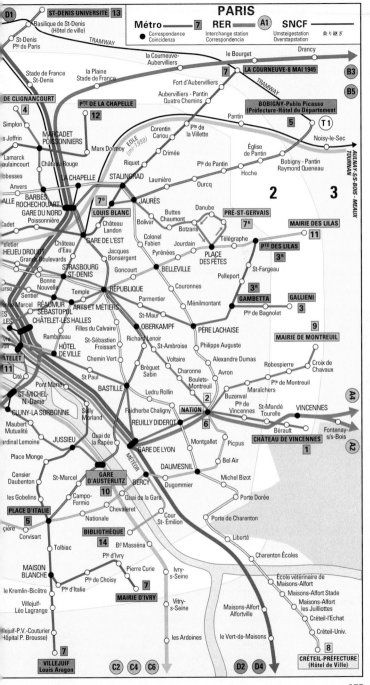

Taxis

Un taxi est libre lorsque le lumineux placé sur le toit est éclairé.

Taxis may be hailed in the street when showing the illuminated sign.

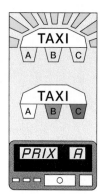

Le prix d'une course varie suivant la zone desservie et l'heure.

Les voyants lumineux A, B ou C (blanc, orange ou bleu) et le compteur intérieur indiquent le tarif en vigueur.

The rate varies according to the zone and time of day. The white, orange or blue lights correspond to the three different rates A, B and C. These also appear on the meter inside the cab.

Compagnies de Radio-Taxis
Radio-Taxi companies

Taxis Bleus (01.49.36.10.10)   *Taxis Étoile*
Taxis G7 Radio (01.47.39.47.39)   *(01.41.27.27.27)*
Alpha Taxis (01.45.85.85.85)   *Artaxi (01.42.41.50.50)*

Les stations de taxis sont indiquées ☉ sur les plans d'arrondissements. Numéros d'appels : Consulter les plans MICHELIN de Paris n° 🟨 ou 🟨🟨.

Taxi ranks are indicated by a ☉ on the arrondissement maps. The telephone numbers are given in the MICHELIN plans of Paris n[os] 🟨 or 🟨🟨.

Outre la somme inscrite au compteur, l'usager devra acquitter certains suppléments :
– au départ d'une gare parisienne ou des terminaux d'aéroports des Invalides et de l'Avenue Carnot.
– pour des bagages de plus de 5 kg.
– pour le transport d'une quatrième personne ou d'un animal domestique.

A supplementary charge is made:
– for taxis from the forecourts of Parisian railway stations and the Invalides or Avenue Carnot air terminals.
– for baggage over 5 kilos or unwieldy parcels
– for a fourth person or a domestic animal.

Zones de tarification
Taxi fare zones

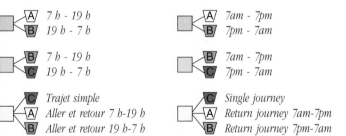

	A	7 h - 19 h
	B	19 h - 7 h
	A	7am - 7pm
	B	7pm - 7am

	B	7 h - 19 h
	C	19 h - 7 h
	B	7am - 7pm
	C	7pm - 7am

	C	Trajet simple
	A	Aller et retour 7 h-19 h
	B	Aller et retour 19 h-7 h
	C	Single journey
	A	Return journey 7am-7pm
	B	Return journey 7pm-7am

Renseignements pratiques

Police-Secours

17 Paris et banlieue

Pompiers

18 Incendies, asphyxies, y compris en banlieue
01 55 76 20 00 Laboratoire Central de la Préfecture de Police
(Explosifs, intoxications)

Santé

15 SAMU (Paris)
01 47 07 77 77 S.O.S. Médecin
01 48 28 40 04 Urgences médicales de Paris (24 h/24)
01 45 13 67 89 Ambulances Assistance Publique
01 47 07 37 39 Port-Royal Ambulances
01 46 25 23 42 Centre anti-brûlures (hôpital Foch)
01 45 74 00 04 Centre anti-drogue (hôpital Marmottan)
01 40 37 04 04 Centre anti-poison (hôpital Fernand-Widal)
01 42 61 12 00 S.O.S. Urgences dentaires (dimanches et jours fériés)
01 43 37 51 00 S.O.S. Dentaire (tous les jours de 20 h à 23 h 40 et
de 9 h 20 à 12 h 10 et 14 h 20 à 19 h 10 les samedis,
dimanches, vacances scolaires et jours fériés)
08 36 68 99 33 S.O.S. Vétérinaire Paris (nuits à partir de 19 h ; sam.
et veilles de fériés à partir de 16 h ; dimanches et
jours fériés 24 h/24)

Pharmacies

01 45 62 02 41 84 av. des Champs-Élysées (galerie Les Champs), 8^e
24 h/24)
01 48 74 65 18 6, pl. Clichy, 9e (24 h/24)
01 44 24 19 72 Angle av. Italie/r. de Tolbiac, 13e (8 h à 24 h – dim.
et jours fériés 9 h à 24 h)
01 43 35 44 88 106 bd du Montparnasse, 14e (8 h 30 à 24 h – sam.
de 9 h à 24 h, dim. et jours fériés 16 h à 21 h)
01 46 36 67 42 6 r. de Belleville, 20e (t.l.j. sauf dim. de 8 h à 21 h 30
– sam. de 9 h à 21 h)
01 43 43 19 03 6 pl. Félix-Eboué, 12e (24 h/24)

Circulation - Transports

01 53 90 20 20	*SNCF Informations, horaires et tarifs (Ile de France)*
01 43 46 14 14	*RATP – Renseignements – 55 quai Gds-Augustins, 6ᵉ*
01 42 76 53 53	*Allo information et S.O.S. Voirie* (de 9 h à 17 h du lundi au vend.)
01 42 76 52 52	*Voirie (Fermeture du boulevard périphérique et des voies sur berge)*
01 42 20 12 34	*F.I.P. (FM 105,1 – circulation à Paris)*
01 48 99 33 33	*Centre Régional d'Information Routière de l'Ile-de-France*
01 47 07 99 99	*S.O.S. Dépannage 24 h/24, 66, bd Auguste-Blanqui, 13ᵉ*
01 53 71 53 71	*Préfecture de Police, 9 bd du Palais, 4ᵉ*

Salons - Foires - Expositions

01 46 92 12 12	*Centre National des Industries et des Techniques (CNIT) – La Défense*
01 49 52 53 54	*Office du Tourisme et des Congrès de Paris, 127 av. des Champs-Élysées, 8ᵉ*
01 49 09 60 00	*Comité des Expositions de Paris – Boulogne-Billancourt – 55, quai Alphonse Le Gallo*
01 45 56 09 09	*Espace Austerlitz – 30, quai d'Austerlitz, 13ᵉ*
01 40 55 19 55	*Espace Champerret – pl. Porte de Champerret, 17ᵉ*
01 40 03 75 75	*Grande Halle de la Villette – 211, av. Jean-Jaurès, 19ᵉ*
01 48 00 20 20	*Drout-Richelieu (hôtel des ventes) – 9, r. Drouot, 9ᵉ*
01 48 00 20 80	*Drouot-Montaigne (hôtel des ventes) – 15 av. Montaigne, 8ᵉ*
01 40 68 22 22	*Palais des Congrès – 2, pl. de la Pte-Maillot, 17ᵉ*
01 43 95 37 00	*Parc des Expositions – Pte-de-Versailles, 15ᵉ*
01 48 63 30 30	*Parc d'expositions de Paris-Nord – Villepinte – Z.A.C. – Paris-Nord II*

Divers

01 40 28 20 00	*Paris Louvre RP (Recette Principale), 52 r. du Louvre, 1ᵉʳ* (24 h/24)
01 55 76 20 20	*Objets trouvés, 36 r. des Morillons, 15ᵉ*
01 53 68 33 33	*Perte ou vol chéquier, Carte Bleue (Visa)* (24 h/24)
01 47 77 72 00	*Perte Carte American Express* (24 h/24)

Index

A

Notes

Manufacture française des pneumatiques Micheli
Société en commandite par actions au capital de 2 000 000 000 de franc
Place des Carmes-Déchaux – 63 Clermont-Ferrand (France)
R.C.S. Clermont-Fd B 855 200 507

Michelin et Cie, propriétaires-éditeurs, 1999
Dépôt légal Mars 1999 – ISBN 2-06-968999-9

Printed in the EU 2-99

*Illustrations Cécile Giraudel: pages 4, 6, 7, 8, 9, 10, 12 14, 15, 16, 17, 18, 19,
28, 32, 34, 41, 45, 64, 66, 72, 274. Rodolphe Corbel pages 5, 13, 30, 39, 51, 52,
59, 76, 78, 83, 91, 95, 107, 115, 127, 137, 151, 163, 171, 183, 195, 205, 211.*

Benelux • Deutschland •
España & Portugal • Europe • France •
Great Britain & Ireland • Ireland • Italia •
London • Paris • Portugal •
Suisse / Schweiz / Svizzera

Simplifiez-vous la route!
Semplificatevi la vita!
Vereinfacht Ihre
        Routenplanung!
¡Simplifique su viaje!
Maak reizen gemakkelijker!
Route planning made simple!

Internet
www.michelin-travel.com